MODERN FRENCH POETS
ON POETRY

MODERN FRENCH POETS ON POETRY

An anthology arranged and annotated

by

ROBERT GIBSON ,ed.

Lecturer in French in the
University of Aberdeen

CAMBRIDGE

At the University Press

1961

PUBLISHED BY
THE SYNDICS OF THE CAMBRIDGE UNIVERSITY PRESS

Bentley House, 200 Euston Road, London, N.W. 1
American Branch: 32 East 57th Street, New York 22, N.Y.

MATERIAL BY ROBERT GIBSON

©

CAMBRIDGE UNIVERSITY PRESS
1961

Printed in Great Britain at the University Press, Cambridge
(Brooke Crutchley, University Printer)

❖❖❖❖❖❖❖❖❖❖❖❖❖❖❖❖❖❖❖❖❖❖❖❖❖❖❖❖

...les poètes, ce sont mes premiers témoins. Témoins dangereux, certes, et partiaux — hantés chacun de l'idée que leur poésie doit être la meilleure de toutes (sans quoi, s'y risqueraient-ils?) et tout occupés de faire servir leur doctrine à la perfection de cette poésie. Ce serait peu: à la preuve de cette perfection. Naturellement tendancieux, peu désintéressés. Il serait injuste de leur demander la patience, la rigueur, le détachement que l'on exige d'un savant, ou seulement d'un connoisseur. Du moins sont-ils jetés dans la poésie comme les Esquimaux dans le froid. Ils en vivent, ils y respirent, ils y nagent. Au demeurant, leurs descriptions, et les lois qu'ils prétendent me révéler, offrent-elles des traits constants: même allure, même contenu. Leur opposition même est régulière et comme légale: c'est elle qui me frappe d'abord....

Car Apollinaire ou Novalis font en poésie le langage procéder d'une inspiration. Mais Poe ou Valéry l'inspiration d'un langage. Ceux-ci voient dans une combinaison matérielle l'origine de tout esprit poétique; ceux-là dans l'exercice spirituelle de la raison même de la lettre et du rythme. La révélation, dit l'un, secrète ses mots et sa forme. Mais l'autre: la forme et les mots provoquent la révélation. 'Poésie, dit Boccace, est Théologie. — A peine logogriphe, répond Malherbe. — Le poète est Pape, dit Victor Hugo. — Au mieux, joueur d'échecs, réplique Banville.' Il est prophète. — Il est orfèvre. — Il chante. Il calcule. D'où l'on voit chaque traité de la poésie tourner à la métaphysique ou bien à la prosodie: C'est au choix. JEAN PAULHAN: *Clef de la Poésie* (Gallimard, 1944), pp. 27–9

❖❖❖

CONTENTS

PREFACE

THIS anthology has been compiled in the belief that the texts selected are interesting in their own right, and will provide a useful introduction to the chief aims and problems of all the more important French poets from Baudelaire to the Surrealists and Supervielle.

There is available a formidable mass of pronouncements on poetry in the prose and even in the verse of these poets: essays, prefaces, letters, formal addresses, carefully prepared lectures, spontaneous comments to friends or to journalists—from this abundant store, one may select and reconstruct the *art poétique* of each poet in turn. Such compilations as have already been made are, however, even when excellent in themselves, of only limited value to the reader seeking a general survey of the modern field in all its rich complexity: thus, M. Henri Mondor's collection of Mallarmé's letters on poetry, *Propos sur la Poésie* (Editions du Rocher, Monaco, 1953), or M. J.-M. Carré's *Lettres de la Vie Littéraire d'Arthur Rimbaud* (Gallimard, 1931) are chiefly of value to the specialist interested in the work of the individual poet concerned; *L'Art Poétique* (Editions Seghers, 1956), an anthology compiled by Jacques Charpier and Pierre Seghers from the writings of poets of all ages and all countries, is too wide-ranging and inchoate to help the student wishing to restrict his interests to the problems of poetry-making in France during the late nineteenth and early twentieth centuries; M. Guy Michaud's interesting collection of documents, *La Doctrine Symboliste* (Nizet, 1947), is, as its title implies, exclusively devoted to the theories and practice of the Symbolists, and contains a not inconsiderable quantity of writing by comparatively ephemeral figures.

The present anthology is made up of extracts selected principally from the writings of the more important modern French poets: Baudelaire, Mallarmé, Verlaine, Rimbaud, Laforgue, Péguy, Claudel, Valéry, Apollinaire, Supervielle, Eluard, and Breton as spokesman for the Surrealists. In addition, I have, whenever it seemed to provide illumination, introduced quotations from other poets, English as well as French, ancient as well as modern. The reader will find a fair number of extracts from the writings of earlier nineteenth-century French poets, in particular from Vigny, Gautier, Hugo and Leconte de Lisle; in any preamble to a survey of the modern French poetical scene, these are voices demanding to be heard. It has been well said:

No poet, no artist of any art, has his complete meaning alone. His significance, his appreciation is the appreciation of his relation to the dead poets and artists. You cannot value him alone; you must set him, for contrast and comparison, among the dead.

T. S. ELIOT: 'Tradition and the Individual Talent', *Selected Essays* (Faber), p. 15

I have chosen to group my quotations under subject-headings because I believe that the juxtaposition of similar or conflicting views on specific topics will prove more stimulating than extracts arranged simply in the chronological order of authors favoured in most literary manuals. The main divisions perhaps call for brief description: in 'The Poet as Critic', some attempt has been made to introduce and evaluate the material that follows; 'Poetic Ends' begins with a broad survey of the poets' responses to their times, and with an attempt to explain how in the course of the nineteenth century such extravagant claims came to be made for poetry; this is followed by detailed analyses of the chief aims of the most outstanding poets, and a comparison between their ambitions and their achievements; 'Poetic Means' is a survey with illustrations rather than merely a collection of annotated quotations, and reviews the solutions the poets devised for their technical problems; finally 'The Poet at Work' illustrates their varied experience of the phenomenon of inspiration and their contrasting reactions to it.

I have tried throughout to supply the reader with references to the best and most up-to-date works of criticism, whether books or articles, whenever specific problems have been studied elsewhere by specialists more qualified than I.

It is hoped that this work will prove useful to both teachers and students. The specialist will probably find few texts in this collection with which he is not already acquainted: there are no *inédits*, although not every text quoted is readily accessible. It is hoped that the teacher will consider it convenient to have a selection of the modern French poets' more important pronouncements on poetry within the covers of one volume, and that he will find, as I have done, many of the selected passages useful for illustrating points in lectures or tutorial work. The pupil, for his part, is invited to look upon this anthology simply as a guide-book to a country that he might consider too forbidding to explore unaided: at the same time, he should remember that reading another person's travel-notes is no substitute for travel itself, and that poetry is more important than poetics.

En résumé, l'objet d'un enseignement...de la Poétique...loin de se substituer ou de s'opposer à celui de l'Histoire littéraire serait de donner à celle-ci à la fois une introduction, un sens et un but.

VALÉRY: 'L'Enseignement de la Poétique au Collège de France',
Valéry O., p. 1443

R. G.

GLASGOW
July 1960

ACKNOWLEDGEMENTS

I wish to thank the following publishers for granting permission to quote from copyright material:

Cahiers de l'Amitié Charles Péguy, for extracts from Péguy's *Cahiers et Entretiens*; Jonathan Cape, for an extract from *The Poetic Image* by C. Day Lewis; Chamontin, for extracts from F. Lefèvre's *Entretiens avec Paul Valéry*; Chatto and Windus, for an extract from Aldous Huxley's *Music at Night*; Editions du Rocher, Monaco, for extracts from Mallarmé's *Propos sur la Poésie* and from Pierre Reverdy's *En Vrac*; Editions du Sagittaire, for extracts from André Breton's *Manifestes du Surréalisme*; Faber and Faber, for a quotation from T. S. Eliot's *Four Quartets*, for extracts from 'Hamlet', 'Shakespeare and the Stoicism of Seneca', 'Tradition and the Individual Talent' (all in *Selected Essays*), and from *The Use of Poetry and the Use of Criticism*; Hamish Hamilton, for extracts from *The Common Asphodel* by Robert Graves, and from *The Making of a Poem* by Stephen Spender.

Gallimard, for extracts from *La Femme Assise* and *Lettres à sa Marraine* by Apollinaire, and for extracts from the following works in the same author's *Œuvres Poétiques* ('Bibliothèque de la Pléiade'): 'la Dame', 'la Jolie Rousse', a letter to Henri Martineau, 'le Retour'; for extracts from the following works of Claudel, *Mémoires Improvisés*; 'l'Art Poétique', 'l'Esprit et l'Eau', 'Magnificat', 'la Maison Fermée', 'les Muses', 'la Muse qui est la grâce' (all from *Œuvre Poétique* ('Bibliothèque de la Pléiade')), 'la Castastrophe d'Igitur', 'Introduction à un Poème sur Dante', 'lettre à l'abbé Bremond sur l'inspiration poétique', 'Réflexions et Propositions sur le vers français' (all from *Positions et Propositions*, vol. I); 'la Ville' (from *Théâtre*, vol. I ('Bibliothèque de la Pléiade')); for extracts from *Donner à Voir* and from *les Sentiers et les Routes de la Poésie* by Paul Eluard; for extracts from Gide's *Journal, 1880–1939* ('Bibliothèque de la Pléiade'); for the poem 'Emportez-moi' from *Mes Propriétés* by Henri Michaux; for extracts from 'En Songeant à un Art Poétique' in Jules Supervielle's *Naissances*; for the extracts from the following works of Valéry: *Correspondance avec André Gide (1890–1942)*; *Correspondance avec Gustave Fourment (1887–1953)*; *Degas, Danse, Dessin*; *Lettres à Quelques-Uns*; *Mauvaises Pensées et Autres*;

Monsieur Teste; *Morceaux Choisis* (*Prose et Poésie*); *Œuvres*, vol. I ('Bibliothèque de la Pléiade'), poetry: 'Aurore', 'le Cimetière Marin', 'Fragments du Narcisse', 'Palme', 'la Pythie'; prose: 'Au Sujet d'Adonis', 'Au Sujet du Cimetière Marin', 'Avant-Dire à la Connaissance de la Déesse', 'Calepin d'un Poète', 'Cantiques Spirituels', 'Dernière Visite à Mallarmé', 'l'Enseignement de la Poétique au Collège de France', 'Fragments des Mémoires d'un Poème', 'Je disais quelquefois à Stéphane Mallarmé', 'Lettre sur Mallarmé', 'Note et Digression', 'Passage de Verlaine', 'Poésie et Pensée Abstraite', 'Poésie Pure', 'Préface aux Commentaires de Charmes', 'le Prince et la Jeune Parque', 'Questions de Poésie', 'Situation de Baudelaire', 'Stéphane Mallarmé', 'Sur la Technique Littéraire' and 'Victor Hugo, Créateur par la forme'; *Pièces sur l'Art*; *Tel Quel I*; *Tel Quel II*.

Grasset, for an extract from *Propos Familiers de Paul Valéry* by Henri Mondor; Guy Le Prat, for extracts from *Souvenirs Poétiques de Paul Valéry*; Mercure de France, for extracts from 'l'Esprit Nouveau et les Poètes' by Apollinaire and from *Le Livre de Mon Bord* by Pierre Reverdy; Plon, for extracts from Claudel's *Correspondance avec Jacques Rivière*, from *Le Gant de Crin* by Pierre Reverdy and from Valéry's 'Propos me Concernant' (in Berne-Joffroy's *Présence de Valéry*); Zeluck, for extracts from *Paul Valéry: Essais et Témoignages*.

Finally I wish to express my gratitude to the secretariat of the Cambridge University Press and, most of all, to my wife: without their advice and constant encouragement, this project would many times have foundered.

ABBREVIATIONS

For purposes of easy reference, passages have been chosen as far as possible from editions in the Bibliothèque de la Pléiade, published by Gallimard. The following abbreviations are employed:

Apollinaire O.P.: Apollinaire, Œuvres Poétiques, edited by Marcel Adéma and Michel Décaudin (1956).

Baudelaire O.C.: Baudelaire, Œuvres Complètes, edited by Y. G. le Dantec (1951).

Claudel O.P.: Claudel, Œuvre Poétique (1957).

Claudel T.: Claudel, Théâtre, two volumes, prepared by Jacques Madaule (1951-2).

Mallarmé O.C.: Mallarmé, Œuvres Complètes, edited by Henri Mondor and G. Jean-Aubry (1945).

Pos.: Claudel, *Positions et Propositions,* vol. I (Gallimard, 1928).

Propos: Mallarmé, *Propos sur la Poésie,* compiled by Henri Mondor (Editions du Rocher, Monaco, 1953).

Rimbaud O.C.: Rimbaud, Œuvres Complètes, edited by Rolland de Renéville and Jules Mouquet (1954).

Valéry O.: Valéry, Œuvres Volume I, edited by Jean Hytier (1957).

Verlaine O.C.: Verlaine, Œuvres Poétiques Complètes, edited by Y. G. le Dantec (1954).

To the above editors, and also to Jacques Crépet, editor of the monumental nineteen-volume edition of Baudelaire's works published by Conard, 1922-53, my particular thanks are due. Without the products of their patient quarrying I could clearly never have constructed my mosaic.

Except where otherwise stated, all English books mentioned throughout were published in London, and all French books in Paris.

PART I

THE POET AS CRITIC

❖❖❖❖❖❖❖❖❖❖❖❖❖❖❖❖❖❖❖❖❖❖❖❖❖❖❖❖❖❖❖❖❖

The first artists, in any line, are doubtless not those whose general ideas about their art are most often on their lips—those who most abound in precept, apology, and formula and can best tell us the reasons and the philosophy of things. We know the first usually by their energetic practice, the constancy with which they apply their principles, and the serenity with which they leave us to hunt for their secret in the illustration, the concrete example. None the less it often happens that a valid artist utters his mystery, flashes upon us for a moment the light by which he works, shows us the rule by which he holds it just that he should be measured. The accident is happiest, I think, when it is soonest over; the shortest explanations of the products of genius are the best, and there is many a creator of living figures whose friends, however full of faith in his inspiration, will do well to pray for him when he sallies forth into the dim wilderness of theory. The doctrine is apt to be so much less inspired than the work, the work is often so much more intelligent than the doctrine.

HENRY JAMES: 'Guy de Maupassant', *Fortnightly Review* (March 1888); reprinted in *The House of Fiction* (Hart-Davis, 1957), p. 139

❖❖❖❖❖❖❖❖❖❖❖❖❖❖❖❖❖❖❖❖❖❖❖❖❖❖❖❖❖❖❖

I. ON FELLOW-POETS

Most modern French poets, not content with expressing the scorn traditionally felt by the *genus irritabile vatum* for the professional critic,[1] have also proclaimed themselves excellent critics in their own right:

Ce serait un événement tout nouveau dans l'histoire des arts qu'un critique se faisant poète, un renversement de toutes les lois psychiques, une

[1] Cf. Gautier: 'Vous ne vous faites critique qu'après qu'il est bien constaté à vos propres yeux que vous ne pouvez être poète.' (Preface to *Mademoiselle Maupin*, Charpentier, 1919, p. 11.)

Cf. also Coleridge: 'Reviewers are usually people who would have been poets, historians, biographers, etc. if they could; they have tried their talents at one or at the other and have failed; therefore they turn critics.' (*Lectures on Shakespeare and Milton.*)

Also Ben Jonson: 'To judge of poets is only the faculty of poets; and not of all poets, but the best.' (*Discoveries.*)

monstruosité; au contraire, tous les grands poètes deviennent naturellement, fatalement, critiques. Je plains les poètes que guide le seul instinct;
je les crois incomplets. Dans la vie spirituelle des premiers, une crise se
fait infailliblement, où ils veulent raisonner leur art, découvrir les lois
obscures en vertu desquelles ils ont produit, et tirer de cette étude une
série de préceptes dont le but divin est l'infaillibilité dans la production
poétique. Il serait prodigieux qu'un critique devînt poète, et il est impossible qu'un poète ne contienne pas un critique. Le lecteur ne sera donc
pas étonné que je considère le poète comme le meilleur de tous les
critiques... BAUDELAIRE: 'Richard Wagner et "Tannhäuser" à Paris',
Baudelaire O.C., p. 1051

tout véritable poète est nécessairement un critique de premier ordre.
Pour en douter, il faut ne pas concevoir du tout ce que c'est que le
travail de l'esprit, cette lutte contre l'inégalité des moments, le hasard des
associations, les défaillances de l'attention, les diversions extérieures.
L'esprit est terriblement variable, trompeur et se trompant, fertile en
problèmes insolubles et en solutions illusoires. Comment une œuvre
remarquable sortirait-elle de ce chaos, si ce chaos qui contient tout ne
contenait aussi quelques chances sérieuses de se connaître soi-même et de
choisir en soi ce qui mérite d'être retiré de l'instant même et soigneusement employé? VALÉRY: 'Poésie et Pensée Abstraite', *Valéry O.*, p. 1335

L'inspiration à elle seule ne suffirait pas à faire un de ces grands poètes que
j'ai dits. Il faut qu'à l'œuvre de la grâce répondent, de la part du sujet, non
seulement la parfaite bonne volonté, la simplicité et la bonne foi, mais
aussi des forces naturelles exceptionnelles, contrôlées et administrées par
une intelligence à la fois hardie, prudente et subtile et par une expérience
consommée. C'est pourquoi, avec d'admirables dons, Victor Hugo, par
exemple, ou Sénèque le Tragique, qui sont des poètes de génie, ne sont
pas de grands poètes, et doivent même être placés au-dessous de certains
écrivains de talent qui ont répondu avec fidelité à leur vocation.

Et ceci nous dispense d'insister longuement sur la seconde marque qui
est le don à un degré suprême d'*intelligence* et de critique ou de goût. Par
l'intelligence, le poète, qui ne reçoit le plus souvent de l'inspiration qu'une
vision incomplète, qu'un appel ou mot énigmatique et informe, devient
capable, par une recherche diligente et audacieuse, par une sévère interro-
gation de ses matériaux, par l'abnégation de toute idée préconçue devant
le but, de constituer un spectacle fermé, un certain monde intérieur à lui-

même dont toutes les parties sont gouvernées par des rapports organiques et par des proportions indissolubles. Par la critique ou goût intime, le poète sait immédiatement les choses qui conviennent ou non à la fin qu'il poursuit. La critique est pour ainsi dire le côté négatif de la création. C'est ainsi que dans une statue on peut considérer soit la statue elle-même, soit les éclats que le ciseau a fait sauter.[1]

CLAUDEL: 'Introduction à un Poème sur Dante', Pos., pp. 162–3

But more than one writer has conceded that to be a fastidious judge of one's own writing is no guarantee that one may equitably survey the work of others:

Il est à craindre qu'un poète ne puisse juger un autre poète avec une équité constante.   LECONTE DE LISLE: 'Avant-Propos aux Poètes Contemporains',

in Derniers Poèmes (Lemerre), p. 247

That very concentration of vision that makes a man an artist limits by its sheer intensity his faculty of fine appreciation. . . . A truly great artist cannot perceive of life being shown, or beauty fashioned, under any condition other than those he has selected. . . . It is exactly because a man cannot do a thing that he is the proper judge of it.

OSCAR WILDE: 'The Critic as Artist', Stories, Plays, Poems, Essays
(Collins, 1948), p. 992

When the critics are themselves poets, it may be suspected that they have formed their critical statements with a view to justifying their poetic practice.   T. S. ELIOT: The Use of Poetry and the Use of Criticism

(Faber, 1933), p. 29

At their best, articles by French poets on their predecessors or contemporaries far surpass anything written by professional nineteenth-century literary critics, whose obtuseness, when confronted by any new developments in poetry, was almost monumental.[2] But they could also

---

[1] Cf. the typical Romantic view that the Poet should sing as spontaneously as the birds on the trees: '. . . for did they know any rules of criticism according to which they could compose beautiful verses upon one subject, they would be able to exert the same faculty with respect to all or any other. The God seems purposely to have deprived all poets, prophets and sooth-sayers of every particle of reason and understanding, the better to adapt them to their employment as his ministers and interpreters; and that we, their auditors, may acknowledge that those who write so beautifully, are possessed, and address us, inspired by the God.' (Words ascribed to Socrates by Plato: Shelley's translation of the Ion.)

[2] Cf. Lemaître, who saw in Symbolism merely a collection of 'grimoires parfaitement inintelligibles, je ne dis pas à la foule, mais aux lettrés les plus perspicaces' (from an article in Revue Bleue, 7 January 1888, quoted in G. Michaud, La Doctrine Symboliste (Documents),

make errors of judgment and be as naïve and dogmatic as the critics they so peremptorily dismissed. In this respect, nothing is as typical as Rimbaud's survey of the poetry of the world, and his wholesale condemnation of all poets who had failed to act the visionary role which, he maintained, was their true function:

Toute poésie antique aboutit à la poésie grecque, Vie harmonieuse. — De la Grèce au mouvement romantique, — moyen âge, — il y a des lettrés, des versificateurs. D'Ennius à Theroldus, de Theroldus à Casimir Delavigne,[1] tout est prose rimée, un jeu, avachissement et gloire d'innombrables générations idiotes: Racine est le pur, le fort, le grand.[2] — On eût soufflé sur ses rimes, brouillé ses hémistiches, que le Divin Sot serait aujourd'hui aussi ignoré que le premier venu auteur d'*Origines*.[3] Après Racine, le feu moisit. Il a duré deux mille ans!

Ni plaisanterie, ni paradoxe. La raison m'inspire plus de certitudes sur le sujet que n'aurait jamais eu de colères un Jeune-France.[4] Du reste, libre aux *nouveaux* d'exécrer les ancêtres: on est chez soi et l'on a le temps.

On n'a jamais bien jugé le romantisme. Qui l'aurait jugé? Les Critiques!! Les Romantiques? qui prouvent si bien que la chanson est si peu souvent l'œuvre, c'est-à-dire la pensée chantée et comprise du chanteur....

Si les vieux imbéciles n'avaient pas trouvé du Moi que la signification fausse, nous n'aurions pas à balayer ces millions de squelettes, qui, depuis un temps infini, ont accumulé les produits de leur intelligence borgnesse, en s'en clamant les auteurs!

p. 105). Gautier in *Souvenirs du Romantisme*, Leconte de Lisle in *Les Poètes Contemporains*, Verlaine in a long article in the review *L'Art*, Laforgue in *Mélanges Posthumes* and Valéry in *Situation de Baudelaire*, all wrote more perspicaciously on Baudelaire than did Sainte-Beuve or Lanson. See W. T. Bandy and C. Pichois: *Baudelaire devant ses Contemporains* (Monaco, 1957), and Etiemble: *Le Mythe de Rimbaud* (Gallimard, 1952–).

[1] All three are best known for their treatment of historical themes: *Ennius*, c. 239–169 B.C., often called the Father of Roman poetry, wrote the *Annals*, a hexameter epic of Roman history; to *Theroldus*, the Latinized form of Théroulde, was attributed the authorship of *La Chanson de Roland*; *Casimir Delavigne*, 1793–1843, was a French poet and dramatist known principally for the historical plays he wrote under the July Monarchy. Rimbaud's view is that these three betrayed the Poet's true function by turning historian.

[2] It is curious that Rimbaud should dismiss Racine for what he considered mere formal perfection, yet hail Gautier as *très voyant*.

[3] *Origines*: Larousse lists fifteen works, from Cato to Michelet, in which this is the key word in the title.

[4] Name of group of young ultra-Romantics in 1830's, whose flamboyance and studied eccentricity expressed their contempt for the *bourgeoisie* of their time. The acknowledged leader was Pétrus Borel, and among his chief supporters were Gérard de Nerval and Gautier. See E. Starkie: *Pétrus Borel the Lycanthrope* (Faber, 1954), pp. 89–95.

En Grèce, ai-je dit, vers et lyres, rythment l'Action. Après, musique et rimes sont jeux, délassements. L'étude de ce passé charme les curieux: plusieurs s'éjouissent à renouveler ces antiquités: — c'est pour eux. L'intelligence universelle a toujours jeté ses idées naturellement; les hommes ramassaient une partie de ces fruits du cerveau: on agissait par, on en écrivait des livres: telle allait la marche, l'homme ne se travaillant pas, n'étant pas encore éveillé, ou pas encore dans la plénitude du grand songe. Des fonctionnaires, des écrivains. Auteur, créateur, poète, cet homme n'a jamais existé!...

Les premiers romantiques ont été *voyants* sans trop bien s'en rendre compte: la culture de leurs âmes s'est commencée aux accidents: loco-motives abandonnées, mais brûlantes, que prennent quelque temps les rails. — Lamartine est quelquefois voyant, mais étranglé par la forme vieille. — Hugo, *trop cabochard*, a bien du vu dans les derniers volumes: *Les Miserables* sont un vrai *poème*. J'ai *Les Châtiments* sous main; *Stella* donne à peu près la mesure de la *vue* de Hugo. Trop de Belmontet[1] et de Lamennais, de Jehovahs et de colonnes, vieilles énormités crevées.

Musset est quatorze fois exécrable pour nous, générations douloureuses et prises de visions, — que sa paresse d'ange a insultées! O! les contes et les proverbes fadasses! ô les *Nuits*! ô *Rolla*, ô *Namouna*, ô *la Coupe*![2] tout est français, c'est-à-dire haïssable au suprême degré; français, pas parisien! Encore une œuvre de cet odieux génie qui a inspiré Rabelais, Voltaire, Jean La Fontaine, commenté par M. Taine! Printanier, l'esprit de Musset! Charmant, son amour! En voilà, de la peinture à l'émail, de la poésie solide!.... Tout garçon épicier est en mesure de débobiner une apostrophe Rollaque, tout séminariste emporte les cinq cents rimes dans le secret d'un carnet. A quinze ans, ces élans de passion mettent les jeunes en rut; à seize ans, ils se contentent déjà de les réciter avec *cœur*; à dix-huit ans, à dix-sept même, tout collégien qui a le moyen fait le Rolla, écrit un Rolla! Quelques-uns en meurent peut-être encore. Musset n'a rien su faire. Il y avait des visions derrière la gaze des rideaux; il

---

[1] Louis Belmontet, 1798–1879, was a propagandist for Louis-Napoleon and was hailed as bard of the Second Empire. In his mainly martial poetry, the platitudes are no less resounding than the themes.

[2] I.e. *La Coupe et Les Lèvres* (1832). Musset was singled out for a no less scathing attack in Lautréamont's *Préface à un Livre Futur*, which includes a characteristically truculent review of his poetic forbears beginning: 'Les gémissements poétiques de ce siècle ne sont que des sophismes.' Both Rimbaud and Lautréamont are particularly abusive on the subject of *Rolla*, 1833, and most modern readers would, in this instance, endorse their views.

a fermé les yeux. Français, panadis,[1] traîné de l'estaminet au pupitre de collège, le beau mort est mort, et, désormais, ne nous donnons même plus la peine de le réveiller par nos abominations!

Les seconds romantiques sont très *voyants*: Théophile Gautier, Leconte de Lisle, Théodore de Banville. Mais inspecter l'invisible et entendre l'inouï étant autre chose que reprendre l'esprit des choses mortes, Baudelaire est le premier voyant, roi des poètes, *un vrai Dieu*. Encore a-t-il vécu dans un milieu trop artiste; et la forme si vantée en lui est mesquine. Les inventions d'inconnu réclament des formes nouvelles.

[There follows here a list of minor nineteenth-century French poets, now all forgotten except for Sully-Prudhomme and Coppée.[2]]

La nouvelle école, dite parnassienne, a deux voyants, Albert Mérat et Paul Verlaine, un vrai poète. — Voilà.

RIMBAUD: Letter to Paul Demeny, 15 May 1871, Rimbaud O.C., pp. 269–73 passim

But the most notorious error of taste and judgment was that committed by nearly every outstanding modern French poet when they championed—indeed virtually canonized—Edgar Allan Poe. English readers have never ceased to wonder at the fact that so meretricious a poet should have been so highly praised by poets like Gautier, Baudelaire, Mallarmé and Valéry, who are themselves conspicuous for their poetic fastidiousness. Valéry, in turn, expressed amazement that Poe should be 'étrangement méconnu par les siens'. ('Situation de Baudelaire', *Valéry O.*, p. 607.)

The case against Poe has best been stated by Aldous Huxley:

A taint of vulgarity spoils, for the English reader, all but two or three of his poems—the marvellous '*City in the Sea*' and '*To Helen*', for example, whose beauty and crystal perfection make us realize, as we read them, what a very great artist perished on most of the occasions when Poe wrote verse. It is to this perished artist that the French poets pay their tribute. Not being English, they are incapable of appreciating those finer shades of vulgarity that ruin Poe for us, just as we, not being French, are incapable of appreciating those finer shades of lyrical beauty which are, for them, the making of La Fontaine.

[1] The exact sense of this word is not clear, but it might well be a neologism from the popular 'être dans la panade': 'to be in the soup'.

[2] No less noteworthy than the poets included in Rimbaud's list are those omitted, Gérard de Nerval, one of the most *voyant* of poets, and Mallarmé, with whose work Rimbaud can be presumed to have been acquainted since ten of his poems had appeared in the *Parnasse Contemporain* of 1866.

The substance of Poe is refined; it is his form that is vulgar. He is, as it were, one of Nature's Gentlemen, unhappily cursed with incorrigible bad taste. To the most sensitive and high-souled man in the world we should find it hard to forgive, shall we say, the wearing of a diamond ring on every finger. Poe does the equivalent of this in his poetry; we notice the solecism and shudder. Foreign observers do not notice it; they detect only the native gentlemanliness in the poetical intention, not the vulgarity in the details of execution. To them we seem perversely and quite incomprehensibly unjust. . . .

'Vulgarity in Literature' in *Music at Night*. Collected Edition of the Works of Aldous Huxley
(Chatto and Windus, 1949), pp. 297–8

In this admirable essay, which should be read in its entirety by every student of nineteenth-century French poetry, Huxley goes on to examine Poe's major defects: what he calls his 'dactylic permanent waves', his flamboyant use of exotic proper names, his excessive reliance on dissyllabic rhymes.

But it is not only in his poetry that Poe flaunts his ineradicable vulgarity: it is even more obvious in the necrophilistic bric-à-brac of his short stories, his critical prose, in which he invariably protests too much and too pompously, his own preferences in other men's poetry. He could praise without reservation such second-rate work as *The Haunted House* by Thomas Hood: 'One of the truest poems ever written, one of the *truest*, one of the most unexceptionable, one of the most thoroughly artistic, both in its theme and in its execution.' ('The Poetic Principle', *Poe's Works*, A. and C. Black, 1910, vol. III, p. 213.) Some of his other judgments in the same essay are even more unfortunate, but Baudelaire, who must bear much of the responsibility for fostering the cult of 'Edgar Poe' in France, was clearly prepared to accept them on trust:

[Poe] était avant tout sensible à la perfection du plan et à la correction de l'exécution; démontant les œuvres littéraires comme des pièces mécaniques défectueuses (pour le but qu'elles voulaient atteindre), notant soigneusement les vices de fabrication; et quand il passait au détail de l'œuvre, à son expression plastique, au style en un mot, épluchant, sans omission, les fautes de prosodie, les erreurs grammaticales et toute cette masse de scories, qui, chez les écrivains non artistes, souillent les meilleures intentions et déforment les conceptions les plus nobles.

'Notes Nouvelles sur Edgar Poe', *Nouvelles Histoires Extraordinaires*
(Conard, 1933), p. xv

Gautier hailed him not only as 'un des plus grands poètes de ce temps'
(1854), but as a writer of all-round excellence:

Edgar Poe n'était pas seulement un conteur d'histoires extraordinaires, un
journaliste que nul n'a dépassé dans l'art de lancer un canard scientifique, le
mystificateur par excellence de la crédulité béante, c'était aussi un esthéti-
cien de première force, un très grand poète, d'un art très raffiné et très
compliqué.   GAUTIER: *Souvenirs Romantiques*, p. 265

For Baudelaire, Poe's poetry was

quelque chose de profond et de miroitant comme le rêve, de mystérieux et
de parfait comme le cristal....

Il lui sera donné de conquérir l'admiration des gens qui pensent par son
amour du Beau, par sa connaissance des conditions harmoniques de la
beauté, par la poésie profonde et plaintive ouvragée néanmoins, transparente et correcte comme un bijou de cristal, par son admirable style, pur
et bizarre — serré comme les mailles d'une armure — complaisant et
minutieux — et dont la plus légère intention sert à pousser doucement le
lecteur vers un but voulu....[1]   'Notes Nouvelles sur Edgar Poe', p. xxii

To Mallarmé, Poe was 'le prince spirituel de cet âge' (*Mallarmé O.C.*,
p. 225); his hope in writing *Hérodiade* was, he announced, to write 'un
Poème, digne de Poe et que les siens ne surpasseront pas'(letter to Cazalis,
March 1866, *Propos*, p. 65); and '...plus j'irai, plus je serai fidèle à ces
sévères idées que m'a léguées mon grand maître Edgar Poe'. (Letter to
Cazalis, 12 January 1864; Mondor: *Vie de Mallarmé*, Gallimard, 1941, p. 104.)

Valéry's praise of Poe was even more eloquent: writing to Mallarmé in
October 1890, he declared he was 'profondément pénétré des doctrines
savantes du grand Edgar Allan Poe — peut-être le plus subtil artiste de ce
siècle' (*Lettres à Quelques-Uns*, Gallimard, 1952, p. 28); while to Gide he
wrote:

J'ai le cerveau irradié et comme dispersé — et pour lectures ces temps-ci
encore, des livres comme *Les Confessions* de de Quincey, *L'Education
Sentimentale*, et surtout et toujours et sans pouvoir m'arracher à cet
opium vertigineux et comme mathématique: Poe, Poe!

Letter to Gide, 16 May 1891, *Gide–Valéry Correspondance* (Gallimard, 1955), p. 86

[1] Poe's theory of calculated effects, outlined in *The Philosophy of Composition*, enjoyed
greater fortune among his French admirers than any other of his doctrines. See pp. 259–65.
    According to M. Henri Mondor, Mallarmé used to take particular pleasure in reciting this
passage aloud. See Mondor: *Vie de Mallarmé* (Gallimard, 1941), p. 41.

Poe, et je dois m'en taire, car je me le suis promis, est le seul écrivain —
sans aucun péché. Jamais il ne s'est trompé — non instinctivement guidé
— mais avec lucidité et bonheur il fit la synthèse des vertiges....

Letter to Gide, 13 June 1892, *ibid.* p. 163

In a letter to Thibaudet in 1912, he denied that he owed an intellectual
debt to Mallarmé, but admitted he could not say the same of Poe:

Celui qui m'a le plus fait sentir sa puissance fut Poe. J'y ai lu ce qu'il me
fallait, pris ce délire de la lucidité qu'il communique....

Valéry O., p. 1731

Poe, he considered was 'le Maître...l'artiste surnaturel et magique, le
plus artiste de ce siècle à mon sens...auquel peut pleinement s'appliquer
le vers de Mallarmé sur Gautier.... *Magnifique, total et solitaire!* (Letter to
Albert Dugrip, November 1890, *Lettres à Quelques-uns*, Gallimard, 1952,
p. 40.)

Toute son œuvre manifeste à chaque page l'acte d'une intelligence et
d'une volonté qui ne s'observent, à ce degré, dans aucune autre carrière
littéraire.... 'Situation de Baudelaire', *Valéry O.*, p. 606

Claudel, describing the nineteenth-century artist's 'sympathie avec la
Nuit, la complaisance au malheur, l'amère communion entre les ténèbres et
cette infortune d'être un homme', deplored the fact that the three outstanding 'hommes de la nuit ont été éminemment des lucides, des intelligences subtiles et déliées, et parmi les ouvriers du mot et de la fiction, ceux
qui ont le mieux parlé de leur art et qui en ont déterminé avec le plus de
profondeur les ressorts et les moyens...'. The three artists he named were
Poe, Baudelaire and Mallarmé. ('La Catastrophe d'Igitur', *Pos.*,
pp. 198–9.)

Of all modern French poets of note who mention Poe, only Verlaine
seems to have reacted to him unfavourably (see p. 17), and he, significantly enough, had the most musical ear amongst his contemporaries.

While Verlaine's knowledge of spoken English was also probably
superior to that of his fellow-poets, it would be inadequate explanation
simply to attribute the inflated reputation of Poe's poetry to their lack of
sensibility to the English language, and their excessive adulation of Poe's
theories to their ignorance of the writings of Coleridge. Baudelaire,
Mallarmé and Valéry found in Poe encouragement for their own pre-

occupations, and each worshipped a different Poe-idol fashioned in his own image. Baudelaire wrote to his mother on 17 March 1852 that he had been able fully to understand Poe because of marked similarities in their nature and in the role they had been allotted by Society: both were dreamers worshipping an other-worldly ideal, both were *poètes maudits*, both were aware of Man's dual nature: of Poe, Baudelaire declared:

voici plus important que tout: nous noterons que cet auteur, produit d'un siècle infatué de lui-même, enfant d'une nation plus infatuée d'elle-même qu'aucune autre, a vu clairement, a imperturbablement affirmé la méchanceté naturelle de l'Homme. Ces actions n'ont d'attrait que *parce que* elles [*sic*] sont mauvaises, dangereuses; elles possèdent l'attirance du gouffre. Cette force primitive, irrésistible est la Perversité naturelle, qui fait que l'homme est sans cesse et à la fois homicide et suicide, assassin et bourreau.[1]

'Notes Nouvelles sur Edgar Poe', pp. viii–ix

while he noted in his own journal:

Il y a dans tout homme, à toute heure, deux postulations simultanées, l'une vers Dieu, l'autre vers Satan.

L'invocation à Dieu, ou spiritualité, est un désir de monter en grade; celle de Satan, ou animalité, est une joie de descendre.

'Mon Cœur Mis à Nu', *Baudelaire O.C.*, p. 1203

Mallarmé, in contrast, considered that Poe had a quiet life similar to his own, 'une existence simple ou monotone' (*Mallarmé O.C.*, p. 227) and attributed to him his own chief preoccupation, 'donner un sens plus pur aux mots de la tribu' (*Le Tombeau d'Edgar Poe*). Valéry hailed in Poe a lucid and mathematical genius, able to play on his reader's feelings while he himself remained unmoved, and because these were qualities he himself particularly prized in the 1890's, when he was seeking to clarify his thoughts and subjugate his emotions, he played so prominent a part in perpetuating the myth of 'Edgar Poe', a figure with whom the real-life counterpart has little in common, but without consideration of whom, no survey of modern French poetic theory could ever be complete.[2]

[1] Cf. also

> Je suis la plaie et le couteau!
> Je suis le soufflet et la joue!
> Je suis les membres et la roue,
> Et la victime et le bourreau!

'L'Héautontimorouménos', *Baudelaire O.C.*, p. 148

[2] See also P. Mansell-Jones: *The Background of Modern French Poetry* (Cambridge University Press, 1951), esp. pp. 38–68; and J. Chiari: *Symbolisme: from Poe to Mallarmé* (Rockliff, 1956).

While Rimbaud's *voyant* letters, and the views expressed on Poe by Baudelaire, Mallarmé and Valéry, are of little worth as balanced literary criticism, they offer most useful insight into the poet's own tastes and pre-occupations:[1] their unmistakable partiality is their chief value:

Je crois sincèrement que la meilleure critique est celle qui est amusante et poétique; non pas celle-ci, froide et algébrique, qui, sous prétexte de tout expliquer, n'a ni haine ni amour, et se dépouille volontairement de toute espèce de tempérament; mais, — un beau tableau étant la nature réfléchie par un artiste, — celle qui sera ce tableau réfléchi par un esprit intelligent et sensible. Ainsi le meilleur compte rendu d'un tableau pourra être un sonnet ou une élégie.

Mais ce genre de critique est destiné aux recueils de poésie et aux lecteurs poétiques. Quant à la critique proprement dite, j'espère que les philosophes comprendront ce que je vais dire: pour être juste, c'est-à-dire pour avoir sa raison d'être, la critique doit être partiale, passionnée, politique, c'est-à-dire faite à un point de vue exclusif, mais au point de vue qui ouvre le plus d'horizons.

BAUDELAIRE: 'A quoi bon la Critique?', 'Salon de 1846', *Baudelaire O.C.*, p. 600

The nineteenth-century poets' criticism of other poets' work is certainly 'partiale, passionnée, politique' and nearly always 'faite à un point de vue exclusif'; but if horizons are opened up, they are those of the critic's own mind.

[1] Other notable instances of involuntary self-revelation in the guise of criticism are Laforgue's observations on Tristan Corbière (in *Mélanges Posthumes*), which are as much a commentary on his own aims and problems as on *Les Amours Jaunes*; Apollinaire's faint praise of Baudelaire for not exhibiting sufficient 'esprit nouveau' when he himself was thoroughly imbued with it: cf. 'Baudelaire a été le premier à souffler l'esprit moderne en Europe mais il n'a pas pénétré cet esprit nouveau dont il était lui-même pénétré et dont il découvrit les germes en quelques autres venus avant lui...' (*Introduction à L'Œuvre Poétique de Charles Baudelaire*, Bibliothèque des Curieux, 1917); and an article by Claudel in which, while making perfectly valid criticisms of Hugo's excessive prolixity, he unwittingly reminds the reader of the major defects of his own verse: '...si l'on prend deux ou trois pages de ce grand poète et si on les étudie avec attention, que de déchet! quelle charpie! quel emplissage! Ce vers par exemple composé de quatre adjectifs identiques:

L'innocente blancheur des neiges vénérables

Quelle diminution de la qualité et de la densité! Toutes les maladies de notre prosodie se sont déchaînées sur ces textes superbes comme le phylloxera sur un cep généreux: la *cheville* qui n'est jamais admissible quoi qu'en pense Banville; le *bouchon* qui est la cheville intérieure (comme une ménagère qui bourre les interstices de son panier d'œufs avec n'importe quoi, de la paille, de vieux journaux); le *tiroir*, ou énumérations indéfinies, le *mariage républicain*, ou accouplement obligatoire...d'une rime morte avec une rime vivante, comme la triste paire *arbre* et *marbre*; le *cliché* ou accrochage banal de syllabes toutes *prêtes* comme *ténèbres* et *funèbres*, *rêve* et *brève*, *astre* et *désastre*, qui ont remplacé *l'âme* et *flamme* des classiques....' ('Réflexions et Propositions sur le vers français', *Pos.*, pp. 34-5.)

II. ON WRITING POETRY

SOME measure of the aggressiveness of the modern French poets' critical views might well have resulted from their feeling of being on the defensive in a hostile environment; this same awareness of the enmity, or at best, the apathy, of society led them to turn their gaze inward, away from the troubles of their fellow-men to the problems of poetry-making:

Dans la vie spirituelle [des poètes], une crise se fait infailliblement, où ils veulent raisonner leur art, découvrir les lois obscures en vertu desquelles ils ont produit, et tirer de cette étude une série de préceptes dont le but divin est l'infaillibilité dans la production poétique. . . .

BAUDELAIRE: 'Richard Wagner et "Tannhäuser" à Paris', *Baudelaire O.C.*, p. 1051

dans des bouleversements, tout à l'acquit de la génération, récente, l'acte d'écrire se scruta jusqu'en l'origine.

MALLARMÉ: 'La Musique et les Lettres', *Mallarmé O.C.*, p. 645

Il semble que la pensée abstraite, jadis admise dans le vers même, étant devenue presque impossible à combiner avec les émotions immédiates que l'on souhaitait de provoquer à chaque instant; exilée d'une poésie qui se voulait réduire à son essence propre; effarouchée par les effets multiples de surprise et de musique que le goût moderne exigeait, se soit transportée dans la phase de préparation et dans la théorie du poème. La philosophie, et même la morale, tendirent à fuir les œuvres pour se placer dans les réflexions qui les précédent.[1]

VALÉRY: 'Avant-dire à la Connaissance de la Déesse', *Valéry O.*, p. 1273

It is when they publicly discuss the problems of composition, lucidly and often in minute detail, that modern poets most differ from their predecessors. The modern *Art Poétique* is not so much a code of prosodic laws and enumeration of fit themes as an account of the creative process. There has, in fact, been a revolution in literary fashion since 1846, when Poe, ignoring such poet critics as Dryden, Wordsworth and Coleridge, complained in his 'Philosophy of Composition' that he knew of no author able or willing to 'detail step by step, the processes by which any one of his compositions attained its ultimate point of completion' and went

---

[1] Cf. Proust's description of nineteenth-century writers characteristically 'se regardant travailler comme s'ils étaient à la fois l'ouvrier et le juge'. (*La Prisonnière*, Gallimard, 1945, vol. I, p. 218.)

14

on, 'Most writers, poets in especial, prefer having it understood that they compose by a species of fine frenzy—an ecstatic intuition—and would positively shudder at letting the public take a peep behind the scenes'. ('The Philosophy of Composition', *Poe's Works*, vol. III, p. 267.) In December 1937, Valéry began his course of lectures on Poetics at the Collège de France by announcing that his principal subject of study was going to be the poet at work.[1]

Valéry's pronounced interest in the complexities of literary genesis, reflected not only in many of his essays, but also in several of his poems,[2] is shared with many of his fellow artists, and also with certain modern scholars who like nothing better than to enter the artist's workshop, with or without invitation, and then to study not the finished statue but the chippings on the floor.

III. THE POET ON HIMSELF

JUST as the modern poets' views on their brother poets are often unreliable, so their pronouncements on their own work are not always trustworthy or consistent. Baudelaire's public attitude to *Les Fleurs du Mal* was that it had been written merely to give him the pleasure of solving certain technical problems:

Des poètes illustres s'étaient partagé depuis longtemps les provinces les plus fleuries du domaine poétique. Il m'a paru plaisant, et d'autant plus agréable que la tâche était plus difficile, d'extraire la *beauté* du *Mal*. Ce livre, essentiellement inutile et absolument innocent, n'a pas été fait dans un autre but que de me divertir et d'exercer mon goût passionné de l'obstacle. 'Projet de Préface pour les Fleurs du Mal, 1859–60', *Baudelaire O.C.*, p. 1363

He took a different view of it when writing to his mother: '. . .le livre où j'ai voulu mettre quelques-unes de mes colères et de mes mélancolies' (25 December 1857, *Correspondance Générale*, vol. II, p. 106); '. . .ce

---

[1] Valéry's inaugural lecture will be found in *Variété V* and also in *Valéry O.*, pp. 1340–58. He never himself printed his subsequent lectures, which continued to be given till March 1945, but notes on the first eighteen appeared in the review *Yggdrasill*, from 25 December 1937 to 25 February 1939. See also Edmée de La Rochefoucauld: *Images de Paul Valéry* (Le Roux, Strasbourg-Paris, 1949), pp. 45–66 and 69–92.

[2] For example, *Poésie, Les Pas, Aurore, Palme.* His poems about poetry-making express a preoccupation both with self and with technique which may be compared with Gide's noting in a journal his reflections while writing *Les Faux-Monnayeurs*, itself a novel about a novelist who is keeping a journal while writing a novel also called *Les Faux-Monnayeurs*.

maudit livre qui après tout n'est qu'une *œuvre d'art* fort défendable' (30 December 1857, *ibid.* p. 110); '...il restera, ce livre, comme témoignage de mon dégoût et de ma haine de toutes choses' (1 January 1861, *op. cit.* vol. III, p. 22). He wrote to his family solicitor:

Une poésie profonde, mais compliquée, amère, froidement diabolique (en apparence), était moins faite que toute autre pour la frivolité éternelle!

Faut-il vous dire, à vous qui ne l'avez pas plus deviné que les autres, que dans ce livre *atroce*, j'ai mis tout *mon cœur*, toute *ma tendresse*, toute *ma religion* (travestie), toute *ma haine?* Il est vrai que j'écrirai tout le contraire, que je jurerai mes grands dieux que c'est un livre d'*art pur*, de *singerie*, de *jonglerie*; et je mentirai comme un arracheur de dents....

Letter to Ancelle, 18 February 1866, *Correspondance Générale*, vol. V, p. 279

Perhaps only to himself did he admit his real, despairing motive:

Quand j'aurai inspiré le dégoût et l'horreur universelle, j'aurai conquis la solitude.

'Fusées', *Baudelaire O.C.*, p. 1191

Verlaine, when interviewed by Jules Huret in 1891, dismissed as meaningless the words 'symbolisme' and 'décadent':

Le symbolisme? comprends pas. Ça doit être un mot allemand, hein? Moi d'ailleurs, je m'en fiche. Quand je souffre, quand je jouis ou que je pleure, je sais bien que ce n'est pas du symbole....On nous l'avait jetée comme une insulte, cette épithète [décadent]; je l'ai ramassée comme un cri de guerre. Décadent, au fond, ne voulait rien dire du tout.

Verlaine O.C., p. 1098

but he had written to Anatole Baju in 1887:

'Décadisme' est un mot de génie, une trouvaille amusante et qui restera dans l'histoire littéraire; ce barbarisme est une miraculeuse enseigne.[1] Il est court, commode, 'à la main', *handy*, *éloigne précisément l'idée abaissante de décadence*, sonne littéraire sans pédanterie, enfin fait balle et fera trou, je vous le dis encore une fois....

Verlaine O.C., p. 1098

---

[1] Cf. Valéry's definition: 'décadent pour moi veut dire, artiste ultra raffiné, protégé par une langue savante contre l'assaut du vulgaire, encore vierge des sales baisers du *professeur* de littérature, glorieux du mépris du journaliste, mais élaborant par lui-même et quelques dizaines de ses pairs, alambiquant de subtiles essences d'art, et surtout vivant la beauté, attentif à toutes les manifestations, se mêlant à la vie, toujours par quelque côté original et vibrant....' (Letter to P. Louÿs, 22 June 1890, *Lettres à Quelques-Uns*, pp. 12–13.)

In the preface he wrote for the 1890 edition of *Poèmes Saturniens* Verlaine told his readers:

n'allez pas prendre au pied de la lettre l' 'Art poétique' de *Jadis et Naguère*, qui n'est qu'une chanson, après tout. JE N'AURAI PAS FAIT DE THÉORIE! *Verlaine O.C.*, p. 900

But a year before he wrote l'*Art Poétique* in April 1874, he had written to a friend stating quite categorically that he was planning to write according to a new consciously contrived 'system':

Je caresse l'idée de faire... un livre de poèmes (dans le sens *suivi du mot*), poèmes didactiques si tu veux, d'où *l'homme* sera complètement banni. Des paysages, des choses, malice des choses, bonté etc. — Chaque poème serait de 300 ou 440 vers — Les vers seront d'après un système auquel je vais arriver. Ce sera très musical, sans puérilités à la Poe; quel naïf que ce malin-là! Je t'en causerai un autre jour, car j'ai *tout lu* en english [*sic*], et aussi pittoresque que possible. *La Vie du Grenier* de Rembrandt; *Sous l'Eau*, une vraie chanson d'ondine; *l'Ile*, un grand tableau de fleurs etc.... Ne ris pas avant de connaître mon système: c'est peut-être une idée chouette que j'ai là. Letter to E. Lepelletier, 16 May 1873, *Correspondance*, vol. I, p. 95

je réfléchis très sérieusement et bien modestement à une réforme, dont la préface des *Vaincus*[1] contiendra la poétique.

Letter to E. Lepelletier, 23 May 1873, *ibid.* p. 103

While Baudelaire's differing pronouncements seem to have been due to his tendency to change his attitude like a chameleon according to his audience, Verlaine's must be set down to the degeneracy of his final years and to his fundamental inconsistency of character;[2] but none of these

---

[1] *Les Vaincus* was to have been the title of a book of poems, but was incorporated in the collection *Jadis et Naguère* which also contains *Art Poétique*.

[2] He wrote in the preface to the 1890 edition of *Poèmes Saturniens*: 'On change, n'est-ce pas? Quotidiennement, dit-on. Mais moins qu'on ne se le figure peut-être. En relisant mes primes lignes, je revis ma vie contemporaine d'elles, sans trop ni trop peu de transitions en arrière... surtout ma vie intellectuelle, et c'est celle-là qui a le moins varié en moi, malgré des apparences. On mûrit et on vieillit avec et selon le temps, voilà tout. Mais le bonhomme, le monsieur, est toujours le même au fond.' (*Verlaine O.C.*, p. 898.)

A more accurate self-appraisal would be the last stanza of *Chanson d'Automne*:

Et je m'en vais
Au vent mauvais
Qui m'emporte
Deçà, delà,
Pareil à la
Feuille morte. (*Verlaine O.C.*, p. 57)

reasons can be advanced to account for the contradictory statements made by Valéry, whose ambivalent attitude to poetry, inspiration and emotion is re-expressed in his views on the question of poetry-interpretation:

Quant à l'interprétation de la *lettre*, je me suis déjà expliqué ailleurs sur ce point; mais on n'y insistera jamais assez: *il n'y a pas de vrai sens d'un texte.* Pas d'autorité de l'auteur. Quoi qu'il ait *voulu dire*, il a écrit ce qu'il a écrit. Une fois publié, un texte est comme un appareil dont chacun se peut servir à sa guise et selon ses moyens: il n'est pas sûr que le constructeur en use mieux qu'un autre. Du reste, s'il sait bien ce qu'il voulut faire, cette connaissance trouble toujours en lui la perception de ce qu'il a fait.

'Au Sujet du Cimetière Marin', *Valéry O.*, p. 1507

c'est une erreur contraire à la nature de la poésie, et qui lui serait même mortelle, que de prétendre qu'à tout poème correspond un sens véritable, unique, et conforme ou identique à quelque pensée de l'auteur.

'Préface aux Commentaires de Charmes', *Valéry O.*, p. 1509

Vers ou prose, une œuvre achevée et offerte, son auteur ne peut rien proposer, rien affirmer sur elle qui ait plus de portée, qui l'explique plus exactement que ce qu'en dirait toute autre personne. Une œuvre est un objet ou un événement des sens, cependant que les diverses valeurs ou interprétations qu'elle suggère sont des conséquences (idées ou affections) qui ne peuvent l'altérer dans sa propriété toute matérielle d'en produire de tout autres. Si quelque peintre fait le portrait de *Socrate*, et qu'un passant y reconnaisse *Platon*, toutes ses explications, protestations et justifications d'auteur ne pourront rien changer à cette reconnaissance immédiate. La dispute amusera l'éternité. Un auteur peut sans doute nous instruire de ses intentions; mais ce n'est point d'elles qu'il s'agit; il s'agit de ce qui subsiste et qu'il a fait indépendant de soi. *Ibid.* p. 1511

This is one view Valéry commonly adopted to the question of poetry-interpretation: but he also held another view completely opposed to this.

La critique, en tant qu'elle ne se réduit pas à opiner selon son humeur et ses goûts, — c'est-à-dire à parler de soi en rêvant qu'elle parle d'une œuvre — la critique, en tant qu'elle *jugerait*, consisterait dans une comparaison de ce que l'auteur a entendu faire avec ce qu'il a effectivement fait. Tandis que la *valeur* d'une œuvre est une relation singulière et inconstante entre cette œuvre et quelque lecteur, le *mérite* propre et intrinsèque de l'auteur est une relation entre lui-même et son dessein: ce mérite est relatif à leur distance; il est mesuré par les difficultés qu'on a trouvées à mener à bien l'entreprise.

Mais ces difficultés elles-mêmes sont comme une œuvre préalable de l'auteur: elles sont l'œuvre de son 'idéal'. Cette œuvre intérieure précède, gêne, suspend, défie l'œuvre sensible, l'œuvre des actes. C'est ici que le caractère et l'intelligence traitent parfois la nature et ses forces comme l'écuyer traite le cheval.

Une critique elle-même idéale prononcerait uniquement sur ce mérite, car on ne peut exiger de quelqu'un que d'avoir accompli ce qu'il s'était proposé d'accomplir. On ne peut juger un esprit que selon ses propres lois, et presque sans intervenir en personne, comme par une opération indépendante de celui qui espère, car il ne s'agit que de rapprocher un ouvrage et une intention. *Tel Quel I* (N.R.F., 1941), pp. 21–2

It is possible to explain the inconsistency between the two points of view, though not to reconcile them, if one remembers that Valéry always affected a pose of bored mockery when questioned about his own work,[1] yet always wrote with the utmost sincerity and sensitivity when writing of the poetry of others. While it is true, therefore, that the greatest poetry often has various layers of meaning, and can reasonably be interpreted in more than one way; while it is more essential for the critic to concern himself with problems of evaluation than of genesis—at the same time he should realize that his interpretation and his task of judgment can be aided by the poet's own account of his aims and problems:

Le devoir de quiconque prétend parler au public des ouvrages d'autrui est de faire tout l'effort qu'il faut pour les entendre, ou pour déterminer au moins les conditions ou les contraintes que l'auteur s'est imposées et qui se sont imposées à lui.

VALÉRY: 'Je disais quelquefois à Stéphane Mallarmé', *Valéry O.*, p. 659

Thus before M. Mondor made available his invaluable and apparently inexhaustible collection of Mallarmé documents—the discarded *brouillons* of poems of early, comparatively simple versions of poems published in

---

[1] Cf. Gide's anecdote: 'Hier, visite de Valéry. Il me répète que, depuis nombre d'années, il n'a rien écrit que sur commande et que pressé par le besoin d'argent.

— C'est-à-dire que, depuis longtemps, tu n'as rien écrit pour ton plaisir?

— Pour mon plaisir?! reprend-il. Mais mon plaisir est précisément de *ne rien* écrire. J'aurais fait autre chose que d'écrire pour mon plaisir. Non; non; je n'ai rien écrit, et je n'écris rien que contraint, forcé, et en pestant.' (*Journal 1889–1930*: entry for 28 October 1929. Gallimard, 1948, p. 949.)

their obscurest form, the accounts of books he had read, of books he hoped to write—even as reputable a critic as Rémy de Gourmont could speak of the words of Mallarmé's poems as though they were the notes of a piano on which an infinite number of tunes could be played:

Une interprétation sensée est toujours possible; elle changera selon les soirs, peut-être comme changent les nuages, la nuance des gazons; mais la vérité ici et partout sera ce que la voudra notre sentiment d'une heure.

RÉMY DE GOURMONT: 'La Culture des Idées', quoted in C. Chassé: *Les Clefs de Mallarmé*
(Aubier, 1954), p. 9

Without the assistance of M. Mondor's documents, it is difficult to see how modern scholars could ever have produced their *exégèses raisonnées* of Mallarmé's more difficult poems, demonstrating beyond all question that these have just as fixed and definite a meaning as any poems can be expected to have.[1]

It is essential, however, to use the poets' own pronouncements on themselves with due care. One should never be content to accept them simply at their face value, but consider for whom and in what spirit the words were written. One should view their statements whole and not wrench them out of context, dismembered to suit one's own private theories. Finally, one must make due allowance for the transformations of time, and not force the keys cut in a poet's youth to open up the secrets of his works of maturity.

[1] The most outstanding of these interpretative studies are listed in the Mallarmé bibliography.

PART II

POETIC ENDS

I. THE POET'S WORLD

◇ ◇

*Quand aucun encouragement ne vous vient des autres, quand le monde
extérieur vous dégoûte, vous alanguit, vous corrompt, vous abrutit, les
gens* honnêtes *et* délicats *sont forcés de chercher en eux-mêmes quelque
part un lieu plus propre pour y vivre. Si la société continue comme elle va,
nous reverrons, je crois, des mystiques comme il y en a eu à toutes les
époques sombres. Ne pouvant s'épancher, l'âme se concentrera, le temps
n'est pas loin où vont revenir les langueurs universelles, les croyances
à la fin du monde, l'attente d'un Messie. Mais la base théologique
manquant, où sera maintenant le point d'appui de cet enthousiasme qui
s'ignore? les uns chercheront dans la chair, d'autres dans les vieilles
religions, d'autres dans l'art et l'humanité, comme la tribu juive dans le
désert va adorer toutes sortes d'idoles.*

FLAUBERT: letter to Louise Colet, 1852, *Correspondance de G. Flaubert*
(Fasquelle, four-volume edition, 1921), vol. II, p. 129

◇ ◇

I. CONSCIOUS SUPERIORITY

POETS have traditionally claimed for themselves insight and powers
denied to their fellow-men, the ability to redeem 'from decay the visitations of the divinity in man' (Shelley: *A Defence of Poetry*) and to bestow
the gift of immortality on all they love,[1] but never did poets so consistently

---

[1] Cf. Horace:

> Exegi monumentum aere perennius
> Regalique situ pyramidum altius (*Odes*)

Ronsard: 'Quand vous serez bien vieille' and Yeats's adaptation 'When you are old and gray';
Malherbe: 'Ce que Malherbe écrit dure éternellement' (Sonnet to Louis XIV); Shakespeare

> Not marble, nor the gilded monuments
> Of princes, shall outlive this powerful rhyme

Baudelaire: 'Je te donne ces vers afin que si mon nom...'. The whole of Mallarmé's 'Toast
Funèbre', inspired by the death of Gautier, is a particularly beautiful variation on the theme of
the poet's deathlessness.

Cf. also P. J. Toulet:

> Que je meure et demain,
> Vous ne serez plus, si ma main
> N'a fixé votre image.   *Contrerimes* XLV

23

make such grandiose claims for poetry as they did in nineteenth-century France. Evoking the poetic atmosphere of the 1880's and 1890's in one of his several admirable essays on Mallarmé, Valéry declared:

Il y avait quelque chose de religieux dans l'air de cette époque, où certains se formaient en soi-même une adoration et un culte de ce qu'ils trouvaient si beau qu'il fallait le nommer surhumain.

'Lettre sur Mallarmé', *Valéry O.*, p. 637

These words could well stand as epigraph to any survey of poetic aims in nineteenth-century France:

Qu'est-ce, en effet, que poésie?... C'est l'incarnation de ce que l'homme a de plus intime dans le cœur et de plus divin dans la pensée, de ce que la nature visible a de plus magnifique dans les images et de plus mélodieux dans les sons! C'est à la fois sentiment et sensation, esprit et matière: et voilà pourquoi c'est la langue complète, la langue par excellence qui saisit l'homme par son humanité toute entière, idée pour l'esprit, sentiment pour l'âme, image pour l'imagination, et musique pour l'oreille!

LAMARTINE: 'Des Destinées de la Poésie', *Méditations Poétiques*
(Hachette, 1922), vol. II, p. 387

Tandis que la majorité des hommes s'en tient aux surfaces et aux apparences, tandis que les philosophes proprement dits reconnaissent et constatent un 'je ne sais quoi' au delà des phénomènes, sans pouvoir déterminer la nature de ce 'je ne sais quoi', l'artiste, comme s'il était doué d'un sens à part, s'occupe paisiblement à sentir sous ce monde apparent l'autre monde tout intérieur qu'ignorant la plupart, ce dont les philosophes se bornent à constater l'existence; il assiste au jeu invincible des forces et sympathise avec elles comme avec les âmes; il a reçu en naissant la clef des symboles et l'intelligence des figures. Ce qui semble à d'autres incohérent et contradictoire n'est pour lui qu'un contraste harmonique, un accord à distance sur la lyre universelle.

SAINTE-BEUVE: *Pensées de Joseph Delorme*, 1829

L'Islande. — Dans les nuits de six mois, les longues nuits du pôle, un voyageur gravit une montagne, et, de là, voit au loin le soleil et le jour, tandis que la nuit est à ses pieds: ainsi le poète voit un soleil, un monde sublime et jette des cris d'extase sur ce monde délivré, tandis que les hommes sont plongés dans la nuit.   VIGNY: *Journal d'un Poète*, p. 4

Pourquoi donc faites-vous des prêtres
Quand vous en avez parmi vous?
Les esprits conducteurs des êtres
Portent un signe sombre et doux.

Ces hommes ce sont les poètes
Ceux dont l'aile monte et descend
Toutes les bouches inquiètes
Qu'ouvre le verbe frémissant.

Rites profonds de la nature!
Quelques-uns de ces inspirés
Acceptent l'étrange aventure
Des monts noirs et des bois sacrés.

Oui, grâce à ces hommes suprêmes,
Grâce à ces poètes vainqueurs
Construisant des autels poèmes
Et prenant pour pierres les cœurs;
Comme un fleuve d'âme commune

Du blanc pylône à l'âpre rune,
Du brahme au flamine romain,
De l'hiérophante au druide,
Une sorte de Dieu fluide
Coule aux veines du genre humain.

VICTOR HUGO: *Les Mages*[1]

Le poète a, comme la pythonesse d'Endor, la puissance de faire apparaître
et parler les ombres.

GAUTIER: Article in *La Presse*, 13 March 1843; quoted by G. Poulet:
Etudes sur le Temps Humain (Edinburgh, 1949), p. 306

---

[1] Cf. Claudel's comment: '"Les Mages" dont il fait défiler devant nous la lugubre procession, pareille à celle des grands hommes que nous admirons aujourd'hui sur nos voies publiques, alternant avec les kiosques à journaux et les vespasiennes jusques au Panthéon, depuis
l'inventeur de la quinine jusqu'à celui du fil-à-couper-le-beurre, ne paraissent pas dans le fond
l'avoir beaucoup plus excité qu'ils ne nous amusent. Leurs effigies demeurent aussi vagues et
blafardes le long de ses poèmes que les bouées de bronze vert qui, par les jours de grande pluie
jalonnent les profondeurs submergées du Boulevard Saint-Germain. Au contraire quel intérêt
cordial, quel enthousiasme éloquent, quelle attention passionnée pour les monstres, pour tous
les criminels, pour tous les bourreaux de l'humanité depuis Torquemada, Sultan Mourad et
l'Imânus, jusqu'à l'Empereur Napoléon III.' ('Réflexions et Propositions sur le Vers Français',
Pos., pp. 49–50.)

[le poète] voit du premier coup d'œil plus loin, plus haut, plus profondément que tous,[1] parce qu'il contemple l'idéal à travers la beauté visible, et qu'il le concentre et l'enchâsse dans l'expression propre, précise, unique. . . .

LECONTE DE LISLE: *Les Poètes Contemporains* (1864), Lemerre ed., p. 241

La Poésie doit toujours être noble, c'est-à-dire intense, exquise et achevée dans la forme, puisqu'elle s'adresse à ce qu'il y a de plus noble en nous, à l'Ame, qui peut directement être en contact avec Dieu. Elle est à la fois Musique, Statuaire, Peinture, Eloquence; elle doit charmer l'oreille, enchanter l'esprit, représenter les sens, imiter les couleurs, rendre les objets visibles, et exciter en nous les mouvements qu'il lui plaît d'y produire; aussi est-elle le seul art complet, nécessaire, et qui contienne tous les autres, comme elle préexiste à tous les autres. Ce n'est qu'au bout d'un certain temps d'existence que les peuples inventent *les autres* arts plastiques; mais dès qu'un groupe d'hommes est réuni, la Poésie lui est révélée d'une manière extra-humaine et surnaturelle, sans quoi il ne pourrait vivre.

THÉODORE DE BANVILLE: *Introduction au Petit Traité de Poésie Française* (Fasquelle, Paris, 1922), p. 9

. . . Derrière les ennuis et les vastes chagrins
Qui chargent de leur poids l'existence brumeuse,
Heureux celui qui peut d'une aile vigoureuse
S'élancer vers les champs lumineux et sereins!

Celui dont les pensers, comme des alouettes,
Vers les cieux le matin, prennent un libre essor,
— Qui plane sur la vie, et comprend sans effort
Le langage des fleurs et des choses muettes!

BAUDELAIRE: 'Elévation', *Baudelaire O.C.*, p. 84

[1] Cf.

Hear the voice of the Bard!
Who Present, Past and Future, sees:
Whose ears have heard
The Holy Word
That walk'd among the ancient trees,

Calling the lapsed Soul,
And weeping in the evening dew;
That might control
The starry pole,
And fallen, fallen light renew!

BLAKE: Introduction to *Songs of Experience* (Nonesuch ed., Blake's Poetry and Prose, 1927), p. 68

En décrivant ce qui est, le poète se dégrade et descend au rang de professeur; en racontant le possible, il reste fidèle à sa fonction; il est une âme collective qui interroge, qui pleure, qui espère et qui devine parfois.

> BAUDELAIRE: 'Victor Hugo', 'L'Art Romantique', *Baudelaire O.C.*, pp. 1083–4

Baudelaire and Mallarmé both likened the Poet's powers to those of a magician:

De la langue et de l'écriture prises comme opérations magiques, sorcellerie évocatoire.

> BAUDELAIRE: 'Fusées', *Baudelaire O.C.*, p. 1189

Je dis qu'existe entre les vieux procédés et le sortilège, que restera la poésie, une parité secrète; je l'énonce ici et peut-être personnellement me suis-je complu à le marquer, par des essais, dans une mesure qui a outre-passé l'aptitude à en jouir consentie par mes contemporains. Evoquer, dans une ombre exprès, l'objet tu, par des mots allusifs, jamais directs, se réduisant à du silence égal, comporte tentative proche de créer: vraisemblable dans la limite de l'idée uniquement mise en jeu par l'enchanteur de lettres jusqu'à ce que, certes, scintille, quelque illusion égale au regard. Le vers, trait incantatoire! et, on ne déniera au cercle que perpétuellement ferme, ouvre la rime une similitude avec les ronds, parmi l'herbe, de la fée ou du magicien.

> MALLARMÉ: 'Magie', *Mallarmé O.C.*, p. 400

La poésie est l'expression, par le langage humain ramené à son rhythme essentiel, du sens mystérieux des aspects de l'existence: elle doue ainsi d'authenticité notre séjour et constitue la seule touche spirituelle.

> MALLARMÉ: Letter to Léo d'Orfer, 27 June 1884, *Propos*, p. 134

Poetry-writing for these nineteenth-century French poets came to be considered not as an outlet for one's powerful feelings, or as a useful social accomplishment: for them, to be a poet was to be a visionary, a magician, a priest, a prophet or even a god.

2. PUBLIC NEGLECT

Though to be a serious poet in nineteenth-century France could bring with it the consolation that one was part of a great tradition stretching back to Amphion and Orpheus, it brought with it the inescapable and unpalatable realization that to be a poet in an essentially materialist society was to be a pariah. The poets' claims for what they could achieve were inevitably grandiose because in a world which refused to listen, they were compelled to raise their voice.

For a poet, or indeed for any creative artist, to consider himself something of a social outcast in nineteenth-century France was not mere Romantic posturing. In post-1830 society, in which the all-powerful middle classes were only too eager to obey Guizot's injunction to enrich themselves, and in which the spread of literacy to the working classes only increased the demand for pot-boilers, poets could claim with some justification that they had been robbed of the recognized place in society which had been reserved for their predecessors, the bards, the troubadours or the honoured singers to a cultured élite.

Vigny was one of the first to feel and express the modern poet's loneliness:

Les parias de la société sont les poètes, les hommes d'âme et de cœur, les hommes supérieurs et honorables. Tous les pouvoirs les détestent, parce qu'ils voient en eux leurs juges, ceux qui les condamnent avant la posterité. Letter to Brizeux, 30 March 1831. Quoted in P. G. Castex: *Vigny, l'Homme et l'Œuvre* (Boivin, 1952), p. 70

Tout Français, ou à peu près, naît vaudévilliste et ne conçoit pas plus haut que le vaudeville.

Ecrire pour un tel public, quelle dérision! quelle pitié, quel métier!

Les Français n'aiment ni la lecture, ni la musique, ni la poésie. Mais la *société*, les salons, l'esprit, la prose. *Journal d'un Poète* (Bordas, Paris, 1949), p. 19

Vigny's views found their fullest expression in the three stories of *Stello* and in the play *Chatterton*, in which the eponymous main character is at once a further variation on the theme of the martyred Romantic hero and the symbolic representation of the Poet's destiny in bourgeois France. Vigny described his motives in writing *Chatterton* in the prefatory *Dernière Nuit de Travail* (June 1834):

J'ai voulu montrer l'homme spiritualiste étouffé par une société matérialiste, où le calculateur avare exploite sans pitié l'intelligence et le travail. Je n'ai point prétendu justifier les actes désespérés des malheureux, mais protester contre l'indifférence qui les y contraint. Peut-on frapper trop fort sur l'indifférence si difficile à éveiller, sur la distraction si difficile à fixer? Y-a-t-il un autre moyen de toucher la société que de lui montrer la torture de ses victimes?

Vigny was merely the first[1] of many nineteenth-century French poets who felt that there was no place for him or his poetry in the world of his day. *L'Albatros* of Baudelaire is well enough known not to need quoting here; an earlier use of the same type of allegory by Gautier, writing of a caged bird, is probably not so familiar:

> ...Tous les deux cependant nous avons même sort,
> Mon âme est comme toi: de sa cage mortelle
> Elle s'ennuie hélas! et souffre, et bat de l'aile,
> Elle voudrait planer dans l'océan du ciel,
> Ange elle-même, suivre un ange Ithuriel,
> S'enivrer d'infini, d'amour et de lumière,
> Et remonter enfin à la cause première;
> Mais grand Dieu! quelle main ouvrira sa prison,
> Quelle main à son vol livrera l'horizon?[2]   *L'Oiseau Captif*

Other of Baudelaire's variations on the theme of the Poet as Outsider are to be found in *Bénédiction*, in which, significantly, he portrays him being angrily rejected by his mother, or in the second projected preface to *Les Fleurs du Mal*, in which, with characteristic irony, half mockery, half self-congratulation, he describes the public's inability to understand him:

> Lorsque, par un décret des puissances suprêmes,
> Le Poète apparaît en ce monde ennuyé,
> Sa mère épouvantée et pleine de blasphèmes
> Crispe ses poings vers Dieu, qui la prend en pitié:
>
> — Ah! que n'ai-je mis bas tout un nœud de vipères,
> Plutôt que de nourrir cette dérision!
> Maudite soit la nuit aux plaisirs éphémères
> Où mon ventre a conçu mon expiation!   *Baudelaire O.C.*, p. 8

[1] Cf. Chénier, who had written in 1786: 'De toutes les nations de l'Europe, les Français sont ceux qui aiment le moins la poésie et qui s'y connaissent le moins.' (*Poésies Choisies*, Larousse, 1941, p. 13.) Cf. also Flaubert: 'Il faut *déguiser la poésie* en France, on la déteste, et de tous ses écrivains il n'y a peut-être que Ronsard qui ait été tout simplement un poète comme on l'était dans l'antiquité et comme on l'est dans les autres pays.' (Letter to Louise Colet, 1852, *Correspondance*, Fasquelle, four-volume edition, vol. II, p. 159.) Flaubert's letters, like certain of Balzac's to Madame Hanska, and like many a sardonic comment in the writings of Stendhal, express the serious novelist's sense of loneliness no less bitter than that felt by the poets.

[2] Cf. Flaubert: 'Oh! la vie pèse lourd sur ceux qui ont des ailes; plus les ailes sont grandes, plus l'envergure est douloureuse. Les serins en cage sautillent, sont joyeux, mais les aigles ont l'air sombre, parce qu'ils brisent leurs plumes contre les barreaux; or nous sommes tous plus ou moins aigles ou serins, perroquets ou vautours.' (Letter to Louise Colet, 1853, *Correspondance*, vol. II, pp. 187–8.)

S'il y a quelque gloire à n'être pas compris, ou à ne l'être que très-peu, je peux dire sans vanterie que, par ce petit livre, je l'ai acquise et méritée d'un seul coup. Offert plusieurs fois de suite à divers éditeurs qui le repoussaient avec horreur, poursuivi et mutilé, en 1857, par suite d'un malentendu fort bizarre, lentement rajeuni, accru et fortifié pendant quelques années de silence, disparu de nouveau, grâce à mon insouciance, ce produit discordant de *la Muse des derniers jours*, encore arrivé par quelques nouvelles touches violentes, ose affronter aujourd'hui, pour la troisième fois, le soleil de la sottise.   Second projected preface for *Les Fleurs du Mal*, 1863–5,
Baudelaire O.C., p. 1363

Other outstanding French poets expressed in their own individual fashion their sense of living isolated in the midst of an unsympathetic society.

Leconte de Lisle:

Nous sommes une nation routinière et prude, ennemie née de l'art et de la poésie, déiste, grivoise et moraliste, fort ignare et vaniteuse au suprême degré.   'Charles Baudelaire', *Les Poètes Contemporains* (Lemerre), p. 281

Toute multitude, inculte ou lettrée, professe, on le sait, une passion sans frein pour la chimère inepte et envieuse de l'égalité absolue... De ce vice naturel découle l'horreur instinctive qu'elle éprouve pour l'Art.

Le peuple français, particulièrement, est doué en ceci d'une façon incurable. Ni ses yeux, ni ses oreilles, ni son intelligence, ne percevront jamais le monde divin du Beau.

Race d'orateurs éloquents, d'héroïques soldats, de pamphlétaires incisifs, soit, mais rien de plus.   *Avant-Propos: ibid.* p. 238

Mallarmé:

Pour moi, le cas d'un poète, en cette société qui ne lui permet pas de vivre, c'est le cas d'un homme qui s'isole pour sculpter son propre tombeau... moi, au fond, je suis un solitaire, je crois que la poésie est faite pour le faste et les pompes suprêmes d'une société constituée où aurait sa place la gloire dont les gens semblent avoir perdu la notion. L'attitude d'un poète dans une époque comme celle-ci, où il est en grève devant la société, est de mettre de côté tous les moyens viciés qui peuvent s'offrir à lui. Tout ce qu'on peut lui proposer est inférieur à sa conception et à son travail secret.[1]

'Réponse à une enquête sur l'Evolution Littéraire' (1891), *Mallarmé O.C.*, pp. 869–70

[1] Cf. Shelley: 'A poet is a nightingale who sits in darkness and sings to cheer its own solitude with sweet sounds.' (*A Defence of Poetry*.)

Rimbaud:

Je me voyais devant une foule exaspérée, en face du peloton d'exécution, pleurant du malheur qu'ils n'aient pu comprendre et pardonnant! — Comme Jeanne d'Arc! — 'Prêtres, professeurs, maîtres, vous vous trompez en me livrant à la justice. Je n'ai jamais été de ce peuple-ci; je n'ai jamais été chrétien; je suis de la race qui chantait dans le supplice; je ne comprends pas les lois; je n'ai pas le sens moral, je suis une brute: vous vous trompez....' 'Mauvais Sang', 'Une Saison en Enfer', *Rimbaud O.C.*, p. 223

Though there are no instances recorded of the middle classes actually shooting poets, a veritable war was waged in nineteenth-century France between the bourgeoisie and genuine artists. For the most part, the chief weapon of the bourgeois was blithe indifference, but sometimes they singled out an individual writer for victimization, 'pour encourager les autres', the prosecutions of Baudelaire for *Les Fleurs du Mal*, and of Flaubert for *Madame Bovary* being the most notorious instances.

Writers could express their contempt for the hated bourgeoisie in a variety of ways: they could flout convention by their mode of conduct and their dress; the notorious eccentricities of les *Jeunes-France*, Gautier's red waistcoat flaunted at the first night of *Hernani*, Gérard de Nerval's promenading a live lobster at the end of a ribbon in the Palais Royal gardens, Baudelaire's green-dyed hair and his calculatedly outrageous *mots*, the unruly appearance and even more unruly behaviour of Verlaine and Rimbaud— these were all so many expressions of the poet's unwillingness to conform.

As Baudelaire wrote of Poe:

[Poe] reste ce que fut et ce que sera toujours le vrai poète, — une vérité habillée d'une manière bizarre, un paradoxe apparent, qui ne veut pas être coudoyé par la foule, et qui court à l'extrême orient quand le feu d'artifice se tire au couchant.

'Notes Nouvelles sur Edgar Poe', *Nouvelles Histoires Extraordinaires*, p. viii

Laforgue wrote in turn of Baudelaire:

Le premier il a rompu avec le public. — Les poètes s'adressaient au public (répertoire humain); lui, le premier, s'est dit:

La poésie sera chose d'initiés.

Je suis damné pour le public. Le Public n'entre pas ici.

Et d'abord pour éloigner le bourgeois, se cuirasser d'un peu de fumisme extérieur.

S'envelopper d'allégories d'extra-lucide.

Se poser comme méprisé et conspué de lui (par la voix des journaux qu'il enrichit) et de sa femme comme un lépreux, tel les élus de souffrance du moyen âge qui *voyaient* et que la foule brûlait comme sorciers.

Aimer une Vénus noire, ou la Parisienne très-fardée.

Abuser de parfums introuvables pour le lecteur.

Parler de l'opium comme si on en faisait son ordinaire.

Se décrire un intérieur peuplé de succubes.

Faire des poésies détachées, courtes, *sans sujet appréciable* (comme les autres, lesquels faisaient un sonnet pour raconter quelque chose poétiquement, plaider un point, etc.) mais vagues et sans raison comme un battement d'éventail, éphémères et équivoques comme un maquillage, qui font dire au bourgeois qui vient de lire 'Et après?'

J. LAFORGUE: 'Notes sur Baudelaire', in Mélanges Posthumes,
Mercure de France (1919), pp. 115–16

If the chief weapon of the bourgeoisie in their war against serious writers was legal prosecution, the writers' most violent counter was irony or abuse, unflattering portraits such as Vigny's John Bell, Stendhal's Monsieur de Rênal, Flaubert's Homais and Verlaine's Monsieur Prudhomme, or the invective of Baudelaire's *Au Lecteur*, *Les Assis* of Rimbaud, *Les Chants de Maldoror* of Lautréamont. But these weapons were employed comparatively seldom: for the most part, each side viewed the other with indifference, the vast reading public blithely apathetic, the poets loftily disdainful.

Some there were, the chief Romantics in particular, who seemed resolved to save society in spite of itself;

Lamartine:

C'est [la poésie] qui plane sur la société et qui la juge, et qui, montrant à l'homme la vulgarité de son œuvre, l'appelle sans cesse en avant, en lui montrant du doigt des utopies, des républiques imaginaires, des cités de Dieu, et lui souffle au cœur le courage [de les tenter et l'espoir] de les atteindre.
'Des Destinées de la Poésie', 1834, Méditations Poétiques
(Hachette, 1922), vol. II, p. 415

Hugo:

[Le poète] doit marcher devant les peuples comme une lumière et leur montrer le chemin.
Preface to Odes et Ballades (1826)

Vigny:

[Le poète] lit dans les astres la route que nous montre le doigt du Seigneur.[1]

Chatterton

Though Rimbaud virulently attacked what he considered were the bourgeois vices of his day, hypocrisy and self-satisfaction, he was aware of his social responsibilities, of the need to communicate his visions to his less-gifted fellow-men:

Le poète définirait la quantité d'inconnu s'éveillant en son temps dans l'âme universelle: il donnerait plus — que la formule de sa pensée, que l'annotation de sa *marche au Progrès*! Enormité devenant norme, absorbée par tous, il serait vraiment *un multiplicateur de progrès*!

Letter to Paul Demeny, 15 May 1871, *Rimbaud O.C.*, pp. 271–2

For the most part, however, the Parnassian ideal prevailed: poets turned their back on public issues, refusing to contaminate their work with questions of morality or politics or ultimately, with Mallarmé, even with the language of ordinary men:

(L'auteur du présent livre) n'a vu du monde que ce que l'on en voit par la fenêtre, et il n'a pas envie d'en voir davantage....Il n'a aucune couleur politique; il n'est ni rouge, ni blanc, ni même tricolore; il n'est rien; il ne s'aperçoit des révolutions que lorsque les balles cassent les vitres....Il s'est imaginé (a-t-il tort ou raison?) qu'il y avait encore de par la France quelques bonnes gens comme lui qui s'ennuyaient mortellement de toute cette politique hargneuse des grands journaux et dont le cœur se levait à cette politique indécente et furibonde de maintenant.

GAUTIER: Preface to 'Albertus', 1833, *Poésies Complètes de Théophile Gautier*
(Firmin-Didot, 1932), vol. I, p. 81

Il n'y a de vraiment beau que ce qui ne peut servir à rien; tout ce qui est utile est laid, car c'est l'expression de quelque besoin, et ceux de l'homme sont ignobles et dégoutants, comme sa pauvre et infirme nature.

GAUTIER: Preface to *Mademoiselle de Maupin*, 1835, *op. cit.* p. 22

[1] This Messianic view of the poet's function was shared by the English Romantics. Cf. Wordsworth: 'A great poet...ought, to a certain degree, to rectify men's feelings, to give them new compositions of feelings, to render their feelings more sane, pure and permanent, in short, more consonant to nature, that is, to eternal nature, and the great moving spirit of things. He ought to travel before men occasionally as well as at their sides.' (Letter to J. Wilson, June 1802, *The Early Letters of William & Dorothy Wordsworth*, edited by E. de Selincourt, Oxford, 1935, p. 293.)

Cf. also Shelley: 'Poets are the hierophants of an unapprehended inspiration; the mirrors of the gigantic shadows which futurity casts upon the present; the words which express what they understand not; the trumpets which sing to battle and feel not what they inspire; the

J'avais primitivement l'intention de répondre à de nombreuses critiques, et, en même temps, d'expliquer quelques questions très simples, totalement obscurcies par la lumière moderne: Qu'est-ce que la poésie? Quel est son but? De la distinction du Bien d'avec le Beau, de la Beauté dans le Mal; que le rhythme et la rime répondent dans l'homme aux immortels besoins de monotonie, de symétrie et de surprise; de l'adaptation du style au sujet; de la vanité et du danger de l'inspiration, etc.; mais j'ai eu l'imprudence de lire ce matin quelques feuilles publiques; soudain, une indolence, du poids de vingt atmosphères, s'est abattue sur moi, et je me suis arrêté devant l'épouvantable inutilité d'expliquer quoi que ce soit à qui que ce soit. Ceux qui savent me devinent, et pour ceux qui ne peuvent ou ne veulent pas me comprendre, j'amoncellerais sans fruit les explications.

BAUDELAIRE: Projected preface for *Les Fleurs du Mal*, 1859–60, *Baudelaire O.C.*, p. 1363

La poésie, pour peu qu'on veuille descendre en soi-même, interroger son âme, rappeler ses souvenirs d'enthousiasme, n'a pas d'autre but qu'elle-même; elle ne peut pas en avoir d'autre, et aucun poème ne sera si grand, si noble, si véritablement digne du nom de poème, que celui qui aura été écrit uniquement pour le plaisir d'écrire un poème.

Je ne veux pas dire que la poésie n'ennoblisse pas les mœurs, — qu'on me comprenne bien, — que son résultat final ne soit pas d'élever l'homme au-dessus du niveau des intérêts vulgaires; ce serait évidemment une absurdité. Je dis que si le poète a poursuivi un but moral, il a diminué sa force poétique; et il n'est pas imprudent de parier que son œuvre sera mauvaise. La poésie ne peut pas, sous peine de mort ou de défaillance, s'assimiler à la science ou à la morale; elle n'a pas la Vérité pour objet, elle n'a qu'Elle-même. Les modes de démonstration de vérité sont autres et sont ailleurs. La Vérité n'a rien à faire avec les chansons. Tout ce qui fait le charme, la grâce, l'irrésistible d'une chanson enleverait à la Vérité son autorité et son pouvoir. Froide, calme, impassible, l'humeur démon-strative repousse les diamants et les fleurs de la muse; elle est donc absolument l'inverse de l'humeur poétique.[1]

BAUDELAIRE: 'Notes Nouvelles sur Edgar Poe', Introduction to
Nouvelles Histoires Extraordinaires (Conard, 1933), pp. xix–xx

influence which is moved not, but moves. Poets are the unacknowledged legislators of the world.' (*A Defence of Poetry*.)

[1] Cf. Flaubert: 'Je méprise trop les hommes pour leur faire du bien ou du mal....Si jamais je prends une part active au monde ce sera comme penseur et démoralisateur. Je ne ferai que dire la vérité, mais elle sera horrible, cruelle et nue.' (Letter to E. Chevalier, 24 February 1839, *Correspondance*, vol. I, p. 24.)

il n'y a de respectable en fait de poésie, que le Beau, et ce qu'on nomme le public n'a point qualité pour en juger.

LECONTE DE LISLE: 'Alfred de Vigny', in *Derniers Poèmes* (Lemerre), p. 265

Hors la création du beau, point de salut. Les impuissants seuls professent au lieu de créer. Ils ignorent ou feignent d'ignorer que la beauté d'un vers est indépendante du sentiment moral ou immoral, selon le monde, que ce vers exprime, et qu'elle exige des qualités spéciales, extra-humaines en quelque sorte. LECONTE DE LISLE: 'Auguste Barbier', *ibid.* p. 273

L'Art, dont la Poésie est l'expression éclatante, intense et complète, est un luxe intellectuel accessible à de très rares esprits.[1]

LECONTE DE LISLE: 'Avant-propos aux Poètes Contemporains', *ibid.* p. 238

Qu'un philosophe ambitionne la popularité, je l'en estime. Il ne ferme pas les mains sur la poignée de vérités radieuses qu'elles enserrent; il les répand, et cela est juste qu'elles laissent un lumineux sillage à chacun de ses doigts. Mais qu'un poète, un adorateur du beau inaccessible au vulgaire,— ne se contente pas des suffrages du sanhédrin de l'art, cela m'irrite, et je ne le comprends pas. . . .

L'heure qui sonne est sérieuse: l'éducation se fait dans le peuple, de grandes doctrines vont se répandre. Faites que s'il est une vulgarisation, ce soit celle du bon, non celle de l'art, et que vos efforts n'aboutissent pas — comme ils n'y ont pas tendu, je l'espère — à cette chose, grotesque si elle n'était triste pour l'artiste de race, le *poète ouvrier*.

Que les masses lisent la morale, mais de grâce ne leur donnez pas notre poésie à gâter.

O poètes, vous avez toujours été orgueilleux; soyez plus, devenez dédaigneux.[2] MALLARMÉ: 'Hérésies Artistiques: L'Art pour Tous',
Mallarmé O.C., pp. 259–60 *passim*

[1] Cf. Pierre Reverdy: 'La poésie est exclusivement aux poètes qui écrivent pour eux seuls et quelques hommes doués d'un sens que les autres hommes n'ont pas.' (*Le Gant de Crin*, Plon, 1917; quoted in Charpier and Seghers: *L'Art Poétique*, 1957, p. 494.)
[2] Cf. 'The prophane multitude I hate, and onelie consecrate my *strange* Poems to these serching spirits, whom lerning hath made noble, and nobilitie sacred. . . . Obscuritie in affection of words, and indigested concets, is pedanticall and childish, but where *it shroudeth it selfe in the hart of his subject*, uttered with fitness of figure, and expressive Epithets; with that darkness wil I labour to be shadowed; rich Minerals are digd out of the bowels of the earth, not found in the superficies and dust of it.' (George Chapman: Introductory letter to Ovid's *Banquet of Sence*, quoted in Odette de Mourgues: *Metaphysical, Baroque and Précieux Poetry*, Oxford, 1953, p. 44.)

3-2

The Horatian view that the poet should hate and shun the common herd led Mallarmé to express himself as obscurely as possible.[1] Diametrically opposed to this attitude was the belief that the poet's first aim should be lucidity, that his principal object should be, in Wordsworth's words, 'to choose incidents and situations from common life, and to relate or describe them, throughout, as far as. . .possible in a selection of language really used by men'. (Preface to the second edition of the *Lyrical Ballads*.).

Expressions of this belief, that the Poet's prime duty is to communicate with his fellow-men, may be found among the works of earlier French writers:

The troubadour, Giraud de Borneil:

Je saurais bien rendre [ma chanson] plus obscure, mais un chant n'a pas toute sa valeur, quand tous ne peuvent pas y prendre part. J'aime entendre chanter à l'envi mon sonnet par des voix rauques et claires et l'entendre porter à la fontaine.   Quoted in Charpier and Seghers, *op. cit.* p. 92

Boileau:

> Si le sens de vos vers tarde à se faire entendre,
> Mon esprit aussitôt commence à se détendre,
> Et de vos vains discours prompt à se détacher,
> Ne suit point un auteur qu'il faut toujours chercher.
> Il est certain esprit dont les sombres pensées
> Sont d'un nuage épais toujours embarrassées;
> Le jour de la raison ne le saurait percer.
> Avant donc que d'écrire apprenez à penser.
> Selon que notre idée est plus ou moins obscure,
> L'expression la suit, ou moins nette, ou plus pure.
> Ce que l'on conçoit bien s'énonce clairement
> Et les mots pour le dire arrivent aisément.

L'Art Poétique, Chant Premier

Fénelon:

On ne doit jamais hasarder aucune locution ambiguë. . . . Il faut une diction simple, précise et dégagée, où tout se développe de soi-même, et aille au-devant du lecteur. Quand un auteur parle au public, il n'y a aucune peine qu'il ne doive prendre, pour en épargner à son lecteur. Il faut que tout le travail soit pour lui seul, et tout le plaisir, avec tout le fruit, pour celui dont il

---

[1] See pp. 157–63.

veut être lu. Un auteur ne doit laisser rien à chercher dans sa pensée. Il n'y a que les faiseurs d'énigmes qui soient en droit de présenter un sens enveloppé. *Projet de Poétique*, quoted in Charpier and Seghers, *op. cit.* p. 152

The reader should not need to be reminded that Giraut de Borneil, Boileau and Fénelon, in marked contrast to the nineteenth-century *poètes maudits*, were writing in and for a society where poetry held a position of high honour.

3. POETRY AS A REFUGE

Nineteenth-century French poets came to ascribe what might well now seem excessive powers to poetry not only as a reaction against society's indifference, but because in an age strewn with the wreckage of lost causes poetry remained the one sure refuge and consolation.

The renunciation of the Romantic urge to rewrite society's laws can be attributed in no small measure to the succession of nineteenth-century revolutions which so shattered the hopes of those who dreamed of social Utopias: Gautier was disillusioned by the consequences of the July Revolution of 1830, Baudelaire and Leconte de Lisle by the June days of 1848, Lamartine and Hugo by Louis-Napoléon's *coup d'état* of 1851 and Rimbaud by the crushing of the Commune in 1871. Though these events sometimes inspired bitter poetic commentary, such as Hugo's *Châtiments* or Rimbaud's *Orgie Parisienne* and *Les Mains de Jeanne Marie*, their general effect was to drive poets from the forum into the Ivory Tower: social and political causes were a snare and a delusion.

For most nineteenth-century French poets, private causes seemed as fated to be lost as public ones. In an age in which too much was demanded of the emotions, love held out the greatest promise of consolation and brought the cruellest of disappointments. Vigny's *Colère de Samson*, Musset's *Nuits*, Gérard de Nerval's *Chimères*, much of the love poetry of Baudelaire and Verlaine, Rimbaud's *Sœurs de Charité* and *Délires I*, many of Laforgue's *Complaintes*, Corbière's *Amours Jaunes* are just so many *Chansons du Mal Aimé*.[1] It would, of course, be wrong to suggest that Love inspired only unhappy poems in nineteenth-century France: *Le Lac* of Lamartine and Hugo's *Tristesse d'Olympio*, elegies though they are, are tributes to lost but happy love: their enemy is not Woman or

---

[1] *La Chanson du Mal Aimé* is one of the best known poems in Apollinaire's *Alcools* in which, yet again, the love poems express suffering rather than joy.

Love itself, but Time. Beside the adolescent petulance of *La Colère de Samson* must be set the mature plea for companionship in *La Maison du Berger*; Baudelaire wrote the wholly tender *Balcon* as well as the sadistic *A celle qui est trop gaie* and Verlaine wrote *La Bonne Chanson* as well as *Romances sans paroles*. But the predominant impression abiding after one has read a representative selection of nineteenth-century French love poetry is almost without exception, and in each case because of psychological reasons one need not detail here, that French poets found no abiding consolation in Love.

As Mallarmé replied to his friend Cazalis who had written telling him of the happiness he had found in love:

Il n'y a que la Beauté, — et elle n'a qu'une expression parfaite: la Poésie. Tout le reste est mensonge — excepté pour ceux qui vivent du corps, l'amour, et cet amour de l'esprit, l'amitié.

Puisque tu es assez heureux pour pouvoir, outre la Poésie, avoir l'amour, aime: en toi, l'Etre et l'Idée auront trouvé ce paradis que la pauvre humanité n'espère qu'en sa mort, par ignorance et par paresse, et quand tu songeras au néant futur, ces deux bonheurs accomplis, tu ne seras pas triste et le trouveras même très naturel. Pour moi, la Poésie me tient lieu de l'amour, parce qu'elle est éprise d'elle-même et que sa volupté d'elle retombe délicieusement en mon âme. . . .

Letter dated 14 May 1867, Propos, p. 89

In an age of firmer religious faith, poets might have found consolation for their public and private humiliations through communing with God, but, except in the work of Lamartine or Hugo, God features more as an expletive than a real presence. Silent in Vigny's *Mont des Oliviers* and in Nerval's *Christ aux Oliviers*,[1] God seems unwilling or unable to help Man combat Satan in Baudelaire's *Fleurs du Mal* and *Le Spleen de Paris*. For Mallarmé God was 'ce vieux et méchant plumage terrassé, heureusement' (letter to Cazalis, March 1866, *Propos*, p. 87), merely a comforting myth invented by men to hide the appalling truth that behind the apparently solid world of appearances was merely Nothingness. As for Rimbaud, whatever value one may attach to his death-bed conversion in 1891—and it seems fated always to remain a matter for critical controversy—it is clear that when he was writing poetry twenty years before, religion, at least as it was practised by the squalid partici-

---

[1] Both poems were based on the same German original by J. P. Richter.

pants in *Les Premières Communions*, was no answer to anyone's problems. With characteristic impatience Rimbaud tried to burst his own way unaided into Heaven and, as a consequence, spent *Une Saison en Enfer*.

There was only cold comfort for any poet who sought a religious or philosophical substitute for Christianity: he could reflect, like Leconte de Lisle, that he and all he loved was destined to melt away into a Buddhistic Nirvana or, like Laforgue, that the choice was between Schopenhauer's view of mankind as simply the expression of a blind will to exist or Hartmann's belief that every human action is controlled by the cosmic Unconscious.

Confronted by a society they knew to be irremediably hostile to all they stood for, denied happiness in love or consolation in philosophy and religion, many nineteenth-century French poets not surprisingly turned repeatedly to the theme of flight: back to childhood, into the distant past, to other lands real or fanciful, into *paradis artificiels* with a variety of stimulants, the means were immaterial and the goal, in the last resort, became 'n'importe où pourvu que ce soit hors de ce monde' (Baudelaire: 'Le Spleen de Paris', *Baudelaire O.C.*, pp. 347–8).

'Fuir! là-bas fuir!' again and again the cry is repeated:

'Oh! fuir! fuir les hommes et se retirer parmi quelques élus, élus entre mille milliers de mille!'
VIGNY: Journal d'un Poète, p. 23

Que les esprits amoureux du présent et convaincus des magnificences de l'avenir se réjouissent dans leur foi, je ne les envie ni les félicite, car nous n'avons ni les mêmes sympathies ni les mêmes espérances. Les hymnes et les odes inspirées par la vapeur et la télégraphie électrique m'émeuvent médiocrement, et toutes ces périphrases didactiques, n'ayant rien de commun avec l'art, me démontreraient plutôt que les poètes deviennent d'heure en heure plus inutiles aux sociétés modernes.... S'il arrive donc que nous ne devions plus rien produire qui soit dû à nos propres efforts, sachons garder le souvenir des œuvres vénérables qui nous ont initiés à la poésie, et puisons dans la certitude même de leur inaccessible beauté la consolation de les comprendre et de les admirer. Le reproche qui m'a été adressé de préférer les morts aux vivants est on ne peut plus motivé, et j'y réponds par l'aveu le plus explicite.
LECONTE DE LISLE: 'Préface des Poèmes et Poésies, 1856', Derniers Poèmes
(Lemerre, 1895), pp. 226–7

Envole-toi bien loin de ces miasmes morbides;
Va te purifier dans l'air supérieur,
Et bois, comme une pure et divine liqueur
Le feu clair qui remplit les espaces limpides.

BAUDELAIRE: 'Elévation', Baudelaire O.C., p. 84

Emporte-moi, wagon! enlève-moi, frégate!
Loin! loin! ici la boue est faite de nos pleurs!

BAUDELAIRE: 'Moesta et Errabunda', ibid. p. 135

Assez vu. La vision s'est rencontrée à tous les airs.
Assez vu. Rumeurs des villes, le soir, et au soleil, et toujours.
Assez connu. Les arrêts de la vie. — O Rumeurs et Visions!
Départ dans l'affection et le bruit neufs!

RIMBAUD: 'Départ', 'Les Illuminations', Rimbaud O.C., p. 183

Variations on the theme of *évasion* will be found in such poems as Baudelaire's *Invitation au Voyage, Recueillement, Le Voyage*, his prose-poems *l'Etranger, La Chambre Double, Enivrez-vous, Anywhere out of the World*, Mallarmé's *Brise Marine, Les Fenêtres, Prose pour des Esseintes*, and Rimbaud's *Bateau Ivre*. The whole of *Les Fleurs du Mal* is the account of Baudelaire's successive vain attempts to escape his tormented world-weary self and 'le spectacle ennuyeux de l'immortel péché'.[1] Rimbaud's *Illuminations* and *Une Saison en Enfer* record *his* equally vain attempts to escape from the everyday world, where he was but a clumsy adolescent subject to the same code of rules as everybody else, into a realm of his own creation where he was a law unto himself. Mallarmé, the most determined escapist of all, aimed with his poetic and his use of language to create a world divorced from matter 'un lieu abstrait, supérieur, nulle part situé'.[1] (Notes to 'La Musique et les Lettres', *Mallarmé O.C.*, p. 656.)

The more sophisticated the poet, the clearer his awareness that at the end of his various escape-routes lay inevitable disillusionment: Musset might seek to escape from himself with the cry

Aimer est le grand point, qu'importe la maîtresse?
Qu'importe le flacon, pourvu qu'on ait l'ivresse?

(Dédicace à La Coupe et les Lèvres)

---

[1] Cf. Francis Bacon, paraphrasing Aristotle: 'Poetry, not finding the actual world exactly conformed to its idea of good and fair, seeks to accommodate the shows of things to the desires of the mind, and so create an ideal world better than the world of experience.'

Baudelaire could only comment bitterly:

Après une débauche, on se sent toujours plus seul, plus abandonné.

'Mon Cœur Mis à Nu', Baudelaire O.C., p. 1225

> Amer savoir, celui qu'on tire du voyage!
> Le monde, monotone et petit, aujourd'hui,
> Hier, demain, toujours, nous fait voir notre image:
> Une oasis d'horreur dans un désert d'ennui.

'Le Voyage', ibid. p. 200

It needed but a step from this standpoint to reach Axël's ultimate conclusion 'Cherchons l'évasion! Vivre? Mais les serviteurs feront cela pour
nous désormais!'

Paradoxically, the surest way for Baudelaire to escape from his otherwise incurable *ennui* was to hunt and transfix it with words and enshrine it
in poetry; to write poetry was to resolve his innermost conflicts and trans-
mute to beauty the repellent world about him:

> ...Anges revêtus d'or, de pourpre et d'hyacinthe,
> O vous, soyez témoins que j'ai fait mon devoir.
> Comme un parfait chimiste et comme une âme sainte.
>
> Car j'ai de chaque chose extrait la quintessence,
> Tu m'as donné ta boue et j'en ai fait de l'or.[1]

'Projet d'Epilogue pour la seconde édition des Fleurs du Mal', Baudelaire O.C., p. 258

' Poetry', T. S. Eliot has said, 'is not a substitute for philosophy or theology
or religion...it has its own function. But as this function is not intellectual
but emotional, it cannot be defined adequately in intellectual terms. We can
say that it provides "consolation": strange consolation, which is provided
equally by writers so different as Dante and Shakespeare.' ('Shakespeare
and the Stoicism of Seneca': *Selected Essays*, Faber, 1951, pp. 137–8.)

---

[1] Cf. Shelley: 'Poetry turns all things to loveliness; it exalts the beauty of that which is
beautiful, and it adds beauty to that which is most deformed; it marries exultation and horror,
grief and pleasure, eternity and change; it subdues to union, under its light yoke, all irrecon-
cilable things. It transmutes all that it touches, and every form moving within the radiance of
its presence is changed by wondrous sympathy to an incarnation of the spirit which it breathes:
its secret alchemy changes to potable gold the poisonous waters which flow from death
through life; it strips the veil of familiarity from the world, and lays bare the naked and sleep-
ing beauty which is the spirit of its forms....' (*A Defence of Poetry.*)
Cf. Ovid:

> Gratia, Musa, tibi: nam tu solacia praebes,
> Tu curae requies, tu medicina venis.
> Tu dux et comes est....   *Tristia*

Mr Eliot is looking at poetry here from the viewpoint of the *reader*, and there can be no disputing his point; but for such writers as Baudelaire, Flaubert and Mallarmé, the act of literary creation absorbed all the enthusiasm that other men normally devote to their politics, their philosophy, their theology or their religion, and it would be more than a mere figure of speech to say that they were martyrs to their art. Their example was not lost on the young men of letters who came after them, especially those who were weekly visitors to Mallarmé's *mardis* in the 1880's.

Valéry wrote of this period:

Ce fut un temps de théories, de curiosités, de gloses et d'explications passionnées. Une jeunesse assez sévère repoussait le dogme scientifique qui commençait de n'être plus à la mode, et elle n'adoptait pas le dogme religieux qui n'y était pas encore; elle croyait trouver dans le culte profond et minutieux de l'ensemble des arts une discipline, et peut-être une vérité, sans équivoque. Il s'en est fallu de très peu qu'une espèce de religion fût établie....   'Avant-dire à la Connaissance de la Déesse', *Valéry O.*, p. 1273

4. THE ANTI-ELOQUENT MINORITY

Not every nineteenth-century French poet saw himself as Moses or Prometheus, or looked on poetry as a means to knowledge. Laforgue, for example, dreamed early in his career of composing a 'grand livre de prophétie, la Bible nouvelle qui va faire déserter les cités.... On désertera les cités, les hommes s'embrasseront, on ira sur les promontoires vivre dans la cendre, tout à la contemplation des cieux infinis, tout au renoncement' (*Mélanges Posthumes*, p. 9). He was just as convinced as *les poètes maudits* that life was a sorry spectacle, but he renounced his ambitions of transforming it in favour of whimsical self-mockery:

La vie est grossière, c'est vrai — mais, pour Dieu! quand il s'agit de poésie, soyons distingués comme des œillets; disons tout, tout (ce sont en effet surtout les saletés de la vie qui doivent mettre une mélancolie humoristique dans nos vers) mais disons les choses d'une façon raffinée....
        LAFORGUE: Letter to his sister, May 1883, *O.C.*, vol. v, p. 21

L'envie de pousser des cris sublimes aux oreilles de mes contemporains sur les boulevards et autour de la Bourse m'est passée et je me borne à tordre mon cœur pour le faire s'égoutter en perles curieusement taillées....
        Letter to Madame Mullezer, March 1882, *ibid.* p. 128

Je trouve stupide de faire la grosse voix et de jouer de l'éloquence. Aujourd'hui je suis plus sceptique et j'emballe moins aisément et que d'autre part je possède ma langue d'une façon plus minutieuse, plus clown-esque, j'écris de petits poèmes de fantaisie, n'ayant qu'un but: faire de l'original à tout prix. *Letter to his sister, May 1883, ibid. vol. v, p. 20*

Laforgue's 'Je trouve stupide de faire la grosse voix et de jouer de l'élo-quence' echoes Verlaine's 'Prends l'éloquence et tords-lui son cou!' (*Art Poétique*); his decision merely to squeeze his heart 'pour le faire s'égoutter en perles curieusement taillées' can be said to have been shared, each in their different ways, by Musset and Verlaine and Corbière. But these, beside Hugo, Baudelaire, Mallarmé and Rimbaud, are poets of the second magnitude. It remains true to say that for the greatest nineteenth-century French poets, Poetry offered rewards refused them by their fellow-men, consolation withheld them in human relationships, knowledge denied them in philosophy or religion. Poetry, in short, seemed to hold out the promise of Beauty, Truth and Power.

5. TWENTIETH-CENTURY ATTITUDES

Striking differences are at once apparent when one compares the views of nineteenth- and twentieth-century poets on their responsibilities to the world about them. Whereas Vigny, Leconte de Lisle, Gautier, Baudelaire and Mallarmé considered the world well lost for art, and maintained that poetry should be an end in itself, twentieth-century poets have been much readier to devote their gifts to the service of some other cause, religious, political or social.

As a young man, Claudel had no less a horror than Leconte de Lisle or Baudelaire of the society of his day. He wrote to Mallarmé in 1895: 'J'ai la civilisation moderne en horreur et je m'y suis toujours senti étranger.' (Quoted in *Mémoires Improvisés*, Gallimard, 1954, p. 127.) But he did not take refuge, like Mallarmé, in the Ivory Tower of Art:

La vocation artistique est une vocation excessivement dangereuse et à laquelle très peu de gens sont capables de résister. L'art s'adresse à des facultés de l'esprit particulièrement périlleuses, à l'imagination et à la sensibilité, qui peuvent facilement arriver à détraquer l'équilibre et à entraîner une vie peu d'aplomb.

Regardez la carrière de la plupart des grands hommes de lettres, des grands poètes! Presque tous donnent le spectacle d'un déséquilibre complet et d'une vie très souvent manquée, même ceux qui ont pu avoir un certain succès temporel, même des hommes comme Chateaubriand ou comme Victor Hugo;[1] quand on regarde leur vie de près, on a l'impression d'un profond déséquilibre.... Il y a très peu d'écrivains dont la vie n'ait été chavirée. Peu de spectacles plus tristes que la vie d'un Baudelaire, d'un Verlaine et même d'un Racine qui a eu des passages extrêmement noirs. Corneille, lui, a réussi; mais est-il sûr que Corneille soit un très grand génie? On peut en douter! On peut également citer un Villon, enfin le martyrologe des écrivains, des artistes abonde. Il doit certainement y avoir une raison à cela, et je l'attribue à ce développement morbide, on peut dire, de l'imagination et de la sensibilité, qui n'est pas bon pour l'équilibre d'un être humain.... *Mémoires Improvisés*, p. 333

The nineteenth-century literary scene was for Claudel 'cette lande pleine de ruines et de fouilles...ce cimetière bêché par les lémures' haunted by 'grands hallucinés':

Victor Hugo, Blake, le Goethe du second *Faust*, Michelet, Carlyle, Ibsen, Wagner, qui fut le premier éclairé d'un rayon rédempteur, Nietzsche enfin qui fut dévoré tout vivant par le monstre dont les autres n'étaient que poursuivis.... Toutes les entraves de la superstition et de la morale étaient enlevées, à quel triomphe de la vie allions-nous assister, à quelle

---

[1] *Chateaubriand:* was for a time Napoleon's First Secretary in Rome, held ambassadorial posts in Berlin, London and Rome during the Restoration, and, in 1823, was French Foreign Minister. *Hugo:* was created a peer in 1848 while supporting the liberal monarchy of Louis-Philippe; his sympathies had, however, grown more and more democratic, and in 1848 he was elected a 'representative of the people'; in 1849, he became a member for Paris in the Assemblée Nationale. Hugo's political views and opposition to Louis Napoléon compelled him to flee the country in 1851 to avoid possible reprisals. He remained in exile, from 1855 onwards in Guernsey, till 1860, when his return to France was the occasion of a triumphal procession and the acclaim reserved for national heroes.

Claudel might also have mentioned Lamartine who, after serving in the diplomatic service in the 1820's, became a deputy in 1833, and head of the Gouvernement provisoire in 1848. He retired completely from political life in 1851 and spent the last years of his life in near-penury.

Lamartine, like Claudel, believed that it was not feasible to devote his life exclusively to poetry:

La poésie ne m'a jamais possédé tout entier. Je ne lui ai donné dans mon âme et dans ma vie seulement que la place que l'homme donne au chant dans sa journée: des moments dans le matin, des moments le soir, avant et après le travail sérieux et quotidien. Le rossignol lui-même, ce chant de la nature incarné dans les bois, ne se fait entendre qu'à ces deux heures du soleil qui se lève et du soleil qui se couche, et encore dans une seule saison de l'année. La vie est la vie, elle n'est pas un hymne de joie ou un hymne de tristesse perpétuel. L'homme qui chanterait toujours ne serait pas un homme, ce serait une voix. (*Première Préface des Méditations, op. cit.* pp. 369–70.)

orgie radieuse de la liberté et de la joie! Et nous ne trouvons que le désespoir, le pessimisme, le cauchemar, l'amertume, l'égarement, la rage, l'esprit possédé des spectacles les plus hideux, pour aboutir, c'est aujourd'-hui, aux balbutiements de l'imbécillité.

'Réflexions et Propositions sur le Vers Français', *Pos.* p. 53

Confronted by a society and a literary world that were alike repugnant, Claudel faced the alternatives with which Barbey d'Aurevilly confronted Huysmans when reviewing *A Rebours*: 'Après un tel livre, il ne reste plus qu'à choisir entre la bouche d'un pistolet ou les pieds de la croix.'[1]

Claudel, like Huysmans, chose 'les pieds de la croix', but was no more prepared to take refuge in the cloister than he had been in an Ivory Tower: his life was divided between service to the State as a diplomat[2] and in militantly proclaiming the truths of Roman Catholicism through his poetry, plays and prose. Far from denouncing the world, Claudel, fortified by his religion, could write *Un Processionnal pour saluer le Siècle Nouveau*[3] and declare: 'A chaque trait de notre haleine, le monde est aussi nouveau qu'à cette première gorgée d'air dont le premier homme fit son premier souffle.' ('Connaissance du Temps', 'L'Art Poétique', *Claudel O.P.*, p. 140.)

Though much of Péguy's life like Claudel's, was devoted to public causes, his poetic output was prolific; it would have reached almost un-manageable proportions had not his sense of social mission driven him to engage in the polemic of *Les Cahiers de la Quinzaine*!

J'écris ce que je peux, comme je peux. J'écris utilement de modestes cahiers. Moi aussi j'aimerais mieux faire des œuvres plus considérables sinon plus sereines. J'aimerais mieux faire des nouvelles, des contes, des romans, des dialogues, des poèmes ou des drames. Et je crois que je n'en suis pas incapable.... J'aimerais mieux travailler à de grandes œuvres, mais je dois faire ce que je dois, et non pas ce que j'aime le mieux.

PÉGUY: *Cahiers de la Quinzaine*, vol. III, no. 12, 5 April 1902

Various factors probably combined to persuade the poet that he need not necessarily be a social outcast: the unequivocal demonstration of the nation's grief at Hugo's state funeral in 1885, which might well have

---

[1] Article first published in *Le Conditionnel* (28 July 1884), quoted in the Fasquelle 1955 edition of *A Rebours*, p. 26, and almost identical to the conclusion he reached after reading *Les Fleurs du Mal*.

[2] Like another important modern French poet, Saint-John Perse.

[3] See *Claudel O.P.*, pp. 295–303.

awakened dreams of a kindred fame in some youthful poetic hearts; the feeling that it was neither possible nor desirable to explore further the rarefied regions penetrated by Mallarmé, by Rimbaud, and, in the visionary verse of his final period, by Hugo; the natural and inevitable reaction against the ethereal Symbolist poetry of the 1890's;[1] the realization that themes for poetry could be found in the scientific and industrial world which so repelled Leconte de Lisle[2]—all these factors must have encouraged the twentieth-century poet to emerge from seclusion and to move once more amid his fellow-men, to look to the future with confidence and not merely to yearn for the past, to cease to aspire towards the Absolute and to explore instead the marvels of the modern world:

Le moindre fait est pour le poète le postulat, le point de départ d'une immensité inconnue où flambent les feux de joie des significations multiples.

Il n'est pas besoin pour partir à la découverte de choisir à grand renfort de règles, même édictées par le goût, un fait classé comme sublime. On peut partir d'un fait quotidien: un mouchoir qui tombe peut être pour le poète le levier avec lequel il soulevera tout un univers. On sait ce que la chute d'une pomme vue par Newton fut pour ce savant que l'on peut appeler un poète. C'est pourquoi le poète d'aujourd'hui ne méprise aucun mouvement de la nature, et son esprit poursuit la découverte aussi bien dans les synthèses les plus vastes et les plus insaisissables: foules nébuleuses, océans, nations, que dans les faits en apparence les plus simples: une main qui fouille une poche, une allumette qui s'allume par le frottement, des cris d'animaux, l'odeur des jardins après la pluie, une flamme qui naît dans un foyer. . . .
APOLLINAIRE: 'L'Esprit Nouveau et les Poètes',
Mercure de France, vol. CXXX (1 December 1918), p. 393

On s'est parfois étonné de mon émerveillement devant le monde, il me vient autant de la permanence du rêve que de ma mauvaise mémoire. Tous deux me font aller de surprise en surprise et me forcent encore à m'étonner de tout. 'Tiens, il y a des arbres, il y a la mer. Il y a des femmes. Il en est de même de fort belles. . . .'

J. SUPERVIELLE: 'En Songeant à Un Art Poétique', *Naissances*, p. 58

---

[1] The best of these essentially minor poets were Maeterlinck and Henri de Régnier. For examples and an appreciation of their work, see Professor C. A. Hackett's *Anthology of Modern French Poetry* (Blackwell, Oxford, 1952). For a succinct expression and condemnation of the Symbolist attitude to life, see Gide's satire *Paludes*.

[2] Although poets like Apollinaire, Romains, and, outstandingly, Verhaeren, found beauty and a store of imagery in industrial landscapes and the modern city, the first poet—in date and quality—to derive inspiration from the modern city, is still Baudelaire.

Alors que la poésie s'était bien déshumanisée, je me suis proposé, dans la continuité et la lumière chères aux classiques, de faire sentir les tourments, les espoirs et les angoisses d'un poète et d'un homme d'aujourd'hui.

Ibid. p. 59

Je n'ai guère connu la peur de la banalité qui hante la plupart des écrivains mais bien plutôt celle de l'incompréhension et de la singularité. N'écrivant pas pour des spécialistes du mystère j'ai toujours souffert quand une personne sensible ne comprenait pas un de mes poèmes. *Ibid.* p. 61

At an early stage in his career, Pierre Reverdy held the view that concrete reality should not be the point of departure for a poem: 'Plus l'artiste saura se dégager de cette réalité sensible qui le sollicite, plus son œuvre atteindra efficacement cette source cachée de la réalité' (*Le Gant de Crin*, p. 29), but this view has been subsequently modified to: 'la poésie est uniquement une opération de l'esprit du poète exprimant les accords de son être sensible au contact de la réalité.' ('Circonstances de la Réalité', *L'Arche*, no. 21, 1946, p. 6.)[1]

Le temps est venu où tous les poètes ont le droit et le devoir de soutenir qu'ils sont profondément enfoncés dans la vie des autres hommes, dans la vie commune. PAUL ELUARD, quoted in *Paul Eluard*, by Louis Parrot (Seghers, 1948), p. 61

La solitude des poètes, aujourd'hui, s'efface. Voici qu'ils sont des hommes parmi les hommes, voici qu'ils ont des frères. . . .

PAUL ELUARD: *L'Evidence Poétique*[3]

Poets no longer wrote of and for themselves alone—or for posterity, which is a more comforting way of saying the same thing: they sought once more to communicate with their fellow-men, expressing for them

---

[1] Quoted by Margaret Gilman in her article 'From Imagination to Immediacy in French Poetry', *The Romanic Review* (February 1948), p. 46.

[2] Cf. Walt Whitman: 'Whatever may have been the case in years gone by, the true use of the imaginative faculty of modern times is to give ultimate vivification to facts, to science, and to common lives, endowing them with the glows and glories and final illustriousness which belong to every real thing and to real things only. Without that ultimate vivification—which the poet or other artist alone can give—reality would seem incomplete and science, democracy, and life itself, finally in vain.' (*A Backward Glance o'er travel'd Roads*. Whitman: *Complete Verse and Selected Prose*, The Nonesuch Press, 1938, p. 861.)

[3] From a lecture given in London, 24 June 1936. Charpier, *op. cit.*, p. 614.

their private joy and sorrow, and in times of national disaster—such as the German Occupation—voicing their countrymen's hopes of ultimate liberation.

✧ ✧ ✧

But not every twentieth-century poet cast away his predecessors' indifference to the world around him: though Valéry became a public figure, was given a state funeral in 1945, and readily described in prose his *Regards sur le Monde Actuel*, public, religious and social issues were banished from his poetry as completely as from the work of Mallarmé,[1] and he employed it to record his explorations of his own consciousness; the Dada movement, though producing no poetry worthy of the name, can be seen as the despairing outburst of poets and artists, rounding on the society which had cursed them, and which had plunged the whole western world into war; though the Surrealists sought *le merveilleux* in the world of everyday, and though the best of them, Eluard, subsequently turned to traditional poetic themes, the movement was primarily concerned with following up Rimbaud's exploration of the Unconscious. And one of the most gifted of twentieth-century poets, Henri Michaux has clearly inherited Baudelaire's awareness of the world's hostility, and his longing to escape:

> Emportez-moi dans une caravelle,
> Dans une vieille et douce caravelle,
> Dans l'étrave, ou si l'on veut, dans l'écume,
> Et perdez-moi, au loin, au loin.
>
> Dans l'attelage d'un autre âge,
> Dans le velours trompeur de la neige,
> Dans l'haleine de quelques chiens réunis,
> Dans la troupe exténuée des feuilles mortes.

[1] Cf. Valéry's declaration of his poetic credo in his first article: '. . aux vieilles sociétés qui ont des siècles d'analyse intérieure et de production littéraire, il faut des plaisirs toujours nouveaux, toujours plus aigus! Pour nous, nous ne nous plaindrons jamais de vivre en un temps où l'on voit coexister des Hugo, des Flaubert, des Goncourt, où la maladive sensibilité d'un Verlaine fait face à l'énorme vitalité d'un Zola, où l'on peut jouir de ce rare spectacle: la brutalité de la concurrence vitale, du mercantilisme, de l'effacement de la personnalité, opposée au féminisme, à l'alanguissement exquis des artistes et des raffinés dilettanti. Nous nous plaisons à cette sublime antithèse: la grandeur barbare du monde industriel vis-à-vis des extrêmes élégances et de la recherche morbide des plus rares voluptés.

'Et nous aimons l'art de ce temps, compliqué, et *artificiel*, trop vibrant, trop tendre, trop *musical*, d'autant plus qu'il devient plus mystérieux, plus étroit, plus inaccessible à la foule. Qu'importe qu'il soit fermé à la plupart, que ses ultimes expressions demeurent le luxe d'un petit nombre, pourvu qu'il atteigne chez les quelques *justes* dont il est le divin royaume, le plus haut degré de splendeur et de pureté!' ('Sur La Technique Littéraire', November 1882, *Valéry O.*, p. 1788.)

Emportez-moi sans me briser, dans les baisers,
Dans les poitrines qui se soulèvent et respirent,
Sur les tapis des paumes et leur sourire,
Dans les corridors des os longs, et des articulations.

Emportez-moi, ou plutôt enfouissez-moi. *Mes Propriétés*, 1929[1]

But, however much their views may conflict on the poet's place in the world, twentieth-century poets are united with each other and with their predecessors in proclaiming the transcendental nature of poetry itself:

Maintenant je te prie de ne plus me chiner sur le métier de poète. Je sais bien que c'est gentiment mais c'est une habitude que tu prendrais facilement. D'abord être poète ne prouve pas qu'on ne puisse faire autre chose. Beaucoup de poètes ont été autre chose et fort bien. D'autre part le métier de poète n'est pas inutile, ni fou, ni frivole. Les poètes sont les créateurs (*poète* vient du grec et signifie en effet créateur, et poèsie signifie création). Rien ne vient donc sur terre, n'apparaît aux yeux des hommes s'il n'a d'abord été imaginé par un poète: l'amour même c'est la poésie naturelle de la vie, l'instinct naturel qui nous pousse à créer de la vie, à reproduire. Je te dis cela pour te montrer que je n'exerce pas le métier de poète simplement pour avoir l'air de faire quelque chose et de ne rien faire en réalité. Je sais que ceux qui se livrent au travail de la poésie font quelque chose d'essentiel, de primordial, de divin. Je ne parle pas, bien entendu des simples versificateurs. Je parle de ceux qui, péniblement, amoureusement, génialement peu à peu peuvent exprimer une chose nouvelle et meurent dans l'amour qui les inspirait.... APOLLINAIRE: Letter to
'Lou', 16 January 1916, quoted in A. Rouveyre: *Apollinaire* (N.R.F., 1945), p. 192

Douce poésie! le plus beau des arts! Toi qui suscites en nous le pouvoir créateur et nous rapproches de la divinité, les déceptions n'ont pas abattu l'amour que je te portai dès ma tendre enfance!

APOLLINAIRE: *La Femme Assise* (Gallimard, 1948), p. 21

Les poètes modernes sont...des créateurs, des inventeurs et des prophètes....

Le poète, par la nature même de ces explorations, est isolé dans le monde nouveau où il entre le premier, et la seule consolation qu'il lui reste c'est

---

[1] For notes and bibliography on Michaux, see C. A. Hackett's *Anthology of Modern French Poetry* and R. Bertelé, *Henri Michaux*, Seghers (Poètes d'Aujourd'hui), 1949.

que les hommes, finalement, ne vivant que de vérités, malgré les mensonges dont il les matelassent, il se trouve que le poète seul nourrit la vie où l'humanité trouve cette vérité. C'est pourquoi les poètes modernes sont avant tout les poètes de la vérité toujours nouvelle. Et leur tâche est infinie; ils vous ont surpris et vous surprendront plus encore. Ils imaginent déjà de plus profonds desseins que ceux qui machiavéliquement ont fait naître le signe utile et épouvantable de l'argent.

Ceux qui ont imaginé la fable d'Icare, si merveilleusement réalisée aujourd'hui, en trouveront d'autres. Ils vous entraîneront tout vivants et éveillés dans le monde nocturne et fermé des songes. Dans les univers qui palpitent ineffablement au-dessus de nos têtes. Dans ces univers plus proches et plus lointains de nous qui gravitent au même point de l'infini que celui que nous portons en nous. Et plus de merveilles que celles qui sont nées depuis la naissance des plus anciens d'entre nous, feront pâlir et paraître puériles les inventions contemporaines dont nous sommes si fiers.

Les poètes enfin seront chargés de donner par les téléologies lyriques et les alchimies archilyriques un sens toujours plus pur à l'idée divine, qui est en nous si vivante et si vraie, qui est ce perpétuel renouvellement de nous-mêmes, cette création éternelle, cette poésie sans cesse renaissante dont nous vivons.   APOLLINAIRE: 'L'Esprit Nouveau et les Poètes',
op. cit. pp. 393–4

L'homme propose et dispose. Il ne tient qu'à lui de s'appartenir tout entier, c'est-à-dire de maintenir à l'état anarchique la bande chaque jour redoutable de ses désirs. La poésie le lui enseigne. Elle porte en elle la compensation parfaite des misères que nous endurons. Elle peut être une ordonnatrice, aussi, pour peu que sous le coup d'une déception moins intime on s'avise de la prendre au tragique. Le temps vienne où elle décrète la fin de l'argent et rompe seule le pain du ciel pour la terre! Il y aura encore des assemblées sur les places publiques, et *des mouvements* auxquels vous n'avez pas espéré prendre part. Adieu les sélections absurdes, les rêves de gouffre, les rivalités, les longues patiences, la fuite des saisons, l'ordre artificiel des idées, la rampe du danger, le temps pour tout! Qu'on se donne seulement la peine de *pratiquer* la poésie. N'est-ce pas à nous, qui déjà en vivons, de chercher à faire prévaloir ce que nous tenons pour notre plus ample informé?

ANDRÉ BRETON: 'Premier Manifeste du Surréalisme': *Les Manifestes du Surréalisme*,
Le Sagittaire, 1955, p. 19

...Les mots que j'emploie,

Ce sont les mots de tous les jours, et ce ne sont pas les mêmes.

Vous ne trouverez pas de rimes dans mes vers ni aucun sortilège. Ce sont vos phrases mêmes.

Pas aucune de vos phrases que je ne sache reprendre!

Ces fleurs sont vos fleurs et vous dites que vous ne les reconnaissez pas.

Et ces pieds sont vos pieds, mais vous voyez que je marche sur la mer et que je foule les eaux de la mer en triomphe.

CLAUDEL: 'La Muse qui est la Grâce', 'Cinq Grandes Odes',[1] Claudel O.P., p. 265

Valéry's scornful pronouncements on inspiration and poetry are notorious (see pp. 123 and 246), yet on occasions, when speaking without thought of pose, he could describe poetry in terms as mystical as Claudel's:

Pour moi, la Poésie devrait être le Paradis du Langage, dans lequel les différentes vertus de cette faculté *transcendante*, conjointes par leur emploi, mais aussi étrangères l'une à l'autre que le sensible l'est à l'intelligible, et que la puissance sonore immédiate l'est à la pensée qui se développe, peuvent et doivent se composer et former pendant quelque temps une alliance aussi intime que celle du corps avec l'âme. Mais cette perfection d'union, dont on ne peut se dissimuler qu'elle a contre elle la convention même du langage, est bien rarement réalisée et assurée pendant plus de quelques vers.

'Cantiques Spirituels', Valéry O., p. 457

Honneur des Hommes, Saint LANGAGE,

Discours prophétique et paré,

Belles chaînes en qui s'engage

Le dieu dans la chair égaré,

Illumination, largesse!

Voici parler une Sagesse

Et sonner cette auguste Voix

Qui se connaît quand elle sonne

N'être plus la voix de personne

Tant que des ondes et des bois![2]

VALÉRY: 'La Pythie', 'Charmes', Valéry O., p. 136

[1] Cf. Valéry: 'Le poète dispose des mots tout autrement que ne fait l'usage et le besoin. Ce sont les mêmes mots sans doute, mais point du tout les mêmes valeurs.' ('Questions de Poésie,' *Valéry O.*, p. 1293.) Also Herbert Read: 'Poetry is properly speaking a transcendental quality—a sudden transformation which words assume under a particular influence—and we can no more define this quality than we can define a state of grace.' ('The Nature of Poetry', *Collected Essays in Literary Criticism*, Faber, 1938, p. 41.) [2] See also pp. 146–7.

II. BAUDELAIRE

*Ni grand cœur, ni grand esprit; mais quels nerfs plaintifs! quelles narines
ouvertes à tout! quelle voix magique.*

LAFORGUE: 'Notes sur Baudelaire', Mélanges Posthumes, Mercure de France, 1919

*La profonde originalité de Charles Baudelaire, c'est, à mon sens, de
représenter puissamment et essentiellement l'homme moderne; et par ce
mot, l'homme moderne, je ne veux pas...désigner l'homme moral,
politique et social. Je n'entends ici que l'homme physique moderne, tel
que l'ont fait les raffinements d'une civilisation excessive, l'homme
moderne, avec ses sens aiguisés et vibrants, son esprit douloureusement
subtil, son cerveau saturé de tabac, son sang brûlé d'alcool...*

VERLAINE: Œuvres Posthumes, vol. II (Messein, 1927), p. 4[1]

1. THE NEED FOR SENSIBILITY

Comme vous êtes loin, paradis parfumé,
Où sous un clair azur tout n'est qu'amour et joie,
Où tout ce que l'on aime est digne d'être aimé,
Où sans la volupté pure le cœur se noie!
Comme vous êtes loin, paradis parfumé!

Mais le vert paradis des amours enfantines,
Les courses, les chansons, les baisers, les bouquets,
Les violons vibrant derrière les collines,
Avec les brocs de vin, le soir, dans les bosquets,
— Mais le vert paradis des amours enfantines,...

L'innocent paradis, plein de plaisirs furtifs,
Est-il déjà plus loin que l'Inde et que la Chine?
Peut-on le rappeler avec des cris plaintifs,
Et l'animer encor d'une voix argentine,
L'innocent paradis plein de plaisirs furtifs?

BAUDELAIRE: 'Mœsta et Errabunda',
Baudelaire O.C., p. 135

---

[1] From an article on Baudelaire which appeared in the review *L'Art*, 16, 20 November and
23 December 1865.

As a tormented human being, Baudelaire was nostalgic for childhood because it seemed a time when all was love and peace: as an artist who recognized that his work must be fed with a rich diet of sense-impressions, he looked longingly back to childhood because it was a time when the world was forever fresh and new:

Pour entrer dans la compréhension de M.G.,[1] prenez note tout de suite de ceci: c'est que la *curiosité* peut être considérée comme le point de départ de son génie.

Vous souvenez-vous d'un tableau (en vérité, c'est un tableau!) écrit par la plus puissante plume de cette époque et qui a pour titre l'*Homme des foules?* Derrière la vitre d'un café, un convalescent, contemplant la foule avec jouissance, se mêle, par la pensée, à toutes les pensées qui s'agitent autour de lui. Revenu récemment des ombres de la mort, il aspire avec délices tous les germes et tous les effluves de la vie; comme il a été sur le point de tout oublier, il se souvient et veut avec ardeur se souvenir de tout. Finalement, il se précipite à travers cette foule à la recherche d'un inconnu dont la physionomie entrevue l'a, en un clin d'œil, fasciné. La curiosité est devenue une passion fatale, irrésistible!

Supposez un artiste qui serait toujours, spirituellement, à l'état du convalescent, et vous aurez la clef du caractère de M.G.

Or, la convalescence est comme un retour vers l'enfance. Le convalescent jouit au plus haut degré, comme l'enfant, de la faculté de s'intéresser vivement aux choses, même les plus triviales en apparence. Remontons, s'il se peut, par un effort rétrospectif de l'imagination, vers nos plus jeunes, nos plus matinales impressions, et nous reconnaîtrons qu'elles avaient une singulière parenté avec les impressions, si vivement colorées, que nous reçûmes plus tard à la suite d'une maladie physique, pourvu que cette maladie ait laissé pures et intactes nos facultés spirituelles. L'enfant voit tout en *nouveauté*; il est toujours *ivre*. Rien ne ressemble plus à ce qu'on appelle l'inspiration, que la joie avec laquelle l'enfant absorbe la forme et la couleur. J'oserai pousser plus loin; j'affirme que l'inspiration a quelque rapport avec la *congestion*, et que toute pensée sublime est accompagnée d'une secousse nerveuse, plus ou moins forte, qui retentit jusque dans le cervelet. L'homme de génie a les nerfs solides; l'enfant les a faibles. Chez l'un, la raison a pris une place considérable; chez l'autre, la sensibilité occupe presque tout l'être. Mais le génie n'est que *l'enfance*

---

[1] I.e. Constantin Guys.

retrouvée à volonté,[1] l'enfance douée maintenant, pour s'exprimer, d'organes virils et de l'esprit analytique qui lui permet d'ordonner la somme de matériaux involontairement amassée. C'est à cette curiosité profonde et joyeuse qu'il faut attribuer l'œil fixe et animalement extatique des enfants devant *le nouveau*, quel qu'il soit, visage ou paysage, lumière, dorure, couleurs, étoffes chatoyantes, enchantement de la beauté embellie par la toilette. Un de mes amis me disait un jour qu'étant fort petit, il assistait à la toilette de son père, et qu'alors il contemplait, avec une stupeur mêlée de délices, les muscles des bras, les dégradations de couleurs de la peau nuancée de rose et de jaune, et le réseau bleuâtre des veines. Le tableau de la vie extérieure le pénétrait déjà de respect et s'emparait de son cerveau. Déjà la forme l'obsédait et le possédait. La prédestination montrait précocement le bout de son nez. La *damnation* était faite. Ai-je besoin de dire que cet enfant est aujourd'hui un peintre célèbre?

Je vous priais tout à l'heure de considérer M.G. comme un éternel convalescent; pour compléter votre conception, prenez-le aussi pour un homme-enfant, pour un homme possédant à chaque minute le génie de l'enfance, c'est-à-dire un génie pour lequel aucun aspect de la vie n'est *émoussé.*
'Le Peintre de la vie Moderne', 'Curiosités Esthétiques',
Baudelaire O.C., pp. 879–80

Baudelaire's insistence on the necessity for the artist to enjoy a rich life of sense-experience was shared by other important modern poets: it can be seen as a typically Romantic characteristic, expressing both a distrust of Reason and the desire to indulge oneself to the full:

J'étais né impressionnable et sensible. Ces deux qualités sont les deux premiers éléments de toute poésie. Les choses extérieures à peine aperçues laissaient une vive et profonde empreinte en moi; et quand elles avaient disparu de mes yeux, elles se répercutaient et se conservaient présentes dans ce qu'on nomme *l'inspiration*, c'est-à-dire la mémoire, qui revoit et

---

[1] Cf. André Breton: 'L'esprit qui se plonge dans le surréalisme revit avec exaltation la meilleure part de son enfance. C'est un peu pour lui la certitude de qui, étant en train de se noyer, repasse, en moins d'une minute, tout l'insurmontable de sa vie. On me dira que ce n'est pas très encourageant. Mais je ne tiens pas à encourager ceux qui me diront cela. Des souvenirs d'enfance et de quelques autres se dégage un sentiment d'inaccaparé et par la suite de *dévoyé*, que je tiens pour le plus fécond qui existe. C'est peut-être l'enfance qui approche le plus de la "vraie vie"; l'enfance au delà de laquelle l'homme ne dispose, en plus de son laisser-passer, que de quelques billets de faveur; l'enfance où tout concourait cependant à la possession efficace, et sans alias, de soi-même. Grace au surréalisme, il semble que ces chances reviennent. C'est comme si l'on courait encore à son salut, ou à sa perte.' (ANDRÉ BRETON: 'Premier Manifeste du Surréalisme', *op. cit.* pp. 36–7.)

qui repeint en nous. Mon âme animait ces images, mon cœur se mêlait à ces impressions. J'aimais et j'incorporais en moi ce qui m'avait frappé. J'étais une glace vivante qu'aucune poussière de ce monde n'avait encore ternie, et qui réverbérait l'œuvre de Dieu.

LAMARTINE: 'Première Préface des Méditations, 1849', *Méditations Poétiques*
(Hachette, 1922), vol. II, pp. 348–9

Doutez, si vous voulez, de l'être qui vous aime,
D'une femme ou d'un chien, — mais non de l'amour même.
L'amour est tout, — l'amour, et la vie au soleil.
Aimer est le grand point, qu'importe la maîtresse?
Qu'importe le flacon, pourvu qu'on ait l'ivresse?
Faites-vous de ce monde un songe sans réveil.…

MUSSET: 'Dédicace à la Coupe et les Lèvres'

Il faut être toujours ivre. Tout est là: c'est l'unique question. Pour ne pas sentir l'horrible fardeau du Temps qui brise vos épaules et vous penche vers la terre, il faut vous enivrer sans trêve.

Mais de quoi? De vin, de poésie ou de vertu, à votre guise. Mais enivrez-vous.

Et si quelquefois, sur les marches d'un palais, sur l'herbe verte d'un fossé, dans la solitude morne de votre chambre, vous vous reveillez, l'ivresse déjà diminuée ou disparue, demandez au vent, à la vague, à l'étoile, à l'oiseau, à l'horloge, à tout ce qui fuit, à tout ce qui gémit, à tout ce qui roule, à tout ce qui chante, à tout ce qui parle, demandez quelle heure il est; et le vent, la vague, l'étoile, l'oiseau, l'horloge vous répondront: 'Il est l'heure de s'enivrer! Pour n'être pas les esclaves martyrisés du Temps, enivrez-vous sans cesse! De vin, de poésie ou de vertu, à votre guise.'

'Enivrez-vous', 'Le Spleen de Paris', *Baudelaire O.C.*, p. 330

Un grand génie, un austère penseur, un savant, trouveraient un adjuvant dans ma solitude; mais un pauvre poète qui n'est que poète, c'est-à-dire un instrument qui résonne sous les doigts des diverses sensations, est muet quand il vit dans un milieu où rien ne l'émeut, puis ses cordes se distendent, et viennent la poussière et l'oubli.

MALLARMÉ: Letter to Cazalis, January 1865, *Propos*, p. 50

Le plus grand poète — c'est le système nerveux.
L'inventeur du tout — mais plutôt le seul poète.

VALÉRY: 'Humanités', 'Mélange', *Valéry O.*, p. 335

In *Aurore*, the opening poem of the collection *Charmes*, Valéry describes himself wakening at dawn and rejecting what the intellect offers him, 'Idées, maîtresses de l'âme':

> Leur toile spirituelle
> Je la brise, et vais cherchant
> Dans ma forêt sensuelle
> Les oracles de mon chant.   *Valéry O.*, p. 112[1]

So acute can be the poet's 'preternatural animal sensibility, diffused through all the animal passions',[2] that he is often able to feel the emotions of others: 'Le propre des vrais poètes...est de savoir sortir d'eux-mêmes et comprendre une tout autre nature.' (Baudelaire: Letter to his mother, 9 January 1856, *Correspondance Générale*, vol. 1, p. 365.)

Il n'est pas donné à chacun de prendre un bain de multitude: jouir de la foule est un art; et celui-là seul peut faire, aux dépens du genre humain, une ribote de vitalité, à qui une fée a insufflé dans son berceau le goût du travestissement et du masque, la haine du domicile et la passion du voyage.

Multitude, solitude: termes égaux et convertibles par le poète actif et fécond. Qui ne sait pas peupler sa solitude, ne sait pas non plus être seul dans une foule affairée.

Le poète jouit de cet incomparable privilège, qu'il peut à sa guise être lui-même et autrui. Comme ces âmes errantes qui cherchent un corps, il

---

[1] Cf. Blake: 'If the doors of perception were cleansed, everything would appear to man as it is, infinite.' (*The Marriage of Heaven and Hell*, Blake, Poetry and Prose, Nonesuch, p. 197.)

Keats: 'O for a Life of Sensations rather than of Thoughts!' (Letter to B. Bailey, 22 November 1817, Forman edition of *Keats's Letters*, Oxford University Press, 1946, p. 66.)

Gide: 'Il ne me suffit pas de *lire* que les sables des plages sont doux. Je veux que mes pieds nus le sentent....'

'Toute connaissance que n'a pas précédée une sensation m'est inutile.' (*Les Nourritures Terrestres*, Gallimard, 1947, p. 35.)

Montherlant: 'Aujourd'hui comme hier, je répète ma profession de foi, faite aussi dans *Le Songe*: Vivent nos sens! Eux ne trompent pas.' (*Avant-propos aux Fontaines du Désir*, Gallimard, 1954, p. 17.)

The more common pleasures rapidly lost their savour for those with fastidious palates, and they were driven to seek sensations down more and more devious byways. These are mapped in depressing detail by Professor Mario Praz in *The Romantic Agony* (Oxford University Press, 1933).

[2] Thomas de Quincey, writing of Wordsworth in *Literary Reminiscences*.

entre, quand il veut, dans le personnage de chacun. Pour lui seul, tout est vacant; et si de certaines places paraissent lui être fermées, c'est qu'à ses yeux elles ne valent pas la peine d'être visitées. . . .[1]

'Les Foules', 'Le Spleen de Paris', *Baudelaire O.C.*, pp. 287–8

Although—perhaps *because*—Baudelaire's senses were naturally acute, he sometimes sought to escape from everyday reality with the aid of such artificial stimulants as opium and hashish, and his hallucinations are described with characteristic lucidity in *Du Vin et du Haschisch* and *Les Paradis Artificiels*, which may be not unfavourably compared with de Quincey's *Confessions of an Opium-Eater*:

C'est en effet à cette période de l'ivresse que se manifeste une finesse nouvelle, une acuité supérieure dans tous les sens. L'odorat, la vue, l'ouïe, le toucher participent également à ce progrès. Les yeux visent l'infini. L'oreille perçoit des sons presque insaisissables au milieu du plus vaste tumulte. C'est alors que commencent les hallucinations. Les objets extérieurs prennent lentement, successivement, des apparences singulières; ils se déforment et se transforment. Puis, arrivent les équivoques, les méprises et les transpositions d'idées. Les sons se revêtent de couleurs, et les couleurs contiennent une musique. Cela, dira-t-on, n'a rien que de fort naturel, et tout cerveau poétique, dans son état sain et normal, conçoit facilement ces analogies. Mais j'ai déjà averti le lecteur qu'il n'y avait rien de positivement surnaturel dans l'ivresse du haschisch; seulement ces analogies revêtent alors une vivacité inaccoutumé; elles pénètrent, elles envahissent, elles accablent l'esprit de leur caractère despotique. Les notes musicales deviennent des nombres, et si votre esprit est doué de quelque aptitude mathématique, la mélodie, l'harmonie écoutée, tout en gardant son caractère voluptueux et sensuel, se transforme en une vaste opération arithmétique, où les nombres engendrent les nombres et dont vous suivez les phases et la génération avec. . .une agilité égale à celle de l'exécutant.

[1] Baudelaire is, of course, not the only poet to have claimed the gift of empathy; cf. Keats: '. . .if a sparrow come before my window, I take part in its existence and pick about the gravel.' (Letter to B. Bailey, 22 November 1817, *Letters, op. cit.* p. 69.)

'A poet is the most unpoetical of any thing in existence; because he has no Identity—he is continually in for—and filling some other Body—The Sun, the Moon, the Sea and Men and Women who are creatures of impulse are poetical and have about them an unchangeable attribute—the poet has none; no identity—he is certainly the most unpoetical of all God's Creatures. . . .' (Keats: Letter to Richard Woodhouse, *ibid.* p. 228.)

Apollinaire: Moi qui connais les autres
Je les connais par les cinq sens et quelques autres.

'Cortège', *Apollinaire O.*, pp. 74–5

Il arrive quelquefois que la personnalité disparaît et que l'objectivité, qui est le propre des poètes panthéistes, se développe en vous si anormalement que la contemplation des objets extérieurs vous fait oublier votre propre existence, et que vous vous confondez bientôt avec eux. Votre œil se fixe sur un arbre harmonieux courbé par le vent; dans quelques secondes, ce qui ne serait dans le cerveau d'un poète qu'une comparaison fort naturelle deviendra dans le vôtre une réalité. Vous prêtez d'abord à l'arbre vos passions, votre désir ou votre mélancolie; ses gémissements et ses oscillations deviennent les vôtres, et bientôt vous êtes l'arbre. De même, l'oiseau qui plane au fond de l'azur *représente* d'abord l'immortelle envie de planer au-dessus des choses humaines; mais déjà vous êtes l'oiseau lui-même. Je vous suppose assis et fumant. Votre attention se reposera un peu trop longtemps sur les nuages bleuâtres qui s'exhalent de votre pipe. L'idée d'une évaporation, lente, successive, éternelle, s'emparera de votre esprit, et vous appliquerez bientôt cette idée à vos propres pensées, à votre matière pensante. Par une équivoque singulière, par une espèce de transposition ou de quiproquo intellectuel, vous vous sentirez vous évaporant, et vous attribuerez à votre pipe (dans laquelle vous vous sentez accroupi et ramassé comme le tabac) l'étrange faculté de *vous fumer* . . . .

'Le Poème du Haschisch', 'Les Paradis Artificiels',
Baudelaire O.C., pp. 447–8

But Baudelaire claimed that the poet could enjoy unaided all the pleasures of hashish hallucination:

Je termine cet article par quelques belles paroles qui ne sont pas de moi, mais d'un remarquable philosophe peu connu, Barbereau, théoricien musical, et professeur au Conservatoire. J'étais auprès de lui dans une société dont quelques personnes avaient pris du bienheureux poison, et il me dit avec un accent de mépris indicible: 'Je ne comprends pas pourquoi l'homme rationnel et spirituel se sert de moyens artificiels pour arriver à la béatitude poétique, puisque l'enthousiasme et la volonté suffisent pour l'élever à une existence supra-naturelle. Les grands poètes, les philosophes, les prophètes sont des êtres qui, par le pur et libre exercice de la volonté, parviennent à un état où ils sont à la fois cause et effet, sujet et objet, magnésiteur et somnambule.'

Je pense exactement comme lui.

'Du Vin et du Haschisch', *Baudelaire O.C.*, p. 423

2. IMAGINATION

Baudelaire considered that for a poet to be endowed with acute sensibility was of little account unless he also possessed imagination, a faculty he prized above all others:

Mystérieuse faculté que cette reine des facultés! Elle touche à toutes les autres, elle les excite, elle les envoie au combat. Elle leur ressemble quelquefois au point de se confondre avec elles, et cependant elle est toujours bien elle-même, et les hommes qu'elle n'agite pas sont facilement reconnaissables à je ne sais quelle malédiction qui dessèche leurs productions comme le figuier de l'Evangile.

Elle est l'analyse, elle est la synthèse; et cependant des hommes habiles dans l'analyse et suffisamment aptes à faire un résumé peuvent être privés d'imagination. Elle est cela, et elle n'est pas tout-à-fait cela. Elle est la sensibilité, et pourtant il y a des personnes très-sensibles, trop sensibles, peut-être, qui en sont privées. C'est l'imagination qui a enseigné à l'homme le sens moral de la couleur, du contour, du son et du parfum. Elle a créé, au commencement du monde, l'analogie et la métaphore. Elle décompose toute la création, et, avec les matériaux amassés et disposés suivant des règles dont on ne peut trouver l'origine que dans le plus profond de l'âme, elle crée un monde nouveau, elle produit la sensation du neuf. Comme elle a créé le monde (on peut bien dire cela, je crois, même dans un sens religieux), il est juste qu'elle le gouverne. Que dit-on d'un guerrier sans imagination? Qu'il peut faire un excellent soldat, mais que, s'il commande des armées, il ne fera pas de conquêtes. Le cas peut se comparer à celui d'un poète ou d'un romancier qui enlèverait à l'imagination le commandement des facultés pour le donner, par exemple, à la connaissance de la langue ou à l'observation des faits. Que dit-on d'un diplomate sans imagination? Qu'il peut très-bien connaître l'histoire des traités et des alliances dans le passé, mais qu'il ne devinera pas les traités et les alliances contenus dans l'avenir. D'un savant sans imagination? Qu'il a appris tout ce qui, ayant été enseigné, pouvait être appris, mais qu'il ne trouvera pas les lois non encore devinées. L'imagination est la reine du vrai, et le *possible* est une des provinces du vrai. Elle est positivement apparentée avec l'infini.

Sans elle, toutes les facultés, si solides ou si aiguisées qu'elles soient, sont comme si elles n'étaient pas, tandis que la faiblesse de quelques facultés secondaires, excitées par une imagination vigoureuse, est un malheur secondaire. Aucune ne peut se passer d'elle, et elle peut se passer de quelques-unes. Souvent ce que celles-ci cherchent et ne trouvent qu'après les essais successifs de plusieurs méthodes non adaptées à la nature des choses, fièrement et simplement elle le devine....

'La Reine des Facultés', 'Salon de 1859', *Baudelaire O.C.*, pp. 765–6

Hier soir, après vous avoir envoyé les dernières pages de ma lettre, où j'avais écrit, mais non sans une certaine timidité: *Comme l'imagination a créé le monde, elle le gouverne*, je feuilletais la *Face Nocturne de la Nature*[1] et je tombai sur ces lignes que je cite uniquement parce qu'elles sont la paraphrase justificative de la ligne qui m'inquiétait:

'By imagination, I do not simply mean to convey the common notion implied by that much abused word, which is only *fancy*, but the *constructive* imagination, which is a much higher function, and which, in as much as man is made in the likeness of God, bears a distant relation to that sublime power by which the Creator projects, creates and upholds his universe.'

'Par imagination, je ne veux pas seulement exprimer l'idée commune impliquée dans ce mot dont on fait si grand abus, laquelle est simplement *fantaisie*, mais bien l'imagination *créatrice*, qui est une fonction beaucoup plus élevée, et qui, en tant que l'homme est fait à la ressemblance de Dieu, garde un rapport éloigné avec cette puissance sublime par laquelle le Créateur conçoit, crée et entretient son univers.'[2]...

[1] Catherine Crowe: *The Night Side of Nature* (1848), a collection of stories of the supernatural.

[2] This conception of the imagination, adopted and adapted by Baudelaire, may be contrasted with that expressed in *A Midsummer Night's Dream*:

> The poet's eye, in a fine frenzy rolling,
> Doth glance from heaven to earth, from earth to heaven;
> And, as imagination bodies forth
> The forms of things unknown, the poet's pen
> Turns them to shapes, and gives to airy nothing
> A local habitation and a name.

and compared with that of Coleridge:

'The Imagination then I consider either as primary, or secondary. The primary imagination I hold to be the living power and prime agent of all human perception, and as reception in the finite mind of the eternal act of creation in the infinite I AM. The secondary Imagination I consider as an echo of the former, co-existing with the conscious will, yet still as identical with the primary in the *kind* of its agency, and differing only in *degree*, and in the *mode* of its operation. It dissolves, diffuses, dissipates in order to recreate: or where this process is rendered impossible, yet still at all events it struggles to idealize and to unify. It is essentially *vital*, even as all objects (*as* objects) are essentially fixed and dead.

'FANCY, on the contrary, has no other counters to play with, but fixities and definites. The fancy is indeed no other than a mode of memory emancipated from the order of time and

j'avais entendu, il y a longtemps déjà, un homme vraiment savant et profond dans son art exprimer sur ce sujet les idées les plus vastes et cependant les plus simples. Quand je le vis pour la première fois, je n'avais pas d'autre expérience que celle que donne un amour excessif ni d'autre raisonnement que l'instinct. Il est vrai que cet amour et cet instinct étaient passablement vifs; car, très-jeunes, mes yeux remplis d'images peintes ou gravées n'avaient jamais pu se rassasier, et je crois que les mondes pourraient finir, *impavidum ferient*, avant que je devienne iconoclaste. Evidemment il voulut être plein d'indulgence et de complaisance; car nous causâmes tout d'abord de lieux communs, c'est-à-dire des questions les plus vastes et les plus profondes. Ainsi de la nature, par exemple. 'La nature n'est qu'un dictionnaire', répétait-il fréquemment. Pour bien comprendre l'étendu du sens impliqué dans cette phrase, il faut se figurer les usages ordinaires et nombreux du dictionnaire. On y cherche le sens des mots, la génération des mots, l'étymologie des mots, enfin on en extrait tous les éléments qui composent une phrase ou un récit; mais personne n'a jamais considéré le dictionnaire comme une *composition*, dans le sens poétique du mot. Les peintres qui obéissent à l'imagination cherchent dans leur dictionnaire les éléments qui s'accommodent à leur conception; encore, en les ajustant avec un certain art, leur donnent-ils une physionomie toute nouvelle. Ceux qui n'ont pas d'imagination copient le dictionnaire. Il en résulte un très-grand vice, le vice de la banalité, qui est plus particulièrement propre à ceux d'entre les peintres que leur spécialité rapproche davantage de la nature dite inanimée, par exemple les pay-

---

space; while it is blended with, and modified by that empirical phenomenon of the will, which we express by the word Choice. But equally with the ordinary memory the Fancy must receive all the materials ready made from the law of association.' (COLERIDGE: 'On the Imagination', 'Biographia Literaria', in *Coleridge, Select Poetry and Prose* (Nonesuch Press, 1950), p. 246.

Cf. also Lamartine's equating of the imagination with memory (see pp. 54-5).

And cf. Claudel: 'Nous avons sous la main une petite création dont nous disposons à notre volonté comme un enfant des animaux de son arche. Nous pouvons en manœuvrer les pièces comme nous l'entendons, les rapprocher ou les disperser à notre plaisir, les recenser et les répartir, imaginer telle ou telle combinaison qui nous convient, arranger des gammes et des bouquets.' ('L'Art Poétique', *Claudel O.P.*, p. 180.)

For more detailed studies of Baudelaire's theory of the Poetic Imagination, see 'From Imagination to Immediacy in French Poetry', by Margaret Gilman in *The Romanic Review* (February, 1948), pp. 30-49; Professor G. T. Clapton has studied the problem of Baudelaire's indebtedness to Mrs Crowe: see 'Baudelaire and Catherine Crowe', *Modern Language Review* (1930), pp. 286-305; Coleridge's views on the Imagination have been the subject of voluminous critical discussion: the non-specialist might consult Professor Willey's *Nineteenth Century Studies* (Chatto and Windus, 1950), pp. 10-26, where the subject is wittily and succinctly analysed.

sagistes, qui considèrent généralement comme un triomphe de ne pas montrer leur personnalité. A force de contempler et de copier, ils oublient de sentir et de penser. . . .

Tout l'univers visible n'est qu'un magasin d'images et de signes auxquels l'imagination donnera une place et une valeur relative; c'est une espèce de pâture que l'imagination doit digérer et transformer. Toutes les facultés de l'âme humaine doivent être subordonnées à l'imagination, qui les met en réquisition toutes à la fois. De même que bien connaître le dictionnaire n'implique pas nécessairement la connaissance de l'art de la composition, et que l'art de la composition lui-même n'implique pas l'imagination universelle, ainsi un bon peintre peut n'être pas un grand peintre. Mais un grand peintre est forcément un bon peintre, parce que l'imagination universelle renferme l'intelligence de tous les moyens et le désir de les acquérir.

Il est évident que, d'après les notions que je viens d'élucider tant bien que mal (il y aurait encore tant de choses à dire, particulièrement sur les parties concordantes de tous les arts et les ressemblances dans leurs méthodes!), l'immense classe des artistes, c'est-à-dire ces hommes qui se sont voués à l'expression de l'art, peut se diviser en deux camps bien distincts: celui-ci, qui s'appelle lui-même *réaliste*, mot à double entente et dont le sens n'est pas bien déterminé et que nous appellerons, pour mieux caractériser son erreur, un *positiviste*, dit: 'Je veux représenter les choses telles qu'elles sont, ou bien qu'elles seraient, en supposant que je n'existe pas.' L'univers sans l'homme. Et celui-là, l'imaginatif, dit: 'Je veux illuminer les choses avec mon esprit et en projeter le reflet sur les autres esprits.' Bien que ces deux méthodes absolument contraires puissent agrandir ou amoindrir tous les sujets, depuis la scène religieuse jusqu'au plus modeste paysage, toutefois l'homme d'imagination a dû généralement se produire dans la peinture religieuse et dans la fantaisie, tandis que la peinture dite de genre et le paysage devaient offrir en apparence de vastes ressources aux esprits paresseux et difficilement excitables.

Outre les imaginatifs et les soi-disant réalistes, il y a encore une classe d'hommes, timides et obéissants, qui mettent tout leur orgueil à obéir à un code de fausse dignité. Pendant que ceux-ci croient représenter la nature et que ceux-là veulent peindre leur âme, d'autres se conforment à des règles de pure convention, tout-à-fait arbitraires, non tirées de l'âme humaine, et simplement imposées par la routine d'un atelier célèbre. Dans cette classe très-nombreuse, mais si peu intéressante, sont compris les faux amateurs de l'antique, les faux amateurs du style, et en un mot tous les hommes qui par leur impuissance ont élevé le poncif aux honneurs du style.

'Le Gouvernement de l'Imagination', 'Salon de 1859', *Baudelaire O.C.*, pp. 768–72 *passim*

3. THE POET'S ROLE

Imagination was, then, for Baudelaire an active and creative faculty, sifting the diverse impressions that came pouring through the open flood-gates of the senses, linking them in new relationships to translate his own unique vision of the world. Writing poetry was not simply an act of self-indulgence: Baudelaire would never have subscribed to Apollinaire's view

> J'écris seulement pour vous exalter
> O sens ô sens chéris.

'Liens', 'Calligrammes', *Apollinaire O.P.*, p. 167

Ideally, Baudelaire claimed on various occasions, the poet should act a spiritual, even a mystical role, revealing not only the hidden life of things on earth, everything joined in unsuspected unity, but the relationship of all things earthly and heavenly:

L'Imagination n'est pas la fantaisie; elle n'est pas non plus la sensibilité, bien qu'il soit difficile de concevoir un homme imaginatif qui ne serait pas sensible. L'Imagination est une faculté quasi divine qui perçoit tout d'abord, en dehors des méthodes philosophiques, les rapports intimes et secrets des choses, les correspondances, et les analogies.

'Notes Nouvelles sur Edgar Poe', *Nouvelles Histoires Extraordinaires*
(Conard, 1933), p. xv

C'est cet admirable, cet immortel instinct du Beau qui nous fait considérer la terre et ses spectacles comme un aperçu, comme une correspondance du Ciel. La soif insatiable de tout ce qui est au-delà, et qui révèle la vie, est la preuve la plus vivante de notre immortalité. C'est à la fois par la poésie et *à travers* la poésie, par et *à travers* la musique que l'âme entrevoit les splendeurs situées derrière le tombeau; et quand un poème exquis amène les larmes au bord des yeux, ces larmes ne sont pas la preuve d'un excès de jouissance, elles sont bien plutôt le témoignage d'une mélancolie irritée, d'une postulation des nerfs, d'une nature exilée dans l'imparfait et qui voudrait s'emparer immédiatement, sur cette terre même, d'un paradis révélé.

Ainsi le principe de la poésie est, strictement et simplement, l'aspiration humaine vers une beauté supérieure, et la manifestation de ce principe est dans un enthousiasme, une excitation de l'âme, — enthousiasme tout à fait indépendant de la passion qui est l'ivresse du cœur, et de la vérité qui est la pâture de la raison. Car la passion est *naturelle*, trop naturelle pour ne pas introduire un ton blessant, discordant, dans le domaine de la beauté pure, trop familière et trop violente pour ne pas scandaliser les purs Désirs, les gracieuses Mélancolies et les nobles Désespoirs qui habitent les régions surnaturelles de la poésie.   *Ibid.* pp. xx–xxi

Le poète est *souverainement* intelligent, il est l'*intelligence* par excellence, et l'imagination est la plus *scientifique* des facultés, parce que seule elle comprend l'*analogie universelle*, ou ce qu'une religion mystique appelle la *correspondance.*   BAUDELAIRE: Letter to Alphonse Toussenel, 21 January 1856, *Correspondance Générale,* vol. i, p. 368

Fourier est venu un jour, trop pompeusement, nous révéler les mystères de l'*analogie.* Je ne nie pas la valeur de quelques-unes de ses minutieuses découvertes, bien que je croie que son cerveau était trop épris d'exactitude matérielle pour ne pas commettre d'erreurs et pour atteindre d'emblée la certitude morale de l'intuition. Il aurait pu tout aussi précieusement nous révéler tous les excellents poètes dans lesquels l'humanité lisante fait son éducation aussi bien que dans la contemplation de la nature. D'ailleurs Swedenborg, qui possédait une âme bien plus grande, nous avait déjà enseigné que *le ciel est un très-grand homme*; que tout, forme, mouvement, nombre, couleur, parfum, dans le *spirituel* comme dans le *naturel,* est significatif, réciproque, converse, *correspondant.* Lavater, limitant au visage de l'homme la démonstration de l'universelle vérité, nous avait traduit le sens spirituel du contour, de la forme, de la dimension. Si nous étendons la démonstration (non-seulement nous en avons le droit, mais il nous serait infiniment difficile de faire autrement), nous arrivons à cette vérité que tout est hiéroglyphique, et nous savons que les symboles ne sont obscurs que d'une manière relative, c'est-à-dire selon la pureté, la bonne volonté ou la clairvoyance native des âmes. Or qu'est-ce qu'un poète (je prends le mot dans son acception la plus large), si ce n'est un traducteur, un déchiffreur? Chez les excellents poètes, il n'y a pas de métaphore, de comparaison ou d'épithète qui ne soit d'une adaptation mathématiquement exacte dans la circonstance actuelle, parce que ces comparaisons, ces métaphores et ces épithètes sont puisées dans l'inépuisable fonds de l'*universelle analogie,* et qu'elles ne peuvent être puisées ailleurs. . . .

De cette faculté d'absorption de la vie extérieure, unique par son ampleur, et de cette autre faculté puissante de méditation, est résulté dans Victor Hugo, un caractère poétique très-particulier, interrogatif, mystérieux et, comme la nature, immense et minutieux, calme et agité. Voltaire ne voyait de mystère en rien, ou qu'en bien peu de choses. Mais Victor Hugo ne tranche pas le nœud gordien des choses avec la pétulance militaire de Voltaire; ses sens subtils lui révèlent des abîmes; il voit le mystère partout. Et, de fait, où n'est-il pas? De là dérive ce sentiment d'effroi qui pénètre plusieurs de ces beaux poèmes, de là ces turbulences, ces accumulations, ces écroulements de vers, ces masses d'images orageuses, emportées avec la vitesse d'un chaos qui fuit; de là ces répétitions fréquentes de mots, tous destinés à exprimer les ténèbres captivantes ou l'énigmatique physionomie du mystère.

'Victor Hugo', 'L'Art Romantique', *Baudelaire O.C.*, pp. 1077–9

J'ignore si quelque analogiste a établi solidement une gamme complète des couleurs et des sentiments, mais je me rappelle un passage d'Hoffmann qui exprime parfaitement mon idée, et qui plaira à tous ceux qui aiment sincèrement la nature: 'Ce n'est pas seulement en rêve, et dans le léger délire qui précède le sommeil, c'est encore éveillé, lorsque j'entends de la musique, que je trouve une analogie et une réunion intime entre les couleurs, les sons et les parfums. Il me semble que toutes ces choses ont été engendrées par un même rayon de lumière, et qu'elles doivent se réunir dans un merveilleux concert. L'odeur des soucis bruns et rouges produit surtout un effet magique sur ma personne. Elle me fait tomber dans une profonde rêverie, et j'entends alors comme dans le lointain les sons graves et profonds du hautbois.' [*Kreisleriana.*]

'Salon de 1846', 'Curiosités Esthétiques', *Baudelaire O.C.*, p. 607

ce qui serait vraiment surprenant, c'est que le son *ne pût pas* suggérer la couleur, que les couleurs *ne pussent pas* donner l'idée d'une mélodie, et que le son et la couleur fussent impropres à traduire des idées; les choses s'étant toujours exprimées par une analogie réciproque, depuis le jour où Dieu a proféré le monde comme une complète et indivisible totalité.[1]

'Richard Wagner et "Tannhäuser"', *Baudelaire O.C.*, p. 1043

[1] Cf. Balzac: 'le son est la lumière sous une autre forme' (*Gambara*, 1837); and 'les quatre expressions de la matière par rapport à l'homme le son, la couleur, le parfum, la forme ont une même origine' (*Louis Lambert*, 1832–3).

These views found poetic expression in the much-anthologized sonnet, *Correspondances*:

> La Nature est un temple où de vivants piliers
> Laissent parfois sortir de confuses paroles;
> L'homme y passe à travers des forêts de symboles
> Qui l'observent avec des regards familiers.
>
> Comme de longs échos qui de loin se confondent
> Dans une ténébreuse et profonde unité.
> Vaste comme la nuit et comme la clarté,
> Les parfums, les couleurs et les sons se répondent.
>
> Il est des parfums frais comme des chairs d'enfants,
> Doux comme les hautbois, verts comme les prairies,
> — Et d'autres, corrompus, riches et triomphants,
>
> Ayant l'expansion des choses infinies,
> Comme l'ambre, le musc, le benjoin et l'encens,
> Qui chantent les transports de l'esprit et des sens.

This sonnet has provoked more discussion than any other of Baudelaire's[1] poems, and it became, together with Verlaine's *Art Poétique* and Rimbaud's *Sonnet des Voyelles*, a manifesto for the minor Symbolists. Because of the great importance attached to it by scholars and poets, students are often led to the conclusion that it is the key to the whole of Baudelaire's work, whereas it is better considered simply as a model example of how a diversity of materials may be fused and remoulded in the artist's crucible: even if the sonnet is firmly grasped, there are locks in Baudelaire's work which it is powerless to open.

Professor P. Mansell Jones has described it as 'a curious and fascinating amalgam...drawing from multifarious elements in the soil and atmosphere of its background' (*op. cit.* p. 19), and he and other source-hunters[2] have successfully demonstrated how both the doctrine of *Correspondances*, which has a particularly ancient lineage, and the phenomenon of synaesthesia may be found in the work of earlier writers.

[1] See J. Pommier: *Le Mystique de Baudelaire* (Les Belles Lettres, 1932); A. Ferran: *L'Esthétique de Baudelaire* (Hachette, 1933); and P. Mansell Jones: *The Background to Modern French Poetry* (Cambridge University Press, 1951).

[2] Notably J. Crépet and G. Blin, editors of the critical edition of *Les Fleurs du Mal* (Corti, 1942). In this respect, see the notes to *Correspondances*, pp. 294–300.

The doctrine of *Correspondances* was fairly commonly professed by some of Baudelaire's important contemporaries and immediate predecessors; cf. Balzac:

Savoir les correspondances de la parole avec les cieux, savoir les correspondances qui existent entre les choses visibles et pondérables du monde terrestre, et les choses invisibles et impondérables du monde spirituel, c'est avoir les cieux dans son entendement. Tous les objets des diverses créations, étant émanés de Dieu, comportent nécessairement un sens caché; comme le disent ces grandes paroles d'Isaïe: la terre est un vêtement.... La moindre fleur est une pensée, une vie qui correspond à quelques linéaments du grand tout, duquel ils ont une constante intuition.... [Le monde] est une harmonie, et vous y participez! il est lumière, et vous la voyez! il est une mélodie, et son accord est en vous! En cet état, vous sentirez, vous sentirez votre intelligence se développer, grandir, et sa vue atteindre à des distances prodigieuses: il n'est en effet ni temps ni lieu pour l'esprit. L'espace et la durée sont des proportions créées pour la matière. L'esprit et la matière n'ont rien de commun. *Séraphita* (1835)

And

l'artiste sans pareil vivifie ce qu'il voit, ce qu'il entend, ce qu'il touche, mais par surcroît, il excelle à exprimer avec précision ce qui est vague dans l'âme et confus dans la nature. Comme dans la légende orphique, l'herbe, l'arbre, la pierre, souffrent, pleurent, parlent, chantent ou rêvent; le sens mystérieux des bruits universels nous est révélé.

LECONTE DE LISLE: 'Victor Hugo' quoted in
Derniers Poèmes (Lemerre), pp. 262–3

Entends sous chaque objet sourdre la parabole,
Sous l'être universel vois l'éternel symbole.

HUGO: 'Que la musique date du seizième siècle',
from *Les Rayons et les Ombres*

Il possède aussi le don de correspondance, pour employer le même idiome mystique, c'est-à-dire qu'il sait découvrir par une intuition secrète les rapports invisibles à d'autres et rapprocher ainsi, par des analogies inattendues que seul le *voyant* peut saisir, les objets les plus éloignés et les plus opposés en apparence. Tout vrai poète est doué de cette qualité plus ou moins développée qui est l'essence de son art.

GAUTIER: 'Baudelaire' in *Souvenirs Romantiques*, 1868 (Garnier, 1929), pp. 300–1

It is interesting to compare with this observation by Gautier on Baudelaire
—and note *en passant* Gautier's anticipating Rimbaud's use of the term
voyant—similar observations by Baudelaire on Gautier; having praised
Gautier's unparalleled command of language, Baudelaire continued:

Si l'on réfléchit qu'à cette merveilleuse faculté Gautier unit une immense
intelligence innée de la *correspondance* et du symbolisme universels, ce
répertoire de toute métaphore, on comprendra qu'il puisse sans cesse, sans
fatigue comme sans faute, définir l'attitude mystérieuse que les objets de la
création tiennent devant le regard de l'homme. Il y a dans le mot, dans le
verbe, quelque chose de *sacré* qui nous défend d'en faire un jeu de hasard.
Manier savamment une langue, c'est pratiquer une espèce de sorcellerie
évocatoire, c'est alors que la couleur parle, comme une voix profonde et
vibrante; que les monuments se dressent et font saillie sur l'espace profond; que les animaux et les plantes, représentants du laid et du mal,
articulent leur grimace non équivoque; que le parfum provoque la pensée
et le souvenir correspondants, que la passion murmure ou rugit son langage
éternellement semblable. 'Théophile Gautier', 'L'Art Romantique',
Baudelaire O.C., pp. 1026–7

The belief that all the senses are closely related, that 'les parfums, les
couleurs et les sons se répondent', was particularly firmly held by poets
like Gautier and Baudelaire who had vivid experience of sound-evoking
colours and scent-suggesting sounds through their experiments with
drugs.[1] It is not, however, necessary to take drugs before synaesthesia can
be stimulated, though genuine experience of the state is probably rare:
strictly speaking, synaesthesia is a psycho-physiological phenomenon in
which a colour will *immediately* evoke a scent, or a sound *instantaneously*
suggest a colour, or, less commonly, a taste. What is much more common
is the rather slower process of associating ideas or memories with sense
impressions, and there are many more examples of this in *Les Fleurs du
Mal* than of the phenomena described in the *Correspondances* sonnet.[2]

[1] Compare, for example, the extract from Baudelaire's *Poème du Haschisch* on pp. 57–8
with this note by Gautier on his hallucinations: 'Mon ouïe s'est prodigieusement développée;
j'entendais le bruit des couleurs: des sons verts, rouges, bleus, jaunes m'arrivaient par des ondes
parfaitement distincts' (quoted in Mondor: *Rimbaud ou le génie impatient*, Gallimard, 1955,
p. 204). Cf. also Rimbaud's prose poem *Matinée d'Ivresse* in *Les Illuminations*, which was
also inspired by hashish experiments.

[2] A vast amount has been written on synaesthesia by scholars in a wide variety of fields.
Students will find a lucid review of the subject and further reading suggestions in Professor S.
Ullmann's book, *The Principles of Semantics* (Glasgow University Press, 1951), pp. 266–89.
See also S. Johansen, *Le Symbolisme*, ch. 1, in which is quoted the plausible suggestion that
synaesthesia is simply the very rapid association of ideas: 'C'est ainsi (par l'association) que la

O métamorphose mystique
De tous mes sens fondus en *un*!
Son haleine fait la musique
Comme sa voix fait le parfum.

'Toute Entière', Baudelaire O.C., p. 114

This is one of the rare instances in *Les Fleurs du Mal* in which Baudelaire illustrates the phenomenon described in *Correspondances*. It is clearly different in degree, if not in kind, from the much more numerous occasions when sense impressions are associated with ideas and memories, as in Mallarmé's prose-poem *La Pipe,* or in the now classic account in Proust's *Combray,* when the whole of Marcel's childhood is evoked within him as he tastes the *madeleine* dipped in tea:

Charme profond, magique, dont nous grise
Dans le présent le passé restauré!
Ainsi l'amant sur un corps adoré
Du souvenir cueille la fleur exquise....

'Un Fantôme', 'Le Parfum', Baudelaire O.C., p. 111

O toison, moutonnant jusque sur l'encolure!
O boucles! O parfum chargé de nonchaloir!
Extase! Pour peupler ce soir l'alcôve obscure
Des souvenirs dormant dans cette chevelure,
Je la veux agiter dans l'air comme un mouchoir!

Ta langoureuse Asie et la brûlante Afrique,
Tout un monde lointain, absent, presque défunt,
Vit dans tes profondeurs, forêt aromatique!
Comme d'autres esprits voguent sur la musique,
Le mien, ô mon amour! nage sur ton parfum....

'La Chevelure', Baudelaire O.C., p. 99

couleur d'une fleur me fait songer à son parfum; même, si je retrouve dans une autre fleur, dans un objet quelconque une coloration identique, je serai tenté de lui attribuer un parfum analogue. Mais ce n'est pas encore assez dire. Quand deux sensations ont été fortement associées dans notre imagination, non seulement l'une nous fait penser à l'autre, mais nous avons une tendance à les fondre l'une dans l'autre; leur association devient vraiment une combinaison. Ce phénomène est manifeste dans la rencontre des sensations colorées avec les sensations de l'odorat. Quand, par exemple, j'approche un bouquet de violettes de mes narines, les deux sensations que j'éprouve à la fois se marient si bien que je ne songe pas à les distinguer: je les retrouve l'une dans l'autre, la couleur dans le parfum, le parfum dans la couleur, j'ai comme la sensation résultante d'un parfum bleu foncé. De même je serai disposé à trouver que les fleurs de la série blanche, narcisse, tubéreuse, lis, oranger, ont quelque chose de blanc dans leur odeur, et à sentir du jaune dans le parfum des fleurs de la série jaune, genêt, jonquille, cytise, ajonc, mimosa.' (P. Souriau: 'Le Symbolisme des Couleurs', *Revue de Paris,* 15 April 1895.) Johansen, *op. cit.* pp. 32–3.

This last quotation points to the essential difference between Baudelaire's attitude to memory and that of Proust: Proust most prizes *la mémoire involontaire*, memories that come unbidden; Baudelaire, as reluctant to relinquish his conscious control over the mechanism of memory as he is to surrender to his emotions, his hallucinations or poetic inspiration, proclaims his powers of command: 'Je sais l'art d'évoquer les minutes heureuses' (*Le Balcon*).

The final lines of the quotation from *La Chevelure* provide a characteristic illustration of the poetic use to which Baudelaire put his knowledge of synaesthesia, the creation of sensuous and suggestive figures of speech, 'un verbe poétique accessible...à tous les sens'.[1]

The exact date of the composition of the *Correspondances* sonnet is not known, but all the evidence indicates that it was written comparatively early in Baudelaire's poetic career when, fired with enthusiasm for the doctrines of Swedenborg and his nineteenth-century adherents, he could confidently aver—as Mallarmé was to during the Tournon 'crisis', and as Rimbaud was to in his *Lettres du Voyant*—that mystical powers were within his grasp. But *Les Fleurs du Mal* do not evoke for the reader that sense of mystery beyond everyday reality that so tantalized Proust's young Marcel as he stared at the spires of Martinville, or that inspired Gérard de Nerval to write his sonnet *Vers Dorés*:

> Eh quoi! Tout est possible. PYTHAGORE
>
> Homme, libre penseur! te crois-tu seul pensant
> Dans ce monde où la vie éclate en toute chose?
> Des forces que tu tiens ta liberté dispose,
> Mais de tous tes conseils l'univers est absent.

---

[1] The expression is from Rimbaud, 'Une Saison en Enfer', *Rimbaud O.C.*, p. 233.

It is often contended that the olfactory sense is represented in Baudelaire's work almost to the exclusion of all the others, but his poetry, like Rimbaud's, drew its sustenance from the whole of the author's rich sensual experience. Although smell was obviously the most keenly developed of Baudelaire's senses, and though scents were the swiftest and surest means of transporting him back to the past, his conviction that all the senses are interrelated would, for once, have led him to disagree with Edgar Allan Poe, who commented in his notebook:

'I believe that odours have an altogether peculiar force in affecting us through association, a force differing *essentially* from that of objects addressing the touch, the taste, the sight or the hearing.' (Poe: *Marginalia* CXXXV, *Poe's Works* (in four vols.), A. and C. Black, 1910, vol. III, p. 416.) The extremely rich and varied sensory content of *Les Fleurs du Mal* is admirably analysed by Professor L. J. Austin in the latter half of *L'Univers Poétique de Baudelaire* (Mercure de France, 1956).

Respecte dans la bête un esprit agissant:
Chaque fleur est une âme à la Nature éclose;
Un mystère d'amour dans le métal repose;
'Tout est sensible!' Et tout sur ton être est puissant.

Crains, dans le mur aveugle, un regard qui t'épie:
A la matière même un verbe est attaché
Ne la fais pas servir à quelque usage impie!

Souvent dans l'être obscur habite un Dieu caché;
Et comme un œil naissant couvert par ses paupières,
Un pur esprit s'accroît sous l'écorce des pierres.[1]

Compare this with a letter Baudelaire wrote in 1855 in reply to an editor, who had asked him for some nature poetry:

Vous me demandez des vers pour votre petit volume, des vers sur *la Nature*, n'est-ce pas? sur les bois, les grands chênes, la verdure, les insectes — le soleil, sans doute? Mais, vous savez bien que je suis incapable de m'attendrir sur les végétaux et que mon âme est rebelle à cette singulière religion nouvelle, qui aura toujours, ce me semble, pour être *spirituel* je ne sais quoi de *shocking*. Je ne croirai jamais que *l'âme des Dieux habite dans les plantes*, et quand même elle y habiterait, je m'en soucierais médiocrement, et considérerais la mienne comme d'un bien plus haut prix que celle des légumes sanctifiés. J'ai même toujours pensé qu'il y avait dans *la Nature*, florissante et rajeunie, quelque chose d'impudent et d'affligeant.... Dans le fond des bois, enfermé sous ces voûtes semblables à celle des sacristies et des cathédrales, je pense à nos étonnantes villes, et la prodigieuse musique qui roule sur les sommets me semble la traduction des lamentations humaines.

Letter to F. Desnoyers: *Correspondance Générale*, vol. 1, pp. 321–3

[1] Cf. Hugo:

Crois-tu que la nature énorme balbutie,
Et que Dieu se serait, dans son immensité,
Donné pour tout plaisir, pendant l'éternité,
D'entendre bégayer une sourde-muette?
Non, l'abîme est un prêtre et l'ombre est un poète;
Non, tout est une voix et tout est un parfum;
Tout dit dans l'infini quelque chose à quelqu'un;
Une pensée emplit le tumulte superbe.
Dieu n'a pas fait un bruit sans y mêler le verbe.
Tout, comme toi, gémit, ou chante comme moi;
Tout parle. Et maintenant, homme, sais-tu pourquoi
Tout parle? Ecoute bien. C'est que vents, ondes, flammes,
Arbres, roseaux, rochers, tout vit!
Tout est plein d'âmes.
'Ce que dit la Bouche d'Ombre', *Les Contemplations*

Only at exceptional moments did Baudelaire succeed in escaping from the world and from the rigorous rule of Time:

Ceux qui savent s'observer eux-mêmes et qui gardent la mémoire de leurs impressions, ceux-là qui ont su, comme Hoffmann, construire leur baromètre spirituel, ont eu parfois à noter, dans l'observatoire de leur pensée de belles saisons, d'heureuses journées, de délicieuses minutes. Il est des jours où l'homme s'éveille avec un génie jeune et vigoureux. . . . L'homme gratifié de cette béatitude, malheureusement rare et passagère, se sent à la fois plus artiste et plus jeune, plus noble pour tout dire en un mot. Mais ce qu'il y a de plus singulier, dans cet état exceptionnel de l'esprit et des sens, que je puis sans exagérer appeler paradisiaque, si je le compare aux lourdes ténèbres de l'existence commune et journalière, c'est qu'il n'a été créé par aucune cause bien visible et facile à définir. . . . Nous sommes obligés de reconnaître que souvent cette merveille, cette espèce de prodige, se produit comme si elle était l'effet d'une puissance supérieure et invisible, extérieure à l'homme, après une période où celui-ci a fait abus de ses facultés physiques. . . . Je préfère considérer cette condition anormale de l'esprit comme une véritable grâce, comme un miroir magique où l'homme est appelé à se voir en beau . . . une espèce d'excitation angélique, un rappel à l'ordre sous une forme complimenteuse.

'Le Poème du Haschisch', 'Les Paradis Artificiels', *Baudelaire O.C.*, pp. 429–30

Baudelaire could not escape to ethereal regions like Gérard de Nerval or Rimbaud,[1] and even in his most privileged moments his reward was

[1] Cf. Gérard de Nerval: '. . . Je me promenai le soir plein de sérénité aux rayons de la lune, et, en levant les yeux vers les arbres, il me semblait que les feuilles se roulaient capricieusement de manière à former des images de cavaliers et de dames, portés par des chevaux caparaçonnés. C'étaient pour moi les figures triomphantes des aïeux. Cette pensée me conduisit à celle qu'il y avait une vaste conspiration de tous les êtres animés pour rétablir le monde dans son harmonie première, et que les communications avaient lieu par le magnétisme des astres, qu'une chaîne non interrompue liait autour de la terre les intelligences dévouées à cette communication générale, et que les chants, les danses, les regards, aimantés de proche en proche, traduisaient la même aspiration. La lune était pour moi le refuge des âmes fraternelles qui, délivrées de leurs corps mortels, travaillaient à la régénération de l'univers.

'Du moment que je me fus assuré de ce point que j'étais soumis aux épreuves de l'initiation sacrée, une force invincible entra dans mon esprit. Je me jugeais un héros vivant sous le regard des dieux; tout dans la nature prenait des aspects nouveaux et des voix secrètes sortaient de la plante, de l'arbre, des animaux, des plus humbles insectes, pour m'avertir et m'encourager. Le langage de mes compagnons avait des tours mystérieux dont je comprenais le sens, les objets sans forme et sans vie se prêtaient eux-mêmes aux calculs de mon esprit; — des combinaisons de cailloux, des figures d'angles, de fentes ou d'ouvertures, des découpures de feuilles, des couleurs, des odeurs et des sons, je voyais ressortir des harmonies jusqu'alors inconnues. "Comment, me disais-je, ai-je pu exister si longtemps hors de la nature et sans m'identifier à elle? Tout vit, tout agit, tout se correspond; les rayons magnétiques émanés de moi-même ou

simply an intensely heightened awareness of this sublunary world. Only at
the confident outset of his career was Baudelaire the visionary

> Qui plane sur la vie, et comprend sans effort
> Le langage des fleurs et des choses muettes;

'Elévation', Baudelaire O.C., p. 84

later he wrote:

Mais enfin, direz-vous, si lyrique que soit le poète, peut-il donc ne jamais
descendre des régions éthéréennes, ne jamais sentir le courant de la vie
ambiante, ne jamais voir le spectacle de la vie, la grotesquerie perpetuelle
de la bête humaine, la nauséabonde niaiserie de la femme, etc. . . . Mais si
vraiment! le poète sait descendre dans la vie; mais croyez que s'il y
consent, ce n'est pas sans but et qu'il saura tirer profit de son voyage. De
la laideur et de la sottise il fera naître un nouveau genre d'enchantements.
Mais ici encore, sa bouffonnerie conservera quelque chose d'hyperbolique;
l'excès en détruira l'amertume, et la satire, par un miracle résultant de la
nature même du poète, se déchargera de toute sa haine dans une explosion
de gaieté, innocente à force d'être carnavalesque.

'Théodore de Banville', 'L'Art Romantique', Baudelaire O.C., p. 1106

4. RELIGIOUS BELIEFS

'De la laideur et de la sottise il fera naître un nouveau genre d'enchantements' might stand as epigraph at the head of *Les Fleurs du Mal*, were it
not for the fact that Baudelaire did not find Man wholly evil or the world
forever ugly:

Tout enfant, j'ai senti dans mon cœur deux sentiments contradictoires:
l'horreur de la vie et l'extase de la vie. C'est bien le fait d'un paresseux
nerveux.

'Mon Cœur Mis à Nu', Baudelaire O.C., p. 1220

Il y a dans tout homme, à toute heure, deux postulations simultanées, l'une
vers Dieu, l'autre vers Satan.

L'invocation à Dieu, ou spiritualité, est un désir de monter en

---

des autres traversent sans obstacle la chaîne infinie des choses créées; c'est un réseau transparent qui couvre le monde, et dont les fils déliés se communiquent de proche en proche aux
planètes et aux étoiles. Captif en ce moment sur la terre, je m'entretiens avec le chœur des
astres, qui prend part à mes joies et à mes douleurs!"' (Gérard de Nerval: *Œuvres Completès*,
Gallimard ('Bibliothèque de la Pléiade'), vol. 1, p. 407.) And Rimbaud: 'J'ai tendu des cordes
de clocher à clocher; des guirlandes de fenêtre à fenêtre; des chaînes d'or d'étoile à étoile, et je
danse.' ('Phrases', 'Les Illuminations', *Rimbaud O.C.*, p. 186.)

grade; celle de Satan, ou animalité, est une joie de descendre. C'est à cette dernière que doivent être rapportés les amours pour les femmes et les conversations intimes avec les animaux, chiens, chats etc....

Ibid. pp. 1203–4

Qui parmi nous n'est pas un *homo duplex?* Je veux parler de ceux dont l'esprit a été dès l'enfance *touched with pensiveness*; toujours double, action et intention, rêve et réalité; toujours l'un nuisant à l'autre, l'un usurpant la part de l'autre. Ceux-ci font de lointains voyages au coin d'un foyer dont ils méconnaissent la douceur; et ceux-là, ingrats envers les aventures dont la Providence leur fait don, caressent le rêve d'une vie casanière enfermée dans un espace de quelques mètres.[1]   '*La Double Vie* par Charles Asselineau',
Baudelaire O.C., p. 1008

The attraction of Satan is manifest throughout *Les Fleurs du Mal* and implicit in the very title of the collection: it is stated categorically at the outset:

C'est le Diable qui tient les fils qui nous remuent!
Aux objets répugnants nous trouvons des appas;
Chaque jour vers l'Enfer nous descendons d'un pas,
Sans horreur, à travers des ténèbres qui puent.

'Au Lecteur', *Baudelaire O.C.*, p. 79

and after his long vain quest for novelty, purity and peace, Baudelaire concludes:[2]

Pour ne pas oublier la chose capitale,
Nous avons vu partout, et sans l'avoir cherché,
Du haut jusques en bas de l'échelle fatale,
Le spectacle ennuyeux de l'immortel péché.

'Le Voyage', *Baudelaire O.C.*, p. 199

In contrast, God's name is scarcely ever invoked in *Les Fleurs du Mal*: Baudelaire does not so much strive to deserve some future Heaven as look back wistfully to the vanished Paradise of the past: 'Tout poète lyrique,

---

[1] Cf. Pascal: '...tout le malheur des hommes vient d'une seule chose qui est de ne savoir pas demeurer en repos dans une chambre.' (*Pensées, Œuvres Complètes*, Hachette, 1921, vol. XIII, p. 53.)

[2] Cf. Baudelaire: 'Le seul éloge que je sollicite pour ce livre est qu'on reconnaisse qu'il n'est pas un pur album et qu'il a un commencement et une fin.' (Letter to Alfred de Vigny, 15 December 1861, *Correspondance Générale*, vol. IV, p. 9.)

en vertu de sa nature, opère fatalement un retour vers l'Eden perdu...'
('Théodore de Banville', 'L'Art Romantique', *Baudelaire O.C.*, p. 1106),
and writing of Poe,

Le jour où il écrivait: 'Toute certitude est dans les rêves', il refoulait son
propre américanisme dans la région des choses inférieures; d'autres fois,
rentrant dans la vraie voie des poètes, obéissant sans doute à l'inéluctable
vérité qui nous hante comme un démon, il poussait les ardents soupirs de
l'ange tombé qui se souvient des Cieux; il envoyait ses regrets vers l'Age
d'or et l'Eden perdu....   'Notes Nouvelles sur Edgar Poe', *Nouvelles
Histoires Extraordinaires*, p. x

For Baudelaire's poetry, as for Milton's, Satan proved a much richer
source of poetic inspiration than God. 'Le plus parfait type de Beauté
virile est *Satan* à la manière de Milton', he wrote in *Fusées* (*Baudelaire
O.C.*, p. 1188), and his presence and his power are repeatedly felt in
both *Les Fleurs du Mal* and *Le Spleen de Paris*. In contrast, Baudelaire's
conception of God remained vague. On 6 May 1861 he wrote to his
mother:

Je désire de tout mon cœur (avec quelle sincérité, personne ne peut le
savoir que moi!) croire qu'un être extérieur et invisible s'intéresse à ma
destinée; mais comment faire pour le croire?

    Correspondance Générale, vol. III, p. 280

Baudelaire might seem to have changed his views in the last years of his
life. On 25 January 1863 there appeared in the review, *Le Boulevard*,
Baudelaire's poem *L'Imprévu*, dedicated to Barbey d'Aurevilly who had
written to Baudelaire in July 1857 after reading *Les Fleurs du Mal*, saying
that the only courses left open to the poet were '...ou se brûler la cervelle
...ou se faire chrétien!' A note on the poem written in Baudelaire's
hand reads: 'Ici l'auteur des *Fleurs du Mal* se tourne vers la Vie éternelle.
Ça devait finir comme ça.
Observons que, comme tous les nouveaux convertis, il se montre très-
rigoureux et très fanatique.' (*Baudelaire O.C.*, p. 1407.) The poem itself,
like the dedicatory poem *Au Lecteur*, depicts a world apparently completely
under Satan's power, but ends, by accepting, indeed by welcoming,
suffering:

    — Cependant, tout en haut de l'univers juché,
     Un Ange sonne la victoire

De ceux dont le cœur dit: 'Que béni soit ton fouet,
Seigneur! que la douleur, ô Père, soit bénie!
Mon âme dans tes mains n'est pas un vain jouet,
  Et ta prudence est infinie.'

Le son de la trompette est si délicieux,
Dans ces soirs solennels de célestes vendanges,
Qu'il s'infiltre comme une extase dans tous ceux
  Dont elle chante les louanges.

'L'Imprévu', Baudelaire O.C., pp. 228–9

There is an ironic note in the comment on *L'Imprévu*, and an unfortunate
lack of detailed evidence in his diaries, which together make it difficult to
pronounce final judgment on the problem of Baudelaire's late conversion.
Despite the high praise of such a critic as R.-B. Chérix,[1] who sees in the poem
Baudelaire's spiritual testament, *L'Imprévu* merely reiterates what had already been expressed in *Bénédiction*. To incorporate *L'Imprévu* in his private
edition of *Les Fleurs du Mal* clearly satisfied M. Chérix's sense of fitness, to
say nothing of his personal religious beliefs, but there can be no guarantee
that it would have pleased Baudelaire. A later letter to Saint-Beuve would
suggest that Baudelaire never lost his taste for paradox just as he never lost
his sense of Man's duality: speaking of his friend Poulet-Malassis, he wrote:

Un de nos grands amusements, c'est quand il s'applique à faire l'athée, et
quand je m'ingénie à faire le jésuite. Vous savez que je peux devenir dévot
par contradiction (*surtout ici*), de même que, pour me rendre impie, il suffirait de me mettre en contact avec un curé *souillon* (souillon de corps et
d'âme). 30 March 1865, Correspondance Générale, vol. v, p. 74

It is not necessary in a general survey of this nature to enter into a pro-
longed discussion of the true nature of Baudelaire's religious beliefs.[2] The
problem is not likely ever to be satisfactorily resolved as long as there
remain critics ready to manipulate the flimsy and self-contradictory evidence to suit their own tendentious ends. As far as *Les Fleurs du Mal* is
concerned, one can only say that while it is the work of a *moraliste*
tormented by the problem of Man's weakness,[3] it can scarcely be described

---

[1] See *Commentaire des 'Fleurs du Mal'* (Cailler, Geneva, 1949).
[2] The fullest analysis will be found in J. Massin: *Baudelaire, Entre Dieu et Satan* (Julliard,
1946). See also conclusion of preface quoted on p. 269.
[3] Cf. 'Théorie de la vraie civilisation. Elle n'est pas dans le gaz, ni dans la vapeur, ni dans
les tables tournantes. Elle est dans la diminution des traces du péché originel.' (Baudelaire:
'Mon Cœur Mis à Nu', *Baudelaire O.C.*, p. 1216.)

as the work of a Christian of any orthodox persuasion: Man's need of redemption is poignantly expressed, but where is the Redeemer? For Baudelaire, who was neither God's nor the Devil's Advocate, there was only one consistent answer, only one cause to which he could whole-heartedly devote himself, his Art:

> Anges revêtus d'or, de pourpre et d'hyacinthe
> O vous, soyez témoins que j'ai fait mon devoir
> Comme un parfait chimiste et comme une âme sainte.[1]

'Projet d'Epilogue pour la seconde édition des *Fleurs du Mal*',
Baudelaire O.C., p. 256.

Mécontent de tous et mécontent de moi, je voudrais bien me racheter et m'enorgueillir un peu dans le silence et la solitude de la nuit. Ames de ceux que j'ai aimés, âmes de ceux que j'ai chantés, fortifiez-moi, soutenez-moi, éloignez de moi le mensonge et les vapeurs corruptrices du monde; et vous, Seigneur mon Dieu! accordez-moi la grâce de produire quelques beaux vers qui me prouvent à moi-même que je ne suis pas le dernier des hommes, que je ne suis pas inférieur à ceux que je méprise.

'A une heure du matin', 'Le Spleen de Paris', *Baudelaire O.C.*, p. 285

III. MALLARMÉ

Mallarmé créait . . . en France la notion ' d'auteur difficile'. Il intro-duisit dans l'art l'obligation de l'effort intellectuel. Par là, il relevait la condition de lecteur; et avec une admirable intelligence de la véritable gloire, il se choisissait parmi le monde ce petit nombre d'amateurs particuliers qui, l'ayant une fois goûté, ne pourraient plus souffrir de poèmes impures, immédiats et sans défense. Tout leur semblait naïf et lâche après qu'ils l'avaient lu. VALÉRY: 'Lettre sur Mallarmé', *Valéry O.*, p. 639

The difficulty of poetry (and modern poetry is supposed to be difficult) may be due to one of several reasons. First, there may be personal causes which make it impossible for a poet to express himself in any way but an

---

[1] Cf. Gautier:
> Sourd comme saint Antoine à la tentation,
> J'ai poursuivi mon œuvre avec religion,
> L'œuvre de mon amour qui, mort, me fera vivre,
> Et ma journée ajoute un feuillet à mon livre.

'La Bonne Journée', *Poésies Complètes*, vol. II, p. 206

obscure way; while this may be regrettable, we should be glad, I think, that the man has been able to express himself at all. Or difficulty may be due just to novelty.... Or difficulty may be caused by the reader's having been told, or having suggested to himself, that the poem is going to prove difficult. The ordinary reader, when warned against the obscurity of a poem, is apt to be thrown into a state of consternation very unfavourable to poetic receptivity. Instead of beginning, as he should, in a state of sensitivity, he obfuscates his senses by the desire to be clever and to look very hard for something, he doesn't know what—or else by the desire not to be taken in. There is such a thing as stage fright, but what such readers have is pit or gallery fright.... And finally, there is the difficulty caused by the author's having left out something which the reader is used to finding; so that the reader, bewildered, gropes about for what is absent, and puzzles his head for a kind of ' meaning' which is not there, and is not meant to be there. T. S. ELIOT: *The Use of Poetry and the Use of Criticism*, pp. 150–1

I. THE DIFFICULTY OF MALLARMÉ

Even a fellow-poet as sympathetic and perspicacious as Valéry had to admit that when he first approached Mallarmé's verse,

certains sonnets...me réduisaient à la stupeur; pièces dans lesquelles je trouvais combinées à la netteté, à l'éclat, au mouvement, à la sonorité la plus pleine, d'étranges difficultés: des associations insolubles, une syntaxe parfois singulière, la pensée arrêtée à chaque strophe dans sa lecture; en un mot, le contraste le plus surprenant s'imposait entre ce qu'on pourrait appeler la *contemplation* de ces vers, leur *physique*, et leur résistance à l'intellection immédiate. Je ne savais comment me représenter le poète capable d'allier tant de beauté, tant de séductions et tant d'obstacles, tant de lumières et tant de ténèbres. J'envisageais le problème Mallarmé.

[Conférence sur] 'Stéphane Mallarmé', 17 January 1933, *Valéry O.*, p. 666

This unquestionable difficulty of Mallarmé's later work is, however, in sharp contrast to his early poetry which has all too clear affinities, in subject-matter and, more often than not, in style, with the work of other more accessible poets, notably Baudelaire: *Spleen et Idéal* or *Ennui* are the themes of such poems as *Le Guignon, Les Fenêtres, Les Fleurs, Renouveau, Angoisse, Le Sonneur, Tristesse d'Été* and *L'Azur*; certain early poems, *Apparition* and *Placet Futile*, are graceful amorous conceits, while others,

L'Enfant Prodigue and *Une Négresse*..., would seem by their self-conscious morbidity to be deliberate attempts by a latter-day *Jeune-France* to shock the *bourgeois*. *Brise Marine* expresses, though with less poignancy than Baudelaire's *Voyage*, the not uncommon nineteenth-century French poet's desire to escape from a hostile or depressingly familiar world: in all these poems, themes and treatment will prove familiar to any reader who comes to Mallarmé after reading *Les Fleurs du Mal*.

Mallarmé's very earliest poetry, according to his own testimony, was markedly Romantic but in the course of the 1860's, he increasingly stressed the need for concise and meticulous craftsmanship; describing to Verlaine in 1885 the broad outline of his life-story, Mallarmé recalled that he had begun by writing typically Romantic poetry:

> J'ai perdu tout enfant, à sept ans, ma mère, adoré d'une grand'mère qui m'éleva d'abord: puis j'ai traversé bien des pensions et lycées, d'âme lamartinienne avec un secret désir de remplacer, un jour, Béranger, parce que je l'avais rencontré dans une maison amie. Il paraît que c'était trop compliqué pour être mis à exécution, mais j'ai longtemps essayé dans cent petits cahiers de vers qui m'ont toujours été confisqués, si j'ai bonne mémoire.
>
> Letter to Verlaine, 16 November 1885, *Mallarmé O.C.*, p. 662; also in *Propos*, pp. 141–2

But in June 1863 he was writing to Cazalis criticizing the verse of their mutual friend, Emmanuel des Essarts, because of its Romantic prolixity:

> Je trouve qu'Emmanuel se fait beaucoup de tort en se laissant aller à la grande facilité: il commet trop aisément de ces sortes de pages brillantes et vides.
>
> Letter to Henri Cazalis, 3 June 1863, *Propos*, p. 36

> Je trouve que Taine ne voit que l'impression comme source des œuvres d'art, et pas assez la réflexion. Devant le papier, l'artiste *se fait*. Il ne croit pas par exemple qu'un écrivain puisse entièrement changer sa manière, ce qui est faux, je l'ai observé sur moi. Enfant, au collège, je faisais des narrations de vingt pages, et j'étais renommé pour ne savoir pas m'arrêter. Or, depuis, n'ai-je pas, au contraire, exagéré plutôt l'amour de la condensation? J'avais une prolixité violente et une enthousiaste diffusion, écrivant tout du premier jet, bien entendu, et croyant à l'effusion en style. Qu'y a-t-il de plus différent que l'écolier d'alors, vrai et primesautier, avec le littérateur d'à présent, qui a horreur d'une chose dite sans être *arrangée*?
>
> Letter to Eugène Lefébure, February 1865, *Propos*, pp. 52–3

Though Gautier and Leconte de Lisle professed the same faith in the prime importance of craftsmanship, and though Mallarmé contributed eleven poems to *Le Parnasse Contemporain* of 1866, he was anything but the model of what a Parnassian poet should be. Of the poems which appeared in *Le Parnasse Contemporain*,[1] he wrote to Cazalis:

aucun de ces poèmes [n'a été] en réalité conçu en vue de la Beauté, mais plutôt comme autant d'intuitives révélations de mon tempérament, et de la note qu'il donnerait. . . .   Letter to Henri Cazalis, 12 May 1866, *Propos*, p. 75

But he differed from Romantic and Parnassian poets alike in his desire to make poetry as obscure as possible, a desire expressed as early as 1862, in the article *Hérésies Artistiques—L'Art pour Tous*:

Toute chose sacrée et qui veut demeurer sacrée s'enveloppe de mystère. Les religions se retranchent à l'abri d'arcanes dévoilés au seuil prédestiné: l'art a les siens.

La musique nous offre un exemple. Ouvrons à la légère Mozart, Beethoven ou Wagner, jetons sur la première page de leur œuvre un œil indifférent, nous sommes pris d'un religieux étonnement à la vue de ces processions macabres de signes sévères, chastes, inconnus. Et nous refermons le missel vierge d'aucune pensée profanatrice.

J'ai souvent demandé pourquoi ce caractère nécessaire a été refusé à un seul art, au plus grand. Celui-là est sans mystère contre les curiosités hypocrites, sans terreur contre les impiétés, ou sous le sourire et la grimace de l'ignorant et de l'ennemi.

Je parle de la poésie. Les *Fleurs du Mal*, par exemple, sont imprimées avec des caractères dont l'épanouissement fleurit à chaque aurore les plates-bandes d'une tirade utilitaire, et se vendent dans les livres blancs et noirs, identiquement pareils à ceux qui débitent de la prose du vicomte du Terrail ou des vers de M. Legouvé.

Ainsi les premiers venus entrent de plain-pied dans un chef-d'œuvre, et depuis qu'il y a des poètes, il n'a pas été inventé, pour l'écartement de ces importuns, une langue immaculée, — des formules hiératiques dont l'étude aride aveugle le profane et aiguillonne le patient fatal; — et ces intrus tiennent en façon de carte d'entrée une page de l'alphabet où ils ont appris à lire!

O fermoirs d'or des vieux missels! ô hiéroglyphes inviolés des rouleaux de papyrus!   *Mallarmé O.C.*, pp. 257–8

---

[1] They were *Les Fenêtres, Les Fleurs, Renouveau, Angoisse, Las de l'amer repos . . ., Le Sonneur, Tristesse d'Eté, L'Azur, Brise Marine, Soupir, Aumône*.

Thirty years later Mallarmé's views in this respect had undergone no change.

Que si un être d'une intelligence moyenne, et d'une préparation littéraire insuffisante, ouvre par hasard un livre ainsi fait [i.e. a book of genuine poetry] et prétend en jouir, il y a un malentendu, il faut remettre les choses à leur place. Il doit y avoir toujours énigme en poésie. . . .

'Réponse à une enquête sur l'Evolution Littéraire', *Mallarmé O.C.*, p. 869

Researchers, not content simply to accept Mallarmé's declarations that he wished to make his work as difficult as possible so as to be assured of the approbation of a genuine *élite* of poetry lovers, have tried to probe deeper into his motives. Some like Charles Mauron[1] insist that the roots of Mallarmé's desire to turn his back on the world plunge deep into his subconscious, and attribute cardinal importance to the death of his sister Maria, when he was sixteen. Others believe Mallarmé's motives were wholly literary, expressing his desire to avoid cliché, and even more to avoid any possible accusation of imitating Baudelaire and Hugo. Whatever the factors prompting Mallarmé's resolve to write only difficult poetry—and they were, in most probability, both psychological and literary—it was greatly intensified as the result of a particularly painful mental upheaval which he underwent during the period 1866–70.

2. THE 'GRAND ŒUVRE'

Mallarmé's growing melancholy is evident in most of the letters to his friends so far available for the early 1860's, when it seems mainly attributable to his despair at his inability to solve his poetic problems, not only because of lack of leisure, but, even more alarming, because of lack of temperament:

Oui, je me regarde avec frayeur, comme une ruine : dans toutes mes lettres, je vais mentir à mes amis et leur dire que je travaille, mais cela n'est pas vrai. Un poète doit être uniquement sur cette terre un poète, et moi je suis un cadavre une partie de ma vie. A peine pourrai-je prétendre un jour au titre d'amateur. . . .   Letter to Henri Cazalis, December 1864, *Propos*, p. 49

Je suis trop poète et trop épris de la seule Poésie pour goûter, quand je ne puis travailler, une félicité intérieure qui me semble prendre la place de l'autre, la grande, celle que donne la Muse; et avec cela, trop impuissant,

[1] See *Mallarmé l'Obscur* (1941); and *Introduction à la Psychanalyse de Mallarmé* (1950).

trop faible de cerveau pour pouvoir sans cesse comme d'autres que je jalouse, m'adonner à cette seule occupation digne d'un homme, les Poèmes.

Letter to Henri Cazalis, January 1865. Quoted in E. Noulet:
L'Œuvre Poétique de Mallarmé (Droz, 1940), p. 60

je n'ai rien fait: depuis longtemps mon cerveau, désagrégé et noyé dans un crépuscule aqueux, me défend l'art. Cette lettre même que je t'écris avec tant de peine, je la quitte et la reprends après chaque phrase, tant je suis incapable d'une application même frivole.

Letter to Henri Cazalis, June 1865, *Propos*, p. 55

si tu savais que de nuits désespérées et de jours de rêverie il faut sacrifier pour arriver à faire des vers originaux (ce que je n'avais jamais fait jusqu'ici) et dignes, dans leurs suprêmes mystères, de réjouir l'âme d'un poète! Quelle étude du son et de la couleur des mots, musique et peinture par lesquelles devra passer ta pensée, tant belle soit-elle, pour être poétique!

Letter to Henri Cazalis, July 1865, *ibid.* p. 58

Mallarmé's unhappiness, much intensified by his unfortunate experiences as a schoolteacher, grew even more profound in 1866 when he questioned, and found himself compelled to reject, the religious beliefs of childhood and adolescence.[1] He emerged from his 'dark night of the soul' convinced that belief in a personal God was simply an illusion deliberately fostered by Man to hide the unpalatable truth that Nothingness was the only true reality (see p. 38). The letters Mallarmé wrote to his friends during this anguished period speak of how he came to identify himself with the spirit of Nothingness, and of the ambition, that was to haunt him for the rest of his life, to enshrine the truths he felt he had glimpsed in a mystic book, his *Grand Œuvre*:[2]

j'ai rencontré deux abîmes, qui me désespèrent. L'un est le Néant, auquel je suis arrivé sans connaître le Bouddhisme et je suis encore trop désolé pour pouvoir croire même à ma poésie et me remettre au travail, que cette pensée écrasante m'a fait abandonner.

[1] For an account of Mallarmé's early life see H. Mondor's *Mallarmé Lycéen* (1954), or Professor L. J. Austin's article 'Les Années d'Apprentissage de Mallarmé', *Revue d'Histoire Littéraire de la France*, vol. LVI, pp. 65–84.

[2] Cf. Flaubert's conviction that all is illusion, even Art itself, coupled, however, with the belief that the true artist's consolation is to create a beautiful work as a gesture of defiance to the unanswering gods.

Also cf. Malraux: '. . . il est beau que l'animal qui sait qu'il doit mourir arrache à l'ironie des nébuleuses le chant des constellations et qu'il le lance au hasard des siècles, auxquels il imposera des paroles inconnues. . . .' (*Les Voix du Silence*, Gallimard, 1951, p. 640.)

...l'autre vide que j'ai trouvé est celui de ma poitrine. Je ne vais vraiment pas très bien, et je ne puis respirer longuement ni avec la volupté du bien-être. Enfin ne parlons pas de cela. Ce qui m'attriste seulement, est de songer, si je ne suis destiné qu'à voir quelques années, combien je perds de temps pour gagner ma vie, et que tant d'heures, que je n'aurai plus, devraient être données à l'Art !

Letter to Henri Cazalis, March 1866, Propos, pp. 65–6

Pour moi, j'ai plus travaillé cet été que toute ma vie, et je puis dire que j'ai travaillé pour toute ma vie. J'ai jeté les fondements d'une œuvre magnifique. Tout homme a un secret à lui. Beaucoup meurent sans l'avoir trouvé, et ne le trouveront pas parce que, morts, il n'existera plus ni eux. Je suis mort et ressuscité avec la clef de pierreries de ma dernière cassette spirituelle. A moi maintenant de l'ouvrir en l'absence de toute impression empruntée, et son mystère s'émanera en un fort beau ciel. Il me faut vingt ans, pendant lesquels je vais me cloîtrer en moi, renonçant à toute autre publicité que la lecture à mes amis. Je travaille à tout à la fois, ou plutôt je veux dire que tout est si bien ordonné en moi qu'à mesure, maintenant, qu'une sensation m'arrive, elle se transfigure, et va d'elle-même se caser dans tel livre ou tel poème. Quand un poème sera mûr, il se détachera. Tu vois que j'imite la loi naturelle.

Letter to Théodore Aubanel, 16 July 1866, ibid. p. 78

Aubanel, one of the founders of the Félibrige group which revived and spread Provençal language and culture, was puzzled by Mallarmé's description of his literary project and Mallarmé felt obliged to write again clarifying his terminology:

Je n'ai pu trouver encore une minute pour te dire le mot énigmatique de ma lettre, et je n'aime pas rester un logogriphe pour mes amis tel que toi, bien que j'emploie volontiers ce moyen de forcer les autres de penser à moi....

J'ai voulu te dire simplement que je venais de jeter le plan de mon Œuvre entier, après avoir trouvé la clef de moi-même, clef de voûte, ou centre, si tu veux, pour ne pas nous brouiller de métaphores, centre de moi-même où je me tiens comme une araignée sacrée, sur les principaux fils déjà sortis de mon esprit, et à l'aide desquels je tisserai aux points de rencontre de merveilleuses dentelles, que je devine, et qui existent déjà dans le sein de la Beauté.

83

... Que je prévois qu'il me faudra vingt ans pour ces cinq livres dont se composera l'Œuvre, et que j'attendrai, ne lisant qu'à mes amis comme toi, des fragments, — et me moquant de la gloire comme d'une niaiserie usée. Qu'est une immortalité relative, et se passant souvent dans l'esprit d'imbéciles, à côté de la joie de contempler l'Eternité, et d'en jouir, vivant, en soi?   Letter to Théodore Aubanel, 28 July 1866, *ibid.* pp. 79–80

Even this proved inadequate explanation, and Mallarmé wrote yet again in the simplest possible terms:

Je parle de 'l'ensemble de travaux littéraires qui composent l'existence poétique d'un rêveur' et qu'on appelle enfin son *Œuvre*. Es-tu éclairé, cette fois, cher ami? Comment ne m'as tu compris récemment? Je t'en raconterai la délinéation générale, du reste, et tu seras édifié. ...

Letter to Théodore Aubanel, 8 August 1866; quoted in G. Faure: *Mallarmé à Tournon*
(Horizons de France, 1946), p. 93

There was no need of simplification when he wrote to Villiers de l'Isle-Adam, whose work was no less idealistic than Mallarmé's own:

Pour l'Avenir, du moins pour le plus voisin, mon âme est détruite. Ma pensée a été jusqu'à se penser elle-même et n'a plus la force d'évoquer en un néant unique le vide disséminé en sa porosité. J'avais, à la faveur d'une grande sensibilité, compris la corrélation intime de la Poésie avec l'Univers, et, pour qu'elle fût pure, conçu le dessein de la sortir du Rêve et du Hasard et de la juxtaposer à la conception de l'Univers. Malheureusement, âme organisée simplement pour la jouissance poétique, je n'ai pu, dans la tâche préalable de cette conception, comme vous disposer d'un Esprit et vous serez terrifié d'apprendre que je suis arrivé à l'Idée de l'Univers par la seule sensation (et que, par exemple, pour garder une notion ineffaçable du néant pur, j'ai dû imposer à mon cerveau la sensation du vide absolu). Le miroir qui m'a réfléchi l'Etre a été le plus souvent l'Horreur et vous devinez si j'expie cruellement ce diamant de Nuits innommées. Il me reste la délimitation parfaite et le rêve intérieur de deux livres, à la fois nouveaux et éternels, l'un tout absolu '*Beauté*' l'autre personnel, les '*Allégories somptueuses du Néant*', mais (dérision et torture de Tantale), l'impuissance de les écrire d'ici à bien longtemps, si mon cadavre doit ressusciter. Elle est manifestée par un épuisement nerveux dernier, une douleur mauvaise et finie au cerveau qui ne me permettent souvent pas de comprendre la banale conversation d'un visiteur et font de cette simple lettre, tout inepte que je m'efforce de la tracer, un labeur dangereux.

84

Vraiment, j'ai bien peur de *commencer* (quoique, certes, *l'Eternité* ait scintillé en moi et dévoré la notion survivante du Temps) par où notre pauvre et sacré Baudelaire a fini. . . .

Letter to Villiers de l'Isle-Adam, 24 September 1866, *Propos*, pp. 81–3

Je viens de passer une année effrayante: ma Pensée s'est pensée et est arrivée à une Conception Pure. Tout ce que, par contre-coup, mon être a souffert, pendant cette longue agonie, est inénarrable, mais, heureusement, je suis parfaitement mort, et la région la plus impure où mon Esprit puisse s'aventurer est l'Eternité, mon Esprit, ce solitaire habituel de sa propre pureté, que n'obscurcit plus même le reflet du Temps.

Malheureusement, j'en suis arrivé là par une horrible sensibilité, et il est temps que je l'enveloppe d'une indifférence extérieure, qui remplacera pour moi la force perdue. J'en suis, après une synthèse suprême, à cette lente acquisition de la force — incapable, tu le vois, de me distraire. Mais combien plus je l'étais, il y a plusieurs mois, d'abord dans ma lutte avec ce vieux et méchant plumage, terrassé, heureusement, Dieu. Mais même cette lutte s'était passée sur son aile osseuse, qui par une agonie plus vigoureuse que je ne l'eusse soupçonné chez lui, m'avait emporté dans les Ténèbres, je tombai, victorieux, éperdument et infiniment — jusqu'à ce qu'enfin, je me sois revu un jour devant ma glace de Venise, tel que je m'étais oublié plusieurs mois auparavant. J'avoue du reste mais à toi seul, que j'ai encore besoin, tant ont été grandes les avanies de mon triomphe, de me regarder dans cette glace pour penser, et que si elle n'était pas devant la table où je t'écris cette lettre, je redeviendrais le Néant.[1] C'est t'apprendre que je suis maintenant impersonnel, et non plus Stéphane que tu as connu, — mais une aptitude qu'a l'Univers Spirituel à se voir et à se développer, à travers ce qui fut moi.

Fragile, comme est mon apparition terrestre, je ne puis subir que les développements absolument nécessaires pour que l'Univers retrouve, en ce moi, son identité. Ainsi, je viens, à l'heure de la Synthèse, de délimiter l'œuvre qui sera l'image de ce développement. Trois poèmes en vers, dont *Hérodiade* est l'ouverture, mais d'une pureté que l'homme n'a pas atteinte — et n'atteindra peut-être jamais, car il se pourrait que je ne fusse le jouet

---

[1] Cf. Wordsworth: 'I was often unable to think of external things as having external existence, and I communed with all that I saw as something not apart from, but inherent in my own immaterial nature. Many times while going to school have I grasped at a wall or tree to recall myself from this abyss of idealism to the reality.' (To Miss Isabella Fenwick on the *Immortality Ode*, 1843; *Wordsworth's Poetical Works*, Oxford, 1947, vol. IV, p. 463.)

que d'une illusion, et que la machine humaine ne soit pas assez parfaite pour arriver à de tels résultats. Et quatre poèmes en prose, sur la conception spirituelle du Néant. Il me faut dix ans: les aurai-je?

...la Science que j'ai acquise, ou retrouvée au fond de l'homme que je fus, ne me suffirait pas, et...ce ne serait pas sans un serrement de cœur réel que j'entrerais dans la Disparition suprême, si je n'avais pas fini mon œuvre, qui est l'Œuvre. Le Grand Œuvre, comme disaient les alchimistes, nos ancêtres.

Letter to Henri Cazalis, 14 May 1867, Propos, pp. 87–9

Mallarmé nearly always described the contents of his *Œuvre* in Hegelian terms, and it seems clear that what he hoped to express through poetry was something akin to the Hegelian Absolute. But Mallarmé's mind was not really equipped to juggle with philosophical concepts: on his own admission, his was '[une] âme organisée simplement pour la jouissance poétique' (letter to Villiers de l'Isle-Adam, 24 September 1866), and, as will have been noted, he became convinced that all was nothingness not through intellectual reasoning but 'par la seule sensation' (*ibid.*).[1]

There has been much speculation about the form and content of

---

[1] Mallarmé would seem, nevertheless, to have had at least a limited acquaintanceship with Hegel's work:

Cf. Lefébure's letter to Mallarmé: 'Avez-vous terminé enfin votre beau grand poème? Jonglez-vous toujours avec l'Absolu, l'Etre et le Néant qui sont vos couleuvres de poche?' (Quoted in Mondor: *Eugène Lefébure*, Gallimard, 1952, p. 221.)

Lefébure, probably the most intelligent, as he was the most erudite, of Mallarmé's early friends, encouraged Mallarmé's literary dreams: 'J'ai suffisamment compris votre théorie poétique du Mystère, qui est très vraie et confirmée par l'histoire. Jusqu'à présent, toutes les fois que l'homme a entrevu le vrai, c'est-à-dire la constitution logique de l'univers, il s'est rejeté avec horreur vers l'illusion infinie et comme dit Baudelaire, n'a peut-être inventé le ciel et l'enfer que pour échapper au Nevermore des Lucrèce et des Spinoza. C'est bien ainsi que je comprends la terminaison ou, comme vous dites, la flèche de la poésie moderne, de la cathédrale romantique, dont vous serez le coq, puisque vous vous placez en haut. Mais une tristesse me vient en y songeant: à une telle élévation, qui, excepté vous-même et les anges qui n'existent pas, pourra doucement vous caresser les plumes en murmurant: O le beau coq! En outre, je crains que les hommes ne se déshabituent vite de se proposer des énigmes dont ils sauront le mot et l'impossibilité d'une religion, en face de la terrible lumière qui jaillit des Sciences, me semble un des plus grands malheurs de l'humanité...je crois qu'il est sage, tout en adorant le sphinx aux beaux yeux, de se pourvoir quelque peu de résignation raisonnée, car le stoïcisme n'est pas autre chose, qu'il soit romain ou français. Il nous est assez difficile, découronnés d'avenir comme nous le sommes, d'accepter les brutalités du hasard fatal, pour qu'une bonne cuirasse soit de trop....' (Letter of 27 May 1867. *La Table Ronde*, February 1951, pp. 86–7.)

In his admirable study of 'Mallarmé et le Rêve du Livre', *Mercure de France*, 1 January 1953, Professor L. J. Austin suggests that Mallarmé's limited knowledge of Hegel was probably almost wholly derived from conversations with Lefébure, and with Villiers de l'Isle Adam, and also, in all likelihood, from an article by Edmond Schérer in *Le Revue des Deux Mondes*, February 1861, 'Hégel et les Hégelians'.

Mallarmé's *Grand Œuvre*. Among his contemporaries it became some-thing of a legend, and it was reported that it was so composed that the initiated would be able to grasp its esoteric meaning without even having to cut the pages. René Ghil[1] claimed to have been told by Mallarmé that it was to have consisted of four main parts, each of five volumes. Claudel, who also heard Mallarmé speak of his great dream, described how its form varied over the years:

Mallarmé a toujours tenu que l' 'explication' du monde, soit par le Vers, soit, autant que j'ai pu le comprendre au cours de nos rares conversations, par une sorte d'énonciation scénique ou de programme auquel la musique et la danse auraient servi de commentaire, soit par le livre et cette espèce d'équation typographique qu'il a réalisé dans le *coup de dés*, était une chose possible. Mais au devant de cette possibilité, il n'y eut plus désormais à sa place qu'une ballerine de l'Opéra avec son écharpe de gaze, elle-même impersonnellement gaze, élusion et sourire. Et en effet si ce monde autour de nous tel quel, est la seule réalité, si l'explication que nous pouvons en trouver n'est qu'une mimique et non pas une clef, à quoi bon se fatiguer à sortir de nos ressources poétiques un double vain? Le Poète sait déjà l'essentiel. En face de toute cette matérialité qui l'écrase, le voici, comme dans la parabole du Roseau pensant de Pascal, armé de son regard ironique et lucide. Il sait que tout cela n'existe pas par soi-même et que le fait à son égard ne saurait remplacer le droit. Sous la copieuse machine des apparences il y a en réalité vacance, absence....

'La Catastrophe d'Igitur' in *Pos.*, pp. 204–5

M. Jacques Scherer,[2] who has studied the mass of Mallarmé's unpub-lished notes and papers, which were not destroyed at his death as he had requested,[3] claims to have salvaged all that now survives of the *Grand Œuvre*, and suggests that it was planned in theatrical terms though never designed to be acted.[4]

[1] In *Les Dates et les Œuvres* (Crès, 1926).
[2] See *L'Œuvre de Mallarmé* (Gallimard, 1957).
[3] See letter to his wife and daughter, p. 89.
[4] Mallarmé once replied to a journalist's questionnaire on the theatre: 'Je crois que la Littérature, reprise à sa source qui est l'Art et la Science, nous fournira un Théâtre, dont les représentations seront le vrai culte moderne; un Livre, explication de l'homme, suffisante à nos plus beaux rêves. Je crois tout cela écrit dans la nature de façon à ne laisser fermer les yeux qu'aux intéressés à ne rien voir. Cette œuvre existe, tout le monde l'a tentée sans le savoir; il n'est pas un génie ou un pitre, qui n'en ait retrouvé un trait sans le savoir. Montrer cela et soulever un coin du voile de ce que peut être pareil poème, est dans un isolement mon plaisir et ma torture.' (*Mallarmé O.C.*, p. 875.)

The *Grand Œuvre* was never written, although it has been claimed—but fairly conclusively refuted[1]—that *Igitur* and *Un Coup de Dés*...were to have taken their place within it, but till the end of his life, Mallarmé maintained that the great work could be written, even although he came to realize that it was a task beyond his powers:

moi, l'humble qu'une logique éternelle asservit, ô Wagner, je souffre et me reproche, aux minutes marquées par la lassitude, de ne pas faire nombre avec ceux qui, ennuyés de tout afin de trouver le salut définitif, vont droit à l'édifice de ton Art, pour eux le terme du chemin. Il ouvre, cet incontestable portique, en des temps de jubilé qui ne le sont pour aucun peuple, une hospitalité contre l'insuffisance de soi et la médiocrité des patries; il exalte les fervents jusqu'à la certitude: pour eux ce n'est pas l'étape la plus grande jamais ordonnée par un signe humain, qu'ils parcourent avec toi comme conducteur, mais le voyage fini de l'humanité vers un Idéal. Au moins voulant ma part du délice, me permettras-tu de goûter, dans ton Temple, à mi-côte de la montagne sainte, dont le lever de vérités, le plus compréhensif encore, trompette la coupole et invite, à perte de vue du parvis, les gazons que le pas de tes élus foule, un repos: c'est comme l'isolement, pour l'esprit, de notre incohérence qui le pourchasse, autant qu'un abri contre la trop lucide hantise de cette cime menaçante d'absolu, devinée dans le départ des nuées là-haut, fulgurante, nue, seule: au delà et que personne ne semble devoir atteindre. Personne! ce mot n'obsède pas d'un remords le passant en train de boire à ta conviviale fontaine.

'Richard Wagner: Rêverie d'un poète français', 1885, *Mallarmé O.C.*, p. 546

à part les morceaux de prose et les vers de ma jeunesse et la suite, qui y faisait écho, publiée un peu partout, chaque fois que paraissaient les premiers numéros d'une Revue Littéraire, j'ai toujours rêvé et tenté autre chose, avec une patience d'alchimiste, prêt à y sacrifier toute vanité et toute satisfaction, comme on brûlait jadis son mobilier et les poutres de son toit, pour alimenter le fourneau du Grand Œuvre. Quoi? c'est difficile à dire: un livre, tout bonnement, en maints tomes, un livre qui soit un livre, architectural et prémédité, et non un recueil des inspirations de hasard fussent-elles merveilleuses.... J'irai plus loin, je dirai: le Livre, persuadé qu'au fond il n'y en a qu'un, tenté à son insu par quiconque a écrit, même les Génies. L'explication orphique de la Terre, qui est le seul devoir du poète et le jeu littéraire par excellence; car le rythme même du livre, alors

[1] By Gardner Davies in *Vers une Explication Rationnelle du Coup de Dés* (Corti, 1953).

impersonnel et vivant, jusque dans sa pagination, se juxtapose aux équations de ce rêve, ou Ode.

Voilà l'aveu de mon vice, mis à nu, cher ami, que mille fois j'ai rejeté, l'esprit meurtri ou las, mais cela me possède et je réussirai peut-être; non pas à faire cet ouvrage dans son ensemble (il faudrait être je ne sais qui pour cela!) mais à en montrer un fragment d'exécuté, à en faire scintiller par une place l'authenticité glorieuse, en indiquant le reste tout entier auquel ne suffit pas une vie. Prouver par les portions faites que ce livre existe, et que j'ai connu ce que je n'aurai pu accomplir.

Letter to Verlaine, 16 November 1885, Propos, pp. 142–3

Votre étude sur Wagner est pénétrante et définitive: pour ce qui est dit à mon pauvre sujet, j'aurais aimé que cela occupât un très petit coin. Vous faites à force de bonne amitié peser sur mes épaules un peu vieillissantes le magnifique fardeau d'une destinée que j'ai rêvée pour quelqu'un, si ce n'est moi: la vie, la santé qui s'effondre (toujours le vieux mal des nuits), servitudes qui croissent (je ne rentrerai pas au lycée Condorcet), dresse à mes yeux la déception. . . . Letter to E. Dujardin, 20 August 1886, Propos, pp. 146–7

At the very end of his life, Mallarmé surveyed the débris of what he had hoped was going to be his literary monument, and wrote poignantly to his wife and daughter:

Brûlez, par conséquent: il n'y a pas là d'héritage littéraire. Ne soumettez même pas à l'appréciation de quelqu'un ou refusez toute ingérence curieuse ou amicale. Dites qu'on n'y distinguerait rien, c'est vrai, du reste, et vous, mes pauvres prostrées, les deux êtres au monde capables à ce point de respecter toute une vie d'artiste sincère, croyez que ce devait être très beau. . . . Quoted in H. MONDOR: Vie de Mallarmé (Gallimard, 1941), p. 801

3. THE FUNCTION OF POETRY

Though one reason why Mallarmé's lofty ambition was never realized was the exhaustion to which he was reduced by his teaching duties,[1] and another was the very vastness of his project, perhaps the gravest difficulty of all was that the whole enterprise was a betrayal of his poet's vocation: the origin of most poems is an image, a phrase, or a sense of rhythm rather

---

[1] 'A chaque instant, mes plus beaux élans ou de rares inspirations, que je ne retrouve plus, sont interrompus par le hideux travail de pédagogue, et quand je reviens, avec des papiers au derrière et des bonshommes sur mon manteau, je suis si fatigué que je ne peux plus que me reposer.' (Mallarmé: Letter to Cazalis, March 1865, quoted in Mondor: Vie de Mallarmé, p. 160.)

than a creed or a concept; though Mallarmé's view of the Universe was spontaneously felt and not deduced, to express it adequately called for the gifts not of a poet but a metaphysician:

Si tu veux faire des vers et que tu commences par des pensées, tu commences par de la prose. Dans la prose, on peut dresser un plan, et *le suivre!*[1]
VALÉRY: 'Calepin d'un Poète', Valéry O., pp. 1449–50

Though the great work itself was never written, Mallarmé professed faith in the mystic role of poetry throughout his life. He spoke of it with characteristic self-mockery as a 'jeu' but, ideally, it remained for him far more than a means of relieving his feelings or entertaining others. His conception of the poet's function was no less mystical than that of Baudelaire, and as lofty as his project to create the *Grand Œuvre*.[2]

The poet, in Mallarmé's estimation, was 'l'homme chargé de voir divinement' ('Le Livre, Instrument Spirituel', *Mallarmé O.C.*, p. 378), able to perceive the unsuspected links between things and able to create through Art a lovelier, truer world than life itself:

La Nature a lieu, on n'y ajoutera pas; que des cités, les voies ferrées et plusieurs inventions formant notre matériel.

Tout l'acte disponible, à jamais et seulement, reste de saisir les rapports, entre temps, rares ou multipliés; d'après quelque état intérieur et que l'on veuille à son gré étendre, simplifier le monde.

A l'égal de créer: la notion d'un objet, échappant, qui fait défaut....
'La Musique et les Lettres', Mallarmé O.C., p. 647

Tout le mystère est là: établir les identités secrètes par un deux à deux qui ronge et use les objets, au nom d'une centrale pureté.
Letter to Viélé-Griffin, 8 August 1891, Propos, p. 174

Un désir indéniable à mon temps est de séparer comme en vue d'attributions différentes le double état de la parole, brut ou immédiat ici, là essentiel.

Narrer, enseigner, même décrire, cela va et encore qu'à chacun suffirait peut-être, pour échanger la pensée humaine, de prendre ou de mettre dans la main d'autrui en silence une pièce de monnaie, l'emploi élémentaire du discours dessert l'universel reportage dont, la Littérature exceptée, participe tout entre les genres d'écrits contemporains.

---

[1] Cf. Keats: 'It is easier to think what Poetry should be than to write it' (letter to John Taylor, 27 February 1818; *Keats's Letters*, Forman ed., p. 108).
[2] See quotations on pp. 83–6.

A quoi bon la merveille de transposer un fait de nature en sa presque disparition vibratoire selon le jeu de la parole, cependant, si ce n'est pour qu'en émane, sans la gêne d'un proche et concret rappel, la notion pure?

Je dis: une fleur! et, hors de l'oubli où ma voix relègue aucun contour, en tant que quelque chose d'autre que les calices sus, musicalement se lève, idée même et suave, l'absente de tous bouquets.

Au contraire d'une fonction de numéraire facile et représentatif, comme le traite d'abord la foule, le Dire, avant tout, rêve et chant, retrouve chez le poète, par nécessité constitutive d'un art consacré aux fictions, sa virtualité.

'Avant-dire au Traité du Verbe', 1886, *Mallarmé O.C.*, pp. 857–8

At the end of his famous interview with Jules Huret, Mallarmé praised Zola for his ability to evoke the world of everyday, but maintained that literature had functions nobler than that of capturing external reality:

la littérature a quelque chose de plus intellectuel que cela: les choses existent, nous n'avons pas à les créer; nous n'avons qu'à en saisir les rapports; et ce sont les fils de ces rapports qui forment les vers et les orchestres. . . .

Au fond, voyez vous, me dit le maître en me serrant la main, le monde est fait pour aboutir à un beau livre.[1]

'Réponse à une enquête sur l'Evolution Littéraire', *Mallarmé O.C.*, pp. 871–2

Mallarmé's most memorable poetic expression of his views of the poet's function is to be found in *Toast Funèbre*, written to commemorate Gautier's death in 1872: the great poet is he who can recreate in words an ideal world, immaterial and therefore immortal:

> Le Maître, par un œil profond, a, sur ses pas,
> Apaisé de l'éden l'inquiète merveille
> Dont le frisson final, dans sa voix seule, éveille
> Pour la Rose et le Lys le mystère d'un nom.
> Est-il de ce destin rien qui demeure, non?
> O vous tous, oubliez une croyance sombre.
> Le splendide génie éternel n'a pas d'ombre.
> Moi, de votre désir soucieux, je veux voir,

[1] Cf. Baudelaire: 'La Poésie est ce qu'il y a de plus réel, c'est ce qui n'est complètement vrai que dans un *autre monde*.

Ce monde-ci, dictionnaire hiéroglyphique' ('Puisque Réalisme Il y a', *Baudelaire O.C.*, p. 985); and Flaubert: '. . . le monde n'existe vraiment que pour que nous en donnions les images.' ('La Tentation de Saint Antoine', quoted in S. Martino: *Le Naturalisme Français*, p. 47).

A qui s'évanouit, hier, dans le devoir
Idéal que nous font les jardins de cet astre,
Survivre pour l'honneur du tranquille désastre
Une agitation solennelle par l'air
De paroles, pourpre ivre et grand calice clair,
Que, pluie et diamant, le regard diaphane
Resté là sur ces fleurs dont nulle ne se fane,
Isolé parmi l'heure et le rayon du jour![1]

Mallarmé's poetry is unquestionably difficult, but its own inherent diffi-
culties have been exaggerated by the comments made on it not only by
well-intentioned though obtuse critics, but by Mallarmé himself: his
highly unorthodox prose-style, as demonstrated in *La Musique et les
Lettres*,[2] often makes explanations of his aims and motives no less obscure
on an initial reading than his poems themselves.[3]

[1] Cf. Quotation from *Avant-dire au Traité du Verbe*, p. 91. Of *Toast Funèbre*, Mallarmé
wrote to François Coppée, probably at the beginning of 1873: '...Commençant par *O toi qui*
...et finissant par une rime masculine, je veux chanter en rimes plates une des qualités glorieuses
de Gautier: le don mystérieux de voir avec les yeux (ôtez mystérieux). Je chanterai le voyant,
qui, placé dans ce monde, l'a regardé, ce qu'on ne fait pas.' (*Mallarmé O.C.*, p. 1470.) The
central theme of *Toast Funèbre* is, however, that the great artist can win immortality through
his art. He was to reaffirm this in the opening of another of his commemorative poems, *Le
Tombeau d'Edgar Poe:* 'Tel qu'en Lui-même enfin l'éternité le change....' Belief that the
artist could survive through his art had been especially cherished by Gautier himself: he was,
like Webster, 'much possessed by death', and speaking of artists, he wrote:

> Tous nos palais sous eux s'éteignent et s'affaissent;
> Leur âme à la coupole où leur œuvre reluit
> Revole, et ce ne sont que leurs corps qu'ils nous laissent.   *Terza Rima*

[2] One would give much to know what the English audiences really made of this lecture,
delivered at Oxford on 1 March 1894 and, next day, at Cambridge.

[3] So difficult was Mallarmé's work held to be by many of his contemporaries that it was
said that Mallarmé himself could not understand it. A typical apocryphal anecdote tells of
a meeting between Mallarmé and Heredia: Mallarmé is supposed to have handed to Heredia a
copy of *Toast Funèbre* and asked him to explain the words 'J'offre ma coupe vide où souffre un
monstre d'or'. Heredia's suggestion was that this evoked for him a goblet, engraved inside
with a golden monster in the manner of Benvenuto Cellini. At this, Mallarmé is alleged to
have cried 'Que c'est beau! Que c'est émouvant!', thanked Heredia and hurried away.
(Quoted in Mondor: *Vie de Mallarmé*, p. 347.)

Typical *boutades* of Mallarmé about his obscurity are his comment on an early version of
the sonnet later known as *Ses Purs Ongles*, '...le sens, *s'il en a un* [my italics] (mais je me
consolerais du contraire grâce à la dose de poésie qu'il renferme ce me semble) est invoqué par
un mirage interne des mots mêmes...' (*Mallarmé O.C.*, p. 1489), and his asking to be allowed
to rewrite his commemorative sonnet on Verlaine with the words 'Attendez, par pudeur...
que j'y ajoute, du moins, un peu d'obscurité' (*Mallarmé O.C.*, p. 407).

Cf. T. S. Eliot: 'I should not like to tarnish my reputation by giving any member of this
audience cause to complain that I have made my discourse too intelligible.' (*The Three
Voices of Poetry*, Cambridge University Press, p. 9.)

If Mallarmé's poetry had all been composed in strict conformity with the theories outlined in his letters and essays its difficulty would be mainly due to the complexity of the subject-matter:

Obscur se fait nécessairement celui qui ressent très profondément les choses et qui se sent en union intime avec ces choses mêmes. Car la clarté cesse à quelque coudées de la surface.

VALÉRY: Mauvaises Pensées et Autres (Gallimard, 1942), p. 208

But in spite of his preoccupation with his *Grand Œuvre*, or his claims that the poet's function is essentially a mystic one, much of Mallarmé's verse is neither cosmic nor mysterious: half the pages devoted to poetry in the *Pléiade* edition of his complete works are made up of occasional verses, little exercises in the manner of the *Rhétoriqueurs* in which he found ingenious rhymes for his friends' names and addresses to be written on postcards, or as captions for photographs or seasonal gifts; a certain number of the remaining poems are *précieux* sentimental conceits: *Apparition, Le Pitre Châtié, Dame sans trop d'ardeur . . ., O si chère de loin . . ., Quelle soie aux baumes de temps, M'introduire dans ton histoire*; another group evokes scenes, usually interiors, or objects such as a fan, a stained-glass window or a vase: *Sainte, Eventail, Ses Purs Ongles . . ., Tout Orgueil fume-t-il du soir, Surgi de la croupe et du bond, Une dentelle s'abolit.* *Hérodiade* and *L'Après-midi d'un Faune* are miniature dramas produced in Mallarmé's own distinctive manner. There remains the comparatively small but—all scholars are agreed—the most important body of poems in which Mallarmé expressed his views on art and artists: the poems grouped in the *Pléiade* edition under the heading *Hommages et Tombeaux, Toast Funèbre, Prose pour des Esseintes* and *Le Vierge, le Vivace et le Bel Aujourd'hui.*

The difficulty of these poems and, the last group are certainly difficult, results almost wholly from the literary devices Mallarmé adopted in his policy of making his work as obscure as possible. He once claimed that the poet's role was to express the 'sens mystérieux des aspects de l'existence',[1] but he explored neither the darker recesses of the human heart like Baudelaire, nor the complexities of consciousness like Valéry, nor the immensity of the cosmos like the later Hugo. Mallarmé was preoccupied almost exclusively with the mysteries of language, and this gave his poetry both its weakness and its strength: it greatly restricted the range of what he had to say, but at the same time enabled him to say it with a concentration and beauty that few poets have rivalled. [1] In reply to a question from M. Léo d'Orfer, quoted on p. 27.

93

IV. RIMBAUD

The generations might almost be divided into those for whom Rimbaud is merely a 'decadent', those for whom he was the author of some astonishing technical feats, and those for whom his life and work together present a problem of ultimate significance and a spectacle of tragic beauty.

EDGELL RICKWOOD: *The Calendar of Modern Letters*, vol. IV (1927), p. 83

Revenir au texte, à son sens. Lisez Rimbaud. Un passage vous résiste? Prenez votre grammaire et le Littré. . . . Si . . . au mythe d'un écrivain nous préférons sa vérité, procurons des éditions, et les plus minutieuses et les plus critiques du monde; et puis, apprenons à lire; à comprendre le sens des phrases. Pour ridiculiser la fable de Rimbaud, rien ne vaut l'œuvre de Rimbaud. Un jugement de valeur est ici bien plus sûr qu'un jugement de vérité.

ÉTIEMBLE: *Le Mythe de Rimbaud*, Volume II: *Structure du Mythe*, p. 444

I. EARLY ATTITUDES

THE story of Rimbaud's ephemeral poetic career and the motives for his rejecting it, has inspired more conflicting criticism even than Mallarmé's obscurer poems. He has been championed by such opposed groups as the Surrealists, Fascists, Bolsheviks and *bourgeois bienpensants*; he has been hailed as a *voyant*, dismissed as a *voyou*, revered as a prophet, condemned as a pervert, and likened by his various critics to nearly every figure of importance in Western culture from Satan to Saint Theresa, from Faust to St Francis of Assisi. Many of the inventors of these hypotheses seem to overlook the fact that colourful though Rimbaud's life-story might be, the most important thing about it is neither his childhood nor the manner of his death, but the poetry he produced in his teens. Inevitably and regrettably, this poetry has all too often been subjected to cruel distortions in order to fit it to preconceived theories, and only recently have critics begun to call for a return to the text of Rimbaud's work to discover its beauty and true meaning.[1]

---

[1] One of the most outspoken of the 'back-to-the-text' critics is Étiemble, who, in his vast work *Le Mythe de Rimbaud*, has sifted, analysed and pungently dismissed, the whole mass of Rimbaldian mythology. Another is one of the leading British authorities on Rimbaud, Professor C. A. Hackett, who, in his recent monograph enters a caveat about too formalistic

Many of Rimbaud's critics have singled out for special comment and analysis his extreme precociousness, but at the very outset of his brief career his ambitions were not noticeably different from those of any young man with literary aspirations. That he was impatient to see his work in print, and quite prepared to lavish praise on those pundits of the day who might offer him support, can clearly be seen from the letter he wrote to Banville in May 1870 when submitting poems he hoped to see published in a new collection of the *Parnasse Contemporain*:

Cher Maître:

Nous sommes aux mois d'amour; j'ai dix-sept ans. L'âge des espérances et des chimères comme on dit, — et voici que je me suis mis, enfant touché par le doigt de la Muse, — pardon si c'est banal, — à dire mes bonnes croyances, mes espérances, mes sensations, toutes ces choses des poètes, — moi j'appelle cela du printemps.

Que si je vous envoie quelques-uns de ces vers, — et cela en passant par Alph. Lemerre, le bon éditeur, — c'est que j'aime tous les poètes, tous les bons Parnassiens, — puisque le poète est un Parnassien, — épris de la beauté idéale; c'est que j'aime en vous, bien naïvement, un descendant de Ronsard, un frère de nos maîtres de 1830, un vrai romantique, un vrai poète. Voilà pourquoi. — C'est bête, n'est-ce pas, mais enfin?...

Dans deux ans, dans un an peut-être, je serai à Paris.

— Anch'io, messieurs du journal, je serai Parnassien!

— Je ne sais ce que j'ai là...qui veut monter... — Je jure, cher maître, d'adorer toujours les deux déesses, Muse et Liberté.

Ne faites pas trop la moue en lisant ces vers:...Vous me rendriez fou de joie et d'espérance, si vous vouliez, cher Maître, *faire faire* à la pièce *Credo in unam* une petite place entre les Parnassiens...Je viendrais à la dernière série du *Parnasse*: cela ferait le Credo des poëtes!...Ambition! ô Folle! Letter of 24 May 1870,[1] *Rimbaud O.C.*, pp. 255–6

---

an analysis: 'A reaction from a reverential to a more critical attitude has already begun, and there are hopeful signs that the Rimbaud cult is nearing its end. Indeed, the time seems to have come when we can begin to reconsider and revalue the actual work. For this, a knowledge of French grammar and the use of a dictionary, even Littré, are clearly insufficient....Unless we are to go from extremes of emotionalism to extremes of formalism—a purely linguistic analysis—this indispensable 'return to the text' must be accompanied by a sensitive response to the work as a whole, and by an endeavour to assess the experience it embodies....' (*Rimbaud*, Bowes and Bowes, 1957, pp. 11–12.)

[1] Rimbaud misrepresented his age in this letter: at the time of writing it he was only 15 years 7 months.

The poems Rimbaud had submitted were *Sensation, Ophélie* and *Soleil et Chair*, originally entitled *Credo in Unam*. On this last poem, Rimbaud had written a note:

Si ces vers trouvaient place au *Parnasse contemporain?*

— Ne sont-ils pas la foi des poètes?

— Je ne suis pas connu; qu'importe? les poètes sont frères. Ces vers croient; ils aiment; ils espèrent: c'est tout.

— Cher maître, à moi: Levez-moi un peu: je suis jeune: tendez-moi la main.... *Rimbaud O.C.*, pp. 256–7

Less than a year later, with the poem *Ce qu'on dit au Poète à propos de fleurs*, Rimbaud mocked the Parnassians he had begun by praising so warmly, but this should be seen as an indication of the rapid development of his taste and outlook rather than of calculating duplicity in his original letter or—since the poems were not accepted—of wounded vanity.

During the year which elapsed between his writing to Banville and the dispatch of the two famous '*Voyant*' letters, Rimbaud's views on life and literature underwent a radical change. In this period he left the school where he had been a brilliant pupil, he ran away from home three times—Verlaine was later to call him 'l'homme aux semelles de vent'—witnessed the Prussian occupation of his home-town, and read widely and unsystematically through a large number of books, including the works of certain Cabbalistic writers, although scholars are not agreed how closely he was able to study these or precisely what influence they have left on his poetry.

The first 'voyant' letter was sent to Rimbaud's former schoolmaster, Georges Izambard:

Vous revoilà professeur. On se doit à la Société, m'avez-vous dit; vous faites partie des corps enseignants: vous roulez dans la bonne ornière. — Moi aussi, je suis le principe: je me fais cyniquement *entretenir*; je déterre d'anciens imbéciles de collège: tout ce que je puis inventer de bête, de sale, de mauvais, en action et en paroles, je leur livre: On me paie en bocks et en filles.[1] *Stat mater dolorosa, dum pendet filius.* — Je me dois à la Société, c'est juste, — et j'ai raison. — Vous aussi, vous avez raison, pour aujourd'-hui. Au fond, vous ne voyez en votre principe que poésie subjective: votre obstination à regagner le ratelier universitaire — pardon! — le prouve. Mais vous finirez toujours comme un satisfait qui n'a rien fait, n'ayant rien

---

[1] *Filles*: a synonym for 'chopine', a measure of drink equivalent to about half a litre.

voulu faire. Sans compter que votre poésie subjective sera toujours horriblement fadasse. Un jour, j'espère, — bien d'autres espèrent la même chose, — je verrai dans votre principe la poésie objective, — je la verrai plus sincèrement que vous ne le feriez![1] — Je serai un travailleur: c'est l'idée qui me retient quand les colères folles me poussent vers la bataille de Paris, où tant de travailleurs meurent pourtant encore tandis que je vous écris! Travailler maintenant, jamais, jamais; je suis en grève.

Maintenant, je m'encrapule le plus possible.[2] Pourquoi? Je veux être poète, et je travaille à me rendre voyant: vous ne comprendrez pas du tout, et je ne saurais presque vous expliquer. Il s'agit d'arriver à l'inconnu par le dérèglement de *tous les sens*. Les souffrances sont énormes, mais il faut être fort, être né poète, et je me suis reconnu poète. Ce n'est pas du tout ma faute. C'est faux de dire: Je pense. On devrait dire: On me pense. Pardon du jeu de mots.[3]

Je est un autre. Tant pis pour le bois qui se trouve violon, et nargue aux inconscients qui ergotent sur ce qu'ils ignorent tout à fait!...

Letter of 13 May 1871, Rimbaud O.C., pp. 267–8

There is a striking difference in tone and content between the Banville and the *voyant* letters: Rimbaud no longer humbly asks for favours, he makes arrogant assertions; instead of seeking kinship with any existing School of poetry, Rimbaud now insists that other poets should learn to conform with *his* conception of poetry, the only true one, forgotten since the time of the Greeks when the Oracle was a mouthpiece for divine utterances.

[1] Cf. Lautréamont: 'La poésie personnelle a fait son temps de jongleries relatives et de contorsions contingentes. Reprenons le fil indestructible de la poésie impersonnelle, brusquement interrompu depuis la naissance du philosophe manqué de Ferney, depuis l'avortement du grand Voltaire.' (*Préface à un Livre Futur.*)

[2] Rimbaud's claim that debauchery was a necessary prelude to the *voyant* state may be contrasted with the views of Ronsard: 'Or, pource que les Muses ne veullent loger en une ame si elle n'est bonne, saincte, et vertueuse, tu seras de bonne nature, non meschant, renfrongné, ne chagrin; mais animé d'un gentil esprit, ne laisseras rien entrer en ton entendement qui ne soit sur-humain et divin. Tu auras en premier lieu les conceptions hautes, grandes, belles et non trainantes à terre.' ('Abrégé de l'Art Poétique François', quoted in Charpier and Seghers, *op. cit.* p. 101.)

Or

Jamais les Dieux qui sont bons
Ne respandent leurs saints dons
Dans une âme vicieuse... (*Ode à Michel de l'Hospital*)

Cf. also Augustine Birrell on Milton: 'A poet's soul must contain the perfect shape of all things, good, wise and just. His body must be spotless and without blemish, his life pure, his thoughts high, his studies intense,' (*Obiter Dicta*, 2nd series.)

[3] Play on the words 'penser' and 'panser'. Rimbaud may well have been thinking of an extended use of the latter verb, not the more common 'to dress, or rub down a horse', but 'to feed an animal'.

One senses that the coarse banter and bitter invective of his letter to Izambard springs from Rimbaud's realization that adult reality can never rival, and in fact actively menaces, his childhood dreams. The themes and the tone of his poetry of this period reveal a growing disillusionment with the world about him: his own mother can never understand him (*Les Poètes de Sept Ans*); he can find no woman able or willing to love him as he wants (*Les Reparties de Nina, Roman, Les Sœurs de Charité*); he disgustedly turns away from the bourgeois world because of its cupidity and ugliness (*Les Assis*), and rejects the squalid consolations of provincial Christianity (*Accroupissements, Les Premières Communions, Les Pauvres à l'Église*). It is not surprising that, embittered by his experience of reality, and inspired by the lessons taught in the Cabbalistic literature he had been studying, Rimbaud should turn to *voyance* as the supreme consolation for his disappointments and the shortest and surest way to knowledge and power.

Rimbaud's second 'voyant' letter, written on 15 May 1871 and sent to his friend Paul Demeny, was a much longer, though no more coherent version of the letter to Izambard: as well as a much fuller account of his plans to revolutionize poetry, it included a series of typically adolescent judgments, sweeping and arrogant, on a large number of poets with whose work he was clearly only superficially acquainted (see pp. 6–8); Rimbaud also enclosed three satirical poems, *Chant de Guerre, Mes Petites Amoureuses* and *Accroupissements*, which he offered as examples of his newly discovered manner.[1]

Rimbaud claimed that there were depths of the human consciousness which had never been plumbed, and that his aim was complete self-knowledge, however painful the means or terrifying the end might be:

La première étude de l'homme qui veut être poète est sa propre connaissance, entière. Il cherche son âme, il l'inspecte, il la tente, l'apprend. Dès qu'il la sait, il doit la cultiver! Cela semble simple: en tout cerveau s'accomplit un développement naturel: tant d'*égoïstes* se proclament auteurs; il en est bien d'autres qui s'attribuent leur progrès intellectuel! — Mais il s'agit de faire l'âme monstrueuse: à l'instar des comprachicos,[2] quoi! Imaginez un homme s'implantant et se cultivant des verrues sur le visage.

---

[1] The latter began 'J'ai résolu de vous donner une heure de littérature nouvelle...' (*Rimbaud O.C.*, p. 269).

[2] *Comprachicos*: men who bought children and turned them into circus freaks.

Je dis qu'il faut être *voyant*, se faire *voyant*.

Le Poète se fait *voyant* par un long, immense et raisonné *dérèglement de tous les sens*. Toutes les formes d'amour, de souffrance, de folie; il cherche lui-même, il épuise en lui tous les poisons pour n'en garder que les quintessences. Ineffable torture où il a besoin de toute la foi, de toute la force surhumaine, où il devient entre tous le grand malade, le grand criminel, le grand maudit, — et le suprême Savant! — Car il arrive à *l'inconnu*! Puisqu'il a cultivé son âme, déjà riche, plus qu'aucun! Il arrive à l'inconnu, et quand, affolé, il finirait par perdre l'intelligence de ses visions, il les a vues! Qu'il crève dans son bondissement par les choses inouïes et innombrables: viendront d'autres horribles travailleurs; ils commenceront par les horizons où l'autre s'est affaissé!

Donc ce poète est vraiment voleur de feu.

Rimbaud went on to proclaim that once the poet had attained the unknown through every conceivable form of sensual excess, he would be rewarded not only by a much deeper understanding of himself, but of everything in the world about him. His role would then be to express his discoveries in a new language, and to offer the chance of an infinitely richer existence to all his fellow-creatures, not only men and subjugated women, but even, like Orpheus, to animals:

Il est chargé de l'humanité, des *animaux* même; il devra faire sentir, palper, écouter ses inventions; si ce qu'il rapporte de *là-bas* a forme, il donne forme; si c'est informe, il donne de l'informe. Trouver une langue; — Du reste, toute parole étant idée, le temps d'un langage universel viendra! Il faut être académicien — plus mort qu'un fossile — pour parfaire un dictionnaire, de quelque langue que ce soit. Des faibles se mettraient à *penser* sur la première lettre de l'alphabet, qui pourraient vite ruer dans la folie!

Cette langue sera de l'âme pour l'âme, résumant tout, parfums, sons, couleurs, de la pensée accrochant la pensée et tirant. Le poète définirait la quantité d'inconnu s'éveillant en son temps dans l'âme universelle: il donnerait plus — que la formule de sa pensée, que l'annotation de *sa marche au Progrès!* Enormité devenant norme, absorbée par tous, il serait vraiment *un multiplicateur de progrès!*

Cet avenir sera matérialiste, vous le voyez. — Toujours pleins du *Nombre* et de l'*Harmonie*, ces poèmes seront faits pour rester. — Au fond, ce serait un peu la Poésie grecque.

L'art éternel aurait ses fonctions, comme les poètes sont citoyens. La Poésie ne rythmera plus l'action; elle *sera en avant*.

Ces poètes seront! Quand sera brisé l'infini servage de la femme, quand elle vivra pour elle et par elle, l'homme, — jusqu'ici abominable, — lui ayant donné son renvoi, elle sera poète, elle aussi! La femme trouvera de l'inconnu! Ses mondes d'idées différeront-ils des nôtres? — Elle trouvera des choses étranges, insondables, repoussantes, délicieuses; nous les prendrons, nous les comprendrons.

En attendant, demandons au *poète* du *nouveau* — idées et formes. Tous les habiles croiraient bientôt avoir satisfait à cette demande: — ce n'est pas cela! *Rimbaud O.C.*, pp. 270–2

The letter to Demeny bears all the marks of the literary adolescent: not only the impatience to impose his view on the world, and the too hasty scorn for anything falling short of his own high ideals, but the mass of ideas derived from a wide variety of authors, not wholly melted down and fused to form a new whole. Like Baudelaire's *Correspondances*, in fact, Rimbaud's *voyant* programme is a 'curious and fascinating amalgam... drawing from multifarious elements in the soil and atmosphere of its background' (P. Mansell Jones, *op. cit.* p. 19): the term *voyant* was common currency with a number of nineteenth-century authors; Balzac called Louis Lambert 'un vrai voyant' and used the term several times in *Séraphita*; Gautier, speaking of Balzac's powers of observation, said, 'Quoique cela semble singulier à dire en plein dix-neuvième siècle, Balzac fut un *voyant*' ('Balzac' in *Souvenirs Romantiques*); Mallarmé praised Gautier in almost identical terms (see quotation on p. 92); Rimbaud's reference to 'sons, parfums et couleurs' is a direct echo of Baudelaire's *Correspondances*, while the effort to reach 'l'inconnu' awakens memories of the end of *Le Voyage*; the claim that 'le poète est vraiment voleur de feu' has obvious affinities with Hugo's Promethean *Ibo*:

> L'homme en cette époque agitée,
> Sombre océan,
> Doit faire comme Prométhée
> Et comme Adam.

> Il doit ravir au ciel austère
> L'éternel feu;
> Conquérir son propre mystère,
> Et voler Dieu.

while from his Illuminist reading and possibly from the disciples of Saint-Simon, Rimbaud derived his ideas of social progress, his dreams of effecting a revolution in metaphysical thought and the looking forward to the effects of releasing women from social bondage. Cf. Eliphas Lévi: 'Le verbe s'est fait homme, mais c'est quand il se sera fait *femme* que la monde sera sauvé' (*Histoire de la Magie*, quoted in C. E. Magny, *Rimbaud*, Seghers, 1949, p. 18), and cf. Enfantin: 'As long as woman is not seated in the front rank of the hierarchy and has not spoken, we must still remain in doubt and uncertainty.... The faith which will establish the complete equality of men and women cannot be revealed by man alone.' (*Œuvres*, vol. II, p. 330, quoted in Starkie, *Pétrus Borel*, p. 50.)

If it had been more widely recognized that the *voyant* letters drew all their sustenance from the atmosphere of Rimbaud's times, and did not spring fully armed from his youthful mind,[1] we might have been spared many an otiose study explaining him as agent of God or Devil. That Rimbaud himself was conscious of how much he owed to other authors might be judged from the following words attributed to him by his friend Delahaye, and expressing another longing of the literary adolescent, the wish to be at all costs original:

Quel travail! Tout à démolir, tout à effacer dans ma tête! Ah! il est heureux, l'enfant abandonné au coin d'une borne, élevé au hasard, parvenant à l'âge d'homme sans aucune idée inculquée par des maîtres ou par une famille; neuf, net, sans principes, sans notions — puisque tout ce qu'on nous enseigne est farce! — et libre, libre de tout!

Said to have been spoken at Charleville in 1870, Rimbaud O.C., p. xxiv

In his somewhat disparaging study *Rimbaud ou le génie impatient* (Gallimard, 1955), M. Henri Mondor suggests that one of the main reasons why Rimbaud gave up writing poetry was that he had become all too conscious of the traces of other authors' work even in his most original poetry. He claims that it should ultimately be possible for scholars to prove that there is not a stanza of *Bateau Ivre* which is not a reminiscence of the works of others. Doctor Enid Starkie, in her comprehensive study of Rimbaud's career *Arthur Rimbaud* (Hamish Hamilton, 1947), pp. 138–47, suggests as probable sources of *Bateau Ivre*, Figuier's *Ocean World*, Michelet's *La Mer*, Jules Verne's *Twenty Thousand Leagues*

[1] Cf. Mallarmé: 'Eclat, lui, d'un météore, allumé sans motif autre que sa présence, issu seu et s'éteignant' (April 1896, *Propos*, p. 200).

under the Sea, Poe's *Gordon Pym* and his *Descent into the Maelstrom*. Professor C. A. Hackett, in an interesting article in the *Revue des Sciences Humaines* (special number *Autour du Symbolisme*, 1955, 'Rimbaud et Balzac', pp. 263–6), shows how certain words and phrases even of the highly personal *Nuit de l'Enfer* in *Une Saison en Enfer* are remarkably reminiscent of the concluding pages of Balzac's *Le Père Goriot*.

In his poetry, however, as in *Les Illuminations* and *Une Saison en Enfer*, Rimbaud has harmoniously blended his experiences of life and literature, and the very fact that they are practically indistinguishable adds greatly to their incantatory power and makes the exegetist's task particularly difficult.

2. LATER DEVELOPMENT

Shortly after writing the *Voyant* letters—the exact date of composition is not known—Rimbaud wrote his most famous sonnet, *Voyelles*, which can be seen as an attempt to realize the ambition he had expressed in his letter to Demeny, of creating a new language which would be 'de l'âme pour l'âme, résumant tout, parfums, sons, couleurs, de la pensée accrochant la pensée et tirant':

> A noir, E blanc, I rouge, V vert, O bleu: voyelles,
> Je dirai quelque jour vos naissances latentes:
> A, noir corset velu des mouches éclatantes
> Qui bombinent autour des puanteurs cruelles.
>
> Golfes d'ombre; E, candeurs des vapeurs et des tentes,
> Lances des glaciers fiers, rois blancs, frissons d'ombelles;
> I, pourpres, sang craché, rire des lèvres belles
> Dans la colère ou les ivresses pénitentes;
>
> U, cycles, vibrements divins des mers virides,
> Paix des pâtés semés d'animaux, paix des rides
> Que l'alchimie imprime aux grands fronts studieux;
>
> O suprême Clairon plein des strideurs étranges,
> Silences traversés des Mondes et des Anges:
> — O l'Oméga, rayon violet de ses yeux.   *Rimbaud O.C.*, p. 103

The first line of this sonnet has inspired so many extravagant flights of critical fancy that one is tempted to place above it, as a precautionary epigraph for future critics, a quotation from Rimbaud's letter to Demeny: 'Des faibles se mettraient à penser sur la première lettre de l'alphabet, qui pourraient vite ruer dans la folie!' René Ghil attributed colour values to the whole alphabet with his elaborate theory of *audition colorée* in which the expressive value of each letter was proclaimed once for all; M. J. Gengoux claims that the *Voyelles* sonnet is nothing less than the key to the whole of Rimbaud's work, even that written before the poem was conceived, and demonstrated in his doctoral thesis that everything Rimbaud wrote can be resolved into a mysterious 'five-term colour dialectic'.[1]

Other critics have produced a variety of ingenious hypotheses to explain Rimbaud's choice of colours and images, not content with Verlaine's simple view that Rimbaud 'se foutait pas mal si A était rouge ou vert. Il le voyait comme ça, mais c'est tout...'.[2] It has been claimed as proof of Rimbaud's knowledge of alchemy because the word 'alchimie' is quoted in the eleventh line, and because the five colours are seemingly listed in the sequence observable when base metal is transmuted to philosopher's gold;[3] it has been explained as a series of reminiscences of the coloured ABC manuals Rimbaud is presumed to have read in childhood;[4] it has been suggested that the images were found before the colours, as Rimbaud turned the pages of his dictionary and looked at the words grouped in each vowel-section.[5]

Each of these hypotheses is based on the postulate that Rimbaud can be presumed to have had access to a certain type of book. Plausibility is all that a Rimbaud source-hunter can reasonably hope to achieve, and certainly all these theories are plausible, and, since it is quite possible for the *Voyelles* sonnet to have more than one layer of meaning, to favour any one theory is not necessarily to reject the others. A more profitable line of approach is that recently followed by Dr C. Chadwick,[6] who considers the first line of the *Voyelles* sonnet as a deliberate attempt by Rimbaud to

[1] *Le Symbolisme de Rimbaud* (Nizet, 1950). For other curious theories inspired by the *Voyelles* sonnet, see the notes in the *Pléiade* edition of Rimbaud's complete works, pp. 679–82. See also Étiemble, 'Rimbaud-les-Voyelles', ch. III in *Le Mythe de Rimbaud*, vol. II, *La Structure du Mythe*.

[2] Reported by Pierre Louÿs in the review *Vers et Prose* (1910); quoted in *Rimbaud O.C.*, p. 682.

[3] See Starkie, *op. cit.* pp. 130–5.

[4] See H. Héraut, 'Du Nouveau sur Rimbaud', *Nouvelle Revue Française* (1 October 1954), pp. 602–8.

[5] See Professor J. B. Barrère, 'Rimbaud, l'Apprenti Sorcier', *Revue d'Histoire Littéraire de la France* (January–March, 1956), pp. 50–64.

[6] See 'Rimbaud le Poète', *Revue d'Histoire Littéraire de la France* (April–June 1957), pp. 204–11.

surpass Baudelaire's *Correspondances*[1] and, at the same time, the solving of a strictly technical problem: the construction of an impeccable alexandrine containing the maximum of vivid colour-contrasts. Having had his colours chosen for him as much by the dictates of euphony as by personal preference, Rimbaud proceeded to suggest through imagery the mood colour evoked in him; black, thoughts of death; white, icy purity; red, anger and passion; green, peace and calm; blue, the infinity of space.[2]

In spite of its ability to generate critical heat, the *Voyelles* sonnet does not impress everybody as being one of Rimbaud's most successful incantations. Like *El Desdichado*, its parts can be dismantled and connected with events and preoccupations in the author's own life,[3] but it lacks the haunting quality of Gérard de Nerval's poem—a quality that Rimbaud was himself to reveal in his *Chanson de la plus haute tour*, *Eternité*, *O Saisons, ô châteaux* and again and again in *Les Illuminations*.[4]

All these poems were written in Rimbaud's most triumphant year, 1872, when through his encounter with Verlaine he experienced in full measure that *dérèglement de tous les sens* which he had held to be the essential prelude to the visionary state. For a brief and brilliant while, master of the words he required to capture and immortalize his hallucinations, scenes of childhood, fleeting impressions of all he had read and seen, Rimbaud could delude himself that he was indeed a master magician, *Le Suprême Savant!*

Je suis un inventeur bien autrement méritant que tous ceux qui m'ont précédé; un musicien même, qui ai trouvé quelque chose comme la clef de l'amour....   'Vies II', 'Les Illuminations', *Rimbaud O.C.*, p. 182

Je vais dévoiler tous les mystères: mystères, religieux ou naturels, mort, naissance, avenir, passé, cosmogonie, néant. Je suis maître en fantas-magories.

  Ecouter!...

---

[1] Laforgue called Rimbaud a 'fleur hâtive et absolue sans avant ni après...le seul *isomère* de Baudelaire' (*Mélanges Posthumes*). It will be remembered that Rimbaud, while condemning nearly all the world's poets, praised Baudelaire as 'le premier voyant, roi des poètes, *un vrai Dieu*' (*Rimbaud O.C.*, p. 273).

[2] For Mallarmé space, infinity and the Absolute were evoked by *l'azur*.

[3] It has been claimed, for example, that the final line of *Voyelles* is a reference to Rimbaud's mother.

[4] For example, *Après le Déluge*, *Enfance*, *Aube*, *Mystique* and *Phrases*.

J'ai tous les talents! — Il n'y a personne ici et il y a quelqu'un: je ne voudrais pas répandre mon trésor. — Veut-on des chants nègres, des danses de houris? Veut-on que je disparaisse, que je plonge à la recherche de *l'anneau*? Veut-on? Je ferai de l'or, des remèdes.

'Nuit de l'Enfer', 'Une Saison en Enfer', *Rimbaud O.C.*, p. 227

But very soon afterwards, he looked back on his literary endeavours and all his dreams of fame and power, and mocked himself for his pretensions:

A moi. L'histoire d'une de mes folies.

Depuis longtemps, je me vantais de posséder tous les paysages possibles, et trouvais dérisoires les célébrités de la peinture et de la poésie moderne.

J'aimais les peintures idiotes, dessus de portes, décors, toiles de saltimbanques, enseignes, enluminures populaires; la littérature démodée, latin d'église, livres érotiques sans orthographe, romans de nos aïeules, contes de fées, petits livres de l'enfance, opéras vieux, refrains niais, rythmes naïfs.

Je rêvais croisades, voyages dont on n'a pas de relations, républiques sans histoires, guerres de religion étouffées, révolutions de mœurs, déplacements de races et de continents: je croyais à tous les enchantements.

J'inventai la couleur des voyelles! — A noir, E blanc, I rouge, O bleu, U vert. — Je réglai la forme et le mouvement de chaque consonne, et, avec des rythmes instinctifs, je me flattai d'inventer un verbe poétique accessible, un jour ou l'autre, à tous les sens. Je réservais la traduction.

Ce fut d'abord une étude. J'écrivais des silences, des nuits, je notais l'inexprimable. Je fixais des vertiges....

...La vieillerie poétique avait une bonne part dans mon alchimie du verbe.

Je m'habituai à l'hallucination simple: je voyais très franchement une mosquée à la place d'une usine, une école de tambours faite par des anges, des calèches sur les routes du ciel, un salon au fond d'un lac; les monstres, les mystères; un titre de vaudeville dressait des épouvantes devant moi.

Puis j'expliquai mes sophismes magiques avec l'hallucination des mots!

'Alchimie du Verbe', 'Une Saison en Enfer', *Rimbaud O.C.*, pp. 232–4 *passim*

His dreams of returning to childhood through poetry, and of winning for himself powers denied ordinary men, proved as illusory as the happiness he seemed to have found with Verlaine, who was dismissed as contemptuously in *Délires I*[1] as poetry was rejected in *Délires II*. In spite of

[1] Verlaine speaks throughout this chapter of *Une Saison en Enfer* as *La Vierge Folle*.

the visions Rimbaud had seen, the world was still the same, hostile or indifferent to his aspirations:

> Oh! mes amis! — Mon cœur, c'est sûr, ils sont des frères:
> Noirs inconnus, si nous allions! Allons! Allons!
> O malheur! je me sens frémir, la vieille terre,
> Sur moi de plus en plus à vous! la terre fond.
>
> 'Ce n'est rien: j'y suis; j'y suis toujours', *Rimbaud O.C.*, p. 124

Quelquefois je vois au ciel des plages sans fin couvertes de blanches nations en joie. Un grand vaisseau d'or, au-dessus de moi, agite ses pavillons multicolores sous les brises du matin. J'ai créé toutes les fêtes, tous les triomphes, tous les drames. J'ai essayé d'inventer de nouvelles fleurs, de nouveaux astres, de nouvelles chairs, de nouvelles langues. J'ai cru acquérir des pouvoirs surnaturels. Eh bien! je dois enterrer mon imagination et mes souvenirs! Une belle gloire d'artiste et de conteur emportée!

Moi! moi qui me suis dit mage ou ange, dispensé de toute morale, je suis rendu au sol avec un devoir à chercher, et la réalité rugueuse à étreindre! Paysan!

Suis-je trompé? la charité serait-elle sœur de la mort, pour moi?

Enfin, je demanderai pardon pour m'être nourri de mensonge. Et allons.

Mais pas une main amie! et où puiser le secours?

> 'Adieu', 'Une Saison en Enfer', *Rimbaud O.C.*, p. 243

Mallarmé recognized at the end of his life that he had failed to attain *his* poetic ideal, but whereas he remained passionately devoted to poetry to the very last, Rimbaud, embittered by failure, turned away in disgust from everything in his past life, most of all from poetry:

> Je hais maintenant les élans mystiques et les bizarreries de style.
> Maintenant je puis dire que l'art est une sottise.
>
> Unpublished fragment of 'Une Saison en Enfer', *Rimbaud O.C.*, p. 251.

It used to be generally accepted that Rimbaud bade his irrevocable farewell to literature with the conclusion of *Une Saison en Enfer*, but M. Henri Bouillane de Lacoste's book, *Rimbaud et le problème des Illuminations* (Mercure de France, 1949), propounded the theory that Rimbaud's final work was, in fact, *Les Illuminations*.

His case is founded mainly on a study of Rimbaud's handwriting, and on a few minor points, such as the fact that *Jeunesse III* is subtitled *Vingt Ans*,[1] and a small number of alleged borrowings from Flaubert's *Tentation de Saint Antoine*, not available in book form till April 1874. It had always been assumed that *Les Illuminations* were composed before April 1873, when Rimbaud is definitely known to have written *Une Saison en Enfer*: Verlaine, one of M. Bouillane de Lacoste's witnesses, and not a conspicuously reliable one,[2] later maintained that *Les Illuminations* were composed between 1873 and 1875.

In an admirably fair article published in *French Studies* (July 1955), pp. 312–25, Dr C. Chadwick throws into question all the evidence amassed to prove that *Les Illuminations* was the last-written of Rimbaud's works, showing also that there are unmistakable reminiscences of *Les Illuminations* in *Une Saison en Enfer*, and verifiable references to contemporary events in *Les Illuminations* which should enable us to date them accurately. Two other Rimbaud scholars, A. Adam and A. de Graaf, have subsequently argued that there is reason to suppose that some, at least, of the *Illuminations* were written after Rimbaud's supposed farewell to literature, and that in certain of the *Villes*, for example, there are undeniably references to places Rimbaud did not visit till the period 1874–8. But it seems impossible for any two Rimbaud scholars to agree on every point of detail: while M. de Graaf suggests the International Exhibition held in Paris in 1878 as the subject of *Villes I*: 'Des chalets de cristal et de bois qui se meuvent sur des rails et des poulies invisibles...',[3] M. Adam argues just as plausibly that it must be a reference to a Swiss funicular at le Righi.[4]

Grammatici certant et adhuc sub iudice lis est.

Until irrefutably conclusive evidence comes to light, certain scholars will continue to argue, more concerned with dating *Les Illuminations* than evaluating them. In spite of the arguments brought forward to support the view that these were written after Rimbaud had renounced literature, *Une Saison en Enfer*—with the summary of all his artistic endeavours (*Alchimie du Verbe*), and the air of resignation, not to mention the title, of *Adieu—Une Saison en Enfer* still demands to be placed at the end of his poetic career. The handwriting evidence can quickly be disposed of; as for the travel-notes supposedly transcribed in *Villes*, one is bound to reply

---

[1] The letter to Banville, p. 35, shows how little reliability may be placed on Rimbaud's references to his own age.   [2] See pp. 16–17.

[3] See *Revue des Sciences Humaines*, Special number *Autour du Symbolisme* (1955), pp. 267–70.

[4] See *Revue des Sciences Humaines* (December 1950), pp. 221–45.

that Rimbaud wrote *Bateau Ivre* before he had ever seen the sea, that literature probably supplied him with more reminiscences than life, and that until the diverse sources of his raw material are known, Rimbaud will still be able to utter his proud challenge, 'J'ai seul la clef de cette parade sauvage'.

V. CLAUDEL

Jadis j'ai connu la passion, mais maintenant je n'ai plus que celle de la patience et du désir.

De connaître Dieu dans sa fixité et d'acquérir la vérité par l'attention et chaque chose qui est toutes les autres en la recréant avec son nom intelligible dans ma pensée. CLAUDEL: 'La Maison Fermée', 'Cinq Grandes Odes', *Claudel O.P.*, p. 280

CLAUDEL's views on the poet's role may probably be best appreciated by connecting and comparing them with those of Baudelaire, Mallarmé and Rimbaud.

In 1886, having been for some time oppressed by what seemed to him the stifling materialism of his day, he read *Les Illuminations* and *Une Saison en Enfer*:

Pour la première fois, ces livres ouvraient une fissure dans mon bagne matérialiste et me donnaient l'impression vivante et presque physique du surnaturel. 'Ma Conversion', *Revue de la Jeunesse* (10 October 1913)

An even more vivid revelation of the supernatural was vouchsafed him on Christmas Day of the same year, when at Vespers in Notre-Dame de Paris, he suddenly 'believed'. It was not, however, for another year that he was able to convince himself of the intellectual as well as the emotional truth of Catholicism, but after his second communion in 1890 he denounced with ever-increasing vigour all he held responsible for the spiritual gloom of his youth.

The nineteenth century, in particular, inspired his most spirited invective:

Soyez béni, mon Dieu, qui m'avez délivré des idoles,

Et qui faites que je n'adore que Vous seul, et non point Isis et Osiris,

Ou la Justice, ou le Progrès, ou la Vérité, ou la Divinité, ou l'Humanité, ou les Lois de la Nature, ou l'Art, ou la Beauté.

Et qui n'avez pas permis d'exister à toutes ces choses qui ne sont pas, ou le Vide laissé par votre absence.

Comme le sauvage qui se bâtit une pirogue et qui de cette planche en trop fabrique Apollon,

Ainsi tous ces parleurs de paroles du surplus de leurs adjectifs se sont fait des monstres sans substance,

Plus creux que Moloch, mangeurs de petits enfants, plus cruels et plus hideux que Moloch,

Ils ont un son et point de voix, un nom et il n'y a point de personne,

Et l'esprit immonde est là, qui remplit les lieux déserts et toutes les choses vacantes.

Seigneur, vous m'avez délivré des livres et des Idées, des Idoles et de leurs prêtres....   'Magnificat', 'Cinq Grandes Odes', *Claudel O.P.*, p. 251

Restez avec moi, Seigneur, parce que le soir approche et ne m'abandonnez pas!

Ne me perdez point avec les Voltaire, et les Renan, et les Michelet, et les Hugo, et tous les autres infâmes!

Leur âme est avec les chiens morts, leurs livres sont joints au fumier.

Ils sont morts, et leur nom même après leur mort est un poison et une pourriture....[1]   *Ibid.* p. 261

Though Claudel professed admiration for Baudelaire as an artist, and valued Mallarmé's friendship, he deplored their spiritual despair. In answer to Mallarmé's description of modern poets as 'nous autres malheureux que la terre dégoûte, et qui n'avons que le Rêve pour réfuge' (see p. 38), Claudel declared

Je sais que je suis ici avec Dieu et chaque matin je rouvre mes yeux dans le Paradis.   'La Maison Fermée', 'Cinq Grandes Odes', *Claudel O.P.*, p. 280

l'aventure d'Igitur est terminée et avec la sienne celle de tout le xixᵉ siècle. Nous sommes sortis de ce fatal engourdissement, de cette attitude écrasée de l'esprit devant la matière, de cette fascination de la quantité. Nous savons que nous sommes faits pour dominer le monde et non pas le monde pour nous dominer. Le soleil est revenu au ciel, nous avons arraché les rideaux et nous avons envoyé par la fenêtre l'ameublement capitonné, les

---

[1] See also *Réflexions et Propositions sur le vers français*, quoted on pp. 43–4.

Cf. Romain Rolland: 'L'air est lourd autour de nous. La vieille Europe s'engourdit dans une atmosphère pesante et viciée. Un matérialisme sans grandeur pèse sur la pensée....Le monde meurt d'asphyxie dans son égoïsme prudent et vil. Le monde étouffe. Rouvrons les fenêtres! Faisons rentrer l'air libre! Respirons le souffle des héros....' (1908 Preface to *Vie de Beethoven*, Hachette, 1953, p. v.)

bibelots de bazar et le 'pallide buste de Pallas'. Nous savons que le monde
est en effet un texte et qu'il nous parle, humblement et joyeusement, de sa
propre absence, mais aussi de la présence éternelle de quelqu'un d'autre, à
savoir son Créateur. Non pas seulement l'écriture, mais le scripteur, non
pas seulement la lettre morte, mais l'esprit vivant, et non pas un grimoire
magique, mais le Verbe en qui toutes choses ont été proférées. Dieu! Nous
savons par *l'Ecriture* — l'Ecriture par excellence, celle-là! la Sainte
Ecriture — que *nous sommes un certain commencement de la créature*, que
nous voyons toutes choses en énigme et comme dans un miroir (le miroir
d'Igitur précisément), que *le monde est un livre écrit au dedans et au dehors*
(ce livre dont Igitur cherchait à établir un fac-similé), et *que les choses
visibles sont faites pour nous amener à la connaissance des choses invisibles.*
Avec quelle attention ne devons-nous donc pas, non seulement les regarder,
mais les étudier et les questionner, et comme il faut remercier la philosophie et la science d'avoir mis pour cela à notre disposition tant d'instruments admirables! Rien ne nous empêche plus de continuer, avec des
moyens multipliés à l'infini, une main sur le Livre des Livres et l'autre
sur l'Univers, la grande enquête symbolique qui fut pendant douze
siècles l'occupation des Pères de la Foi et de l'Art.

'La Catastrophe d'Igitur', *Pos.*, pp. 205–7

He denounced Baudelaire's longing to escape 'anywhere out of the
world':

L'objet de la poésie, ce n'est donc pas, comme on le dit souvent, les rêves,
les illusions ou les idées. C'est cette sainte réalité, donnée une fois pour
toutes, au centre de laquelle nous sommes placés. C'est l'univers des
choses visibles auquel la Foi ajoute celui des choses invisibles. C'est tout
cela qui nous regarde et que nous regardons. Tout cela est l'œuvre de
Dieu, qui fait la matière inépuisable des récits et des chants du plus grand
poète comme du plus pauvre petit oiseau. Et de même que la *philosophia
perennis* n'invente pas, à la manière des grands romans fabriqués par les
Spinoza ou les Leibnitz, des êtres abstraits que nul n'avait vus avant leurs
auteurs, mais qu'elle se contente des termes fournis par la réalité, qu'elle
reprend le rudiment des écoliers et tire de la définition du substantif, de
l'adjectif et du verbe, la nomination de toutes les choses qui nous en-
tourent, de même il y a une *poësis perennis* qui n'invente pas ses thèmes,
mais qui reprend éternellement ceux que la Création lui fournit, à la
manière de notre liturgie, dont on ne se lasse pas plus que du spectacle des

saisons. Le but de la poésie n'est pas, comme dit Baudelaire, de plonger 'au fond de l'Infini pour trouver du nouveau', mais au fond du défini pour y trouver de l'inépuisable. 'Introduction à un poème sur Dante', *Pos.*, pp. 165–6

He condemned Mallarmé's ambition to create a world divorced from reality:

Un véritable poète n'a nullement besoin d'étoiles plus grosses et de roses plus belles. Celle qui est là lui suffit et il sait que sa propre vie est trop courte pour la leçon qu'elle donne et pour l'approbation dont elle est digne. Il sait que les œuvres de Dieu sont très bonnes et il n'en demande point d'autres. Il sait pourquoi la nature, avec l'insistance d'un enfant qui demande à être compris, ne cesse pas de répéter, comme un mot auquel elle attache une immense importance, chaque année, la même rose, le même bleuet; et cet *erythrium* dent-de-chien qui perce la neige au mois de mars de sa petite lance de pourpre, quel immense assemblement de causes concentriques il a fallu pour qu'à chaque fin d'hiver il redevienne possible!

Ibid. pp. 169–70

The poet's task was, like the psalmist's, to enumerate the wonders of God's world:

> Louez, le ciel et la terre, le Seigneur,
> Louez, les œuvres du matin et du soir, le Seigneur. . . .[1]

'Processionnal pour saluer le Siècle Nouveau', *Claudel O.P.*, p. 297

But he should do more than sing hymns of praise: he should justify the ways of God to men:

Le monde étant une matière, il s'agit d'en dégager le sens, c'est pour un sacrifice offert à Dieu.[2] Le monde est une immense matière qui

---

[1] Cf. Thomas Traherne:

> Admire the Glory of this heavenly Place,
> And all its blessings prize. . . .   (*The Vision*)

[2] Cf. Péguy's description of his poem *Eve*: 'Toute la fécondité, en un mot, et toute la discipline. Tout le jaillissement et tout l'ordre. Tout le jaillissement dans la race et tout l'ordre dans le fruit. Tout le jaillissement dans la glèbe et tout l'ordre dans le grenier. Tout le jaillissement dans la pousse et tout l'ordre dans la gerbe. Tout le jaillissement dans le germe et tout l'ordre dans l'épi. Tout le jaillissement dans la plaine et tout l'ordre dans la grange. Une œuvre également opposée, également contraire aux fécondités de désordre et aux stérilités d'ordre. N'est-ce point là le catholicisme même et la catholicité. N'est-ce point là la situation même, le point de situation propre, le point de recoupement, l'exactitude de la catholicité dans la chrétienté générale. Toutes les forces de la création, toutes les ressources de la nature et de la grâce rapportées en ordre en récolte aux pieds de Dieu.' (Reported by Péguy's friend Joseph Lotte: *Lettres et Entretiens*, vol. XVIII, no. 1, p. 174; see Bibliographical note p. 282.)

attend le poète, si vous voulez, pour en dégager le sens et pour le transformer en action de grâce. Telle est la conception que je me fais du monde.   *Mémoires Improvisés*, pp. 199–200

It is no coincidence that this passage unmistakably recalls *Toast Funèbre*.[1] In a radio interview not long before his death Claudel declared that Mallarmé had taught him only one lesson, though a capital one:

c'est que je ne me place pas devant un spectacle en disant: 'Qu'est-ce que c'est?' en essayant de le décrire du mieux que je peux, mais en disant: 'Qu'est-ce que cela veut dire?'

Depuis, dans la vie, je me suis toujours placé devant une chose non pas en essayant de la décrire telle quelle, par l'impression qu'elle faisait sur mes sens ou sur mes dispositions momentanées, mes dispositions sentimentales, mais en essayant de la comprendre, de savoir ce qu'elle *veut dire*. Ce mot de 'veut dire' est extrêmement profond en français, parce que 'veut dire' cela exprime une certaine volonté.   *Mémoires Improvisés*, p. 64

Mallarmé...m'a appris devant les choses inconnues, mais qui ne sont pas des Sphinx incapables de répondre, que ces choses inconnues sont parfaitement capables de vous donner une réponse; mais il faut savoir la poser, cette question.[2]   *Ibid*. p. 68

Mais ton chant, ô Muse du poète,
Ce n'est point le bourdon de l'avette, la source qui jase, l'oiseau de paradis dans les girofliers!
Mais comme le Dieu saint a inventé chaque chose, ta joie est dans la possession de son nom,
Et comme il a dit dans le silence '*Qu'elle soit!*' c'est ainsi que, pleine d'amour, tu répètes, selon qu'il l'a appelée,
Comme un petit enfant qui épelle '*Qu'elle est*'.
O servante de Dieu, pleine de grâce!
Tu l'approuves substantiellement, tu contemples chaque chose dans ton cœur, de chaque chose tu cherches *comment la dire!*

---

[1] Cf.   Le Maître, par un œil profond, a sur ses pas
              Apaisé de l'éden l'inquiète merveille
              Dont le frisson final, dans sa voix seule, éveille
              Pour la Rose et le Lys le mystère d'un nom.   *Mallarmé O.C.*, p. 55
[2] In a letter to Jacques Rivière, 12 March 1908, Claudel described his *literary* masters as Aeschylus, Dante, Shakespeare and Dostoevski. See *Claudel-Rivière Correspondance* (Plon, 1926).

Quand Il composait l'Univers, quand Il disposait avec beauté le Jeu, quand Il déclanchait l'énorme cérémonie,

Quelque chose de nous avec lui, voyant tout, se réjouissant dans son œuvre,

Sa vigilance dans son jour, son acte dans son sabbat!

Ainsi quand tu parles, ô poète, dans une énumération délectable Proférant de chaque chose le nom,

Comme un père tu l'appelles mystérieusement dans son principe, et selon que jadis

Tu participes à sa création, tu coopères à son existence!

Toute parole une répétition.

Tel est le chant que tu chantes dans le silence, et telle est la bienheureuse harmonie

Dont tu nourris en toi-même le rassemblement et la dissolution. Et ainsi,

O poète, je ne dirai point que tu reçois de la nature aucune leçon, c'est toi qui lui imposes ton ordre.

Toi, considérant toutes choses!

Pour voir ce qu'elle répondra tu t'amuses à appeler l'une après l'autre par son nom.   'Les Muses', 'Cinq Grandes Odes', *Claudel O.P.*, pp. 229–30

Besme...Mais toi, Cœuvre, qui es-tu et à quoi est-ce que tu sers?

Tu n'es même pas ce bouffon qui monte sur sa chaise pour amuser le public.

Le sot à tes paroles ne trouve point de joie, et le sage n'y trouve point d'instruction;

Car à l'un leur sens échappe et à l'autre,

Leur lien dans de profondes ténèbres comme une tige.

Cœuvre: O Besme, pour comprendre ce que je suis et ce que je dis,

Il t'est besoin d'une autre science.

Et pour l'acquérir, oubliant un raisonnement profane, il te suffit d'ouvrir les yeux à ce qui est.

O Besme, si cette feuille devient jaune,

Ce n'est point parce que la terre occupe telle position sur son orbite, ce n'est point parce que les canaux obstrués se flétrissent,

Et ce n'est point non plus pour que, tombant, elle abrite et nourrisse au pied de l'arbre les grains et les insectes.

Elle jaunit pour fournir saintement à la feuille voisine qui est rouge l'accord de la note nécessaire.

Toutes choses sont présentes, et entre le futur et entre le passé il n'y a
suite que sur un même plan.

Et si tu demandes à quoi je sers, tu commets un désordre, tu confonds
les catégories.

A quoi sert la couleur de tes cheveux?

A quoi sert l'orchidée qui est au cœur de la forêt vierge, le saphir que
nul mineur ne fera sortir de sa gangue?

Inconnu des hommes, l'Etre qui nous a créés et nous conserve en nous
considérant

Nous connaît, et nous contribuons secrètement à sa gloire.

CLAUDEL: 'La Ville', second version, Claudel T.,
vol. I, pp. 427–8

His ideal was not merely to hymn the praises and to reveal the meaning
of creation, but to reawaken his fellow-men to the life of the spirit just as
Rimbaud had first stirred him:

Faites que je sois entre les hommes comme une personne sans visage et
ma

Parole sur eux sans aucun son comme un semeur de silence, comme un
semeur de ténèbres, comme un semeur d'églises,

Comme un semeur de la mesure de Dieu.

Comme une petite graine dont on ne sait ce que c'est

Et qui jetée dans une bonne terre en recueille toutes les énergies et
produit une plante spécifiée,

Complète avec ses racines et tout,

Ainsi le mot dans l'esprit. Parle donc, ô terre inanimée entre mes
doigts!

Faites que je sois comme un semeur de solitude et que celui qui entend
ma parole

Rentre chez lui inquiet et lourd.

'La Maison Fermée', 'Cinq Grandes Odes', Claudel O.P., p. 283

Claudel strove so hard and so consistently to carry out these aims
that the result is a form of *littérature engagée*, judgment of which
will almost inevitably be affected by the critic's religious beliefs or his
lack of them.

VI. VALÉRY

La première étude de l'homme qui veut être poète est sa propre connais-
sance, entière; il cherche son âme, il l'inspecte, il la tente, l'apprend. Dès
qu'il la sait, il doit la cultiver! RIMBAUD: Letter to Paul Demeny, 15 May 1871

✧ ✧ ✧

Apprends à lire ton esprit, et tout le reste vient par surcroît.

VALÉRY: 'Cahier B 1910', *Tel Quel I*, p. 198

✧ ✧ ✧

Vous avez profondément compris que je ne suis que Recherche.
   Qu'est-ce qu'un homme qui ne cherche pas? Je vais si avant dans le
sens de cette involontaire volonté que je ne puis même concevoir que l'on
ait trouvé, et que quelqu'un se fixe.

VALÉRY: *Réponses*, 'Guirlande du Pigeonnier', Au Pigeonnier,
Saint-Félicien-en-Vivarais, 1928, p. 37

VALÉRY is the only important modern French poet to have denied unique powers to poetry: for Baudelaire, Mallarmé, Rimbaud and Apollinaire, poetry was not only a source of spiritual consolation, but a means of exploring, then creating, a new world;[1] Claudel, who was appalled at the

---

[1] Cf. Apollinaire:

> Vous dont la bouche est faite à l'image de celle de Dieu
> Bouche qui est l'ordre même
> Soyez indulgents quand vous nous comparez
> A ceux qui furent la perfection de l'ordre
> Nous qui quêtons partout l'aventure
>
> Nous ne sommes pas vos ennemis
> Nous voulons vous donner de vastes et d'étranges domaines
> Où le mystère en fleurs s'offre à qui veut le cueillir
> Il y a là des feux nouveaux des couleurs jamais vues
> Mille phantasmes impondérables
> Auxquels il faut donner de la réalité
>
> Nous voulons explorer la bonté contrée énorme où tout se tait
> Il y a aussi le temps qu'on peut chasser ou faire revenir
> Pitié pour nous qui combattons toujours aux frontières
> De l'illimité et de l'avenir
> Pitié pour nos erreurs pitié pour nos péchés....
>
> 'La Jolie Rousse', 'Calligrammes', *Apollinaire O.C.*, pp. 313–14

Apollinaire's enthusiasm for all forms of artistic novelty first became evident in 1910 when, after establishing a reputation as a poet of traditional lyric themes, he set himself up as spokes-man of the *avant-garde*, Cubism, Futurism, Negro Sculpture, *l'Esprit Nouveau*. Though he wrote effective poetry about the modern city—*Vendémiaire*, the best of these, was one of his

prospect of any life devoted to art alone, nevertheless valued poetry highly enough to consider the writing of it the noblest service he could perform for God and for his fellow-men. Valéry, in contrast, claimed he saw no merit in writing poetry for its own sake and professed indifference to the possible value of his work to others: for him, the only point in composing a poem was that it enabled him to study the workings of his own mind:

Mes vers ont été surtout pour moi des exercices. Le calcul logique, le dessin, la versification régulière, sont des exercices de tout premier ordre pour l'esprit.   F. LEFÈVRE: *Entretiens avec Paul Valéry* (Chamontin, 1926), p. 27

Il me semble que rien ne vaut de faire un long poème obscur pour éclaircir les idées.   *Ibid.* p. 62

Writing of *Le Cimetière Marin*, he described poetry as

un exercice plutôt qu'une action, une recherche plutôt qu'une délivrance, une manœuvre de moi-même par moi-même plutôt qu'une préparation visant le public.   *Valéry O.*, p. 1497

He was more interested in the writing of the poem, therefore, than in the finished product:

Donc, le *Grand Œuvre* est pour moi la connaissance du travail en soi — de la transmutation la plus générale, dont les œuvres sont des applications locales, des problèmes particuliers: ce sont les problèmes où, à titre de conditions plus ou moins déterminées, entrent les caractéristiques d'Autrui — l'idée que je me fais de l'action extérieure des œuvres sur un Autrui qu'il fait se donner.[1]   'Propos me Concernant', in Berne-Joffroy, *Présence de Valéry* (Plon, 1944), p. 22

personal favourites—it might well be argued that Apollinaire's most successful role was not as an innovator, but as a lyric poet, wistful, melancholy and sensual by turns, singing of characteristic elegiac themes, lost love, departed joys and the passage of time:
Cf. 'Rien ne détermine plus de mélancolie chez moi que cette fuite du temps. Elle est en désaccord si formel avec mon sentiment, mon identité, qu'elle est la source même de ma poésie.' (*Lettres à sa Marraine*, Gallimard, p. 72.) His best poetry has certain affinities with Verlaine's: *Les Fiançailles* may be compared with *Birds in the Night* and *A la Santé* with *Le Ciel est par-dessus le toit.*
In spite of his claim in *La Jolie Rousse* and *l'Esprit Nouveau et les Poètes*, that the poet should explore the unknown and read the future, much of his verse must be described as poetic journalism, poetic evocations of the mood of a moment and often left unpolished:
Cf. 'Chacun de mes poèmes est la commémoration d'un événement de ma vie et le plus souvent il s'agit de tristesse, mais j'ai des joies aussi que je chante....' (Letter to Henri Martineau quoted in M. Adéma, *Apollinaire le mal aimé*, Plon, 1952, p. 160.)
[1] Cf. Pierre Reverdy: 'La poésie n'est pas un simple jeu de l'esprit. Ce n'est pas pour se distraire ou pour distraire un public quelconque que le poète écrit. Ce qui l'inquiète,

At the very outset of his career, however, Valéry was just as ready as Mallarmé to turn his back on the world about him and to place all his hopes of consolation in poetry that should be held aloof from the vulgar crowd:

Je sens que le parnassien qui a d'abord été Moi se dissout et s'évapore.... Il me semble que ce n'est plus l'heure des vers sonores et exacts, cerclés de rimes lourdes et rares comme des pierres! Peut-être faut-il écrire des choses vaporeuses, fines et légères comme des fumées violettes et qui font songer à tout, et qui ne disent rien précisément et qui ont des ailes....

Un certain mysticisme m'agrée, et j'aime ces pâles préraphaélites d'Angleterre qui n'ont trouvé la correspondance de leur âme que dans l'art du moyen âge. J'ai toujours, du reste, l'œil sur le Maître, sur l'artiste surnaturel et magique, le plus artiste de ce siècle à mon sens, Edgar-Allan Poe, auquel peut pleinement s'appliquer le vers de Mallarmé sur Gautier ...Magnifique, total et solitaire!

Letter to Albert Dugrip, 1890, Lettres à quelques-uns, p. 42

Artiste...signifiait pour nous un être séparé, à la fois victime et lévite, un être choisi par ses dons et de qui les mérites et les fautes n'étaient point ceux des autres hommes. Il était le serviteur et l'apôtre d'une divinité dont la notion se dégageait peu à peu. Dès l'aurore de notre vie pensante nous nous trouvions dans les ruines des croyances définies; et quant aux connaissances positives, l'abus métaphysique que l'on venait d'en faire, la déception causée par cet usage paradoxal et imaginaire des acquisitions vérifiables nous mettaient en garde contre elles. Mais notre dieu inconnu et incontestable était celui qui se manifeste par les œuvres de l'homme en tant qu'elles sont belles et gratuites. C'est un Dieu qui ne fait que des miracles; le reste lui importe fort peu. Tous les artifices de l'art lui sont agréables. Il inspire comme tous les dieux l'esprit de renoncement et de sacrifice, et la foi que l'on met en lui donne un sens universel et précis à l'orgueil pur et naïf dont ne peut se passer la production des chefs-

---

c'est son âme et les rapports qui la relient, malgré tous les obstacles, au monde sensible et extérieur.
  'Ce qui pousse le poète à la création, c'est le désir de se mieux connaître, de sonder sa puissance intérieure constamment, c'est l'obscur besoin d'étaler sous ses propres yeux cette masse qui pesait trop lourdement dans sa tête et dans sa poitrine. Car la poésie, même la plus calme en apparence, est toujours le véritable drame de l'âme. Son action profonde et pathétique.
  'Le poète est un plongeur qui va chercher dans les plus intimes profondeurs de sa conscience les matériaux sublimes qui viendront se cristalliser quand sa main les portera au jour.' (*Le Gant de Crin* (Plon, 1917), quoted in Charpier and Seghers, *op. cit.* p. 495.)

d'œuvre. Le martyr et l'élu de ce Dieu, *l'artiste*, place nécessairement toute vertu dans la contemplation et le culte des choses belles, toute sainteté dans leur création.

'Sur le Tombeau de Pierre Louÿs', in *Petit Recueil de Paroles de Circonstance* (Plaisir de Bibliophile, 1926), pp. 23–5, quoted in P. O. Walzer, *La Poésie de Valéry* (P. Cailler, Geneva, 1953), p. 43

Pour achever ma profession de foi, je vous dirai que j'aime l'art fermé aux foules, qu'il me plaît en ces temps de concurrence vitale, de mercantilisme, d'effacement de la personnalité, de m'enfermer dans le cloître des Nobles Inutiles, des raffinés, des Féminins, et de jouir de cette suprême Antithèse, la grandeur barbare du moderne monde industriel en contact avec les dernières élégances, les recherches des plus rares voluptés, et l'Alchimie de la Beauté!

Letter to P. Louÿs, 2 June 1890, H. Mondor: 'Le Vase Brisé de P. Valéry', in *Paul Valéry, Essais et Témoignages* (Zeluck, 1945).

Because he once expressed views like these and because he became the most eloquent of Mallarmé's defenders, Valéry has often been loosely described as the pupil of Mallarmé, but when he first started to attend Mallarmé's *mardis*, where he was to be a most appreciative listener, he had begun to distrust, even to despise, literature:

Je suspectais la littérature, et jusqu'aux travaux assez précis de la poésie. . . .

Preface to *Monsieur Teste* (Gallimard, 1946), p. 8

Lorsque j'ai commencé de fréquenter Mallarmé en personne, la littérature ne m'était presque plus de rien. Lire et écrire me pesaient, et je confesse qu'il me reste quelque chose de cet ennui. La conscience de moi-même pour elle-même, l'éclaircissement de cette attention, et le souci de me dessiner nettement mon existence ne me quittaient guère. Ce mal secret éloigne des Lettres, desquelles il tient cependant son origine.

'Dernière Visite à Mallarmé', *Valéry O.*, p. 630

Valéry was first introduced to Mallarmé in 1891. In November 1892, having gone through a period of intense self-searching similar to the intellectual and emotional crises which so markedly affected the life and work of Mallarmé, Rimbaud and Claudel, Valéry decided that he would write no more poetry:

A l'âge de vingt ans, je fus contraint d'entreprendre une action très sérieuse contre les 'Idoles' en général. Il ne s'agit d'abord que de l'une d'elles qui m'obséda, me rendit la vie insupportable.[1] . . . Cette crise me dressa contre ma 'sensibilité' en tant qu'elle entreprenait sur la liberté de mon esprit. J'essayai, sans grand succès immédiat, d'opposer la conscience de mon état à cet état lui-même, et l'observateur au patient. . . .

Propos me Concernant, pp. 12–13

Je trouvais ignoble, indécence ou hypocrisie, le fait de prêcher vertu, justice, humanité, de parler de l'amour qu'on avait. Cela sonnait toujours faux ou stupide à mes oreilles, impudicité ou exploitation. *Comment peut-on ne pas se cacher pour sentir?* Je me faisais et me montrais *sec* de toutes mes forces,[2] à une époque où j'aurais peut-être mieux fait de manifester — et donc, finalement, de simuler et exagérer les sensations de mon être intime.

Ibid. p. 52

Valéry emerged from his 'crisis' resolved both to know his true self and to express his mind with the utmost precision and authenticity:

J'étais affecté du mal aigu de la précision. Je tendais à l'extrême du désir insensé de comprendre, et je cherchais en moi les points critiques de ma faculté d'attention. . .

Je suspectais la littérature, et jusqu'aux travaux assez précis de la poésie. L'acte d'écrire demande toujours un certain 'sacrifice de l'intellect'. On sait bien, par exemple, que les conditions de la lecture littéraire sont incompatibles avec une précision excessive du langage. L'intellect volontiers exigerait du langage commun des perfections et des puretés qui ne sont pas en sa puissance. Mais rares sont les lecteurs qui ne prennent leur plaisir que l'esprit tendu. Nous ne gagnons les attentions qu'à la faveur de quelque amusement; et cette espèce d'attention est passive.

Il me semblait indigne, d'ailleurs, de partir mon ambition entre le souci d'un effet à produire sur les autres, et la passion de me connaître et reconnaître tel que j'étais, sans omissions, sans simulations, ni complaisances.

Je rejetais non seulement les Lettres, mais encore la Philosophie presque toute entière, parmi les Choses Vagues et les Choses Impures auxquelles je me refusais de tout mon cœur.

---

[1] A reference to an unhappy love-affair. See H. Mondor, *Précocité de Valéry*, pp. 301–27; see also Valéry's letters to Gide for the period 1881–92 in *André Gide–Paul Valéry: Correspondance 1890–1942* (Gallimard, 1955).

[2] The most memorable expression of Valéry's desire to exaggerate his intellectual interests, sometimes erroneously identified with his creator, is Monsieur Teste, the High Priest of the Idol of the Intellect.

...J'essayais donc de me réduire à mes propriétés *réelles*. J'avais peu
de confiance dans mes moyens, et je trouvais en moi sans nulle peine tout
ce qu'il fallait pour me haïr; mais j'étais fort de mon désir infini de netteté,
de mon mépris des convictions et des idoles, de mon dégoût de la facilité et
de mon sentiment de mes limites. Je m'étais fait une île intérieure que je
perdais mon temps à reconnaître et à fortifier....

Preface to Monsieur Teste (Gallimard, 1946), pp. 7–11 passim

While Valéry brooded on thought itself, and in particular on its entry
into language, he rejected poetry as mere relaxation and self-indulgence.[1]
But in 1912, having been invited by Gide to revise some early poems for
publication, Valéry discovered that to write a difficult poem was to hold a
mirror before his own mind, and to exercise to the utmost his mastery over
language. For nearly five years he worked at one poem, and the result was
La Jeune Parque, itself a study of a mind brooding on its own nature and
the desires of the body.

Ce que j'ai écrit, ou, plus exactement, ce que j'ai publié, a été *commande* ou
exercice. Je sépare nécessairement — presque involontairement — mes
recherches et mes pensées plus suivies de ces deux espèces d'*applications*.
Ma vie intellectuelle se partage. J'ai sur ma table, éternellement, un fouillis
de papiers où mes vers et ma prose destinés à l'imprimeur s'élaborent, et un
cahier où je mets, à la suite les unes des autres, mes idées destinées à moi.
Il y a des échanges entre ces écritures. Je considère que mon bénéfice le
plus net retiré de mes poèmes (et singulièrement de la *Jeune Parque*) a été
l'ensemble des observations que j'ai faites, pendant leur composition, sur
moi-même les composant. Mais je crois, d'autre part, que ces réflexions, et
d'ailleurs toutes les précisions que j'ai cherchées sur bien des sujets, en
dehors de toute vue littéraire, n'ont pas été sans profiter un peu à mon
travail de poète.

Cet avertissement vous permettra peut-être de considérer la *J.* [*sic*]
Parque et ses obscurités comme je le fais moi-même. Je ne veux jamais être
obscur et quand je le suis, — je veux dire quand je le suis pour un lecteur
lettré et non superficiel, — je le suis par l'impuissance de ne pas être.
Parfois je n'ai pas eu le courage de sacrifier, ou celui d'allonger, ou bien

---

[1] Valéry's break with poetry was, however, neither so complete nor so protracted as is
generally assumed: *Eté* and *Vue* were published in 1896 in the review *Centaure*; *Valvins* was
written for an album presented to Mallarmé in 1897; in 1904 he gave *L'Amateur de Poèmes* to
an editor for publication in the *Anthologie des Poètes Français Contemporains* of G. Walch; the
poem *Anne* appeared in the December 1910 issue of the review *La Plume*.

le problème était au-dessus de mes forces. Il faut rimer, rythmer, colorer, soutenir le sens, varier et respecter la syntaxe, donner le mouvement, *vouloir et ne pas vouloir*. Heureux qui s'en tire toujours, et lumineusement!

Je vous parlerais longtemps de la *J. Parque* [*sic*] (qui est si loin de moi aujourd'hui, et qui m'a tant appris) si j'en avais le loisir. Ce poème est l'enfant d'une contradiction. C'est une rêverie qui peut avoir toutes les ruptures, les reprises, et les surprises d'une rêverie. Mais c'est une rêverie dont le personnage en même temps que l'objet est la *conscience consciente*. Figurez-vous que l'on s'éveille au milieu de la nuit, et que toute la vie se revive et se parle à soi-même.... Sensualité, souvenirs, émotions, sentiment de son corps, profondeur de la mémoire et lumières ou cieux antérieurs revus, etc. Cette trame qui n'a ni commencement ni fin, mais des nœuds, — j'en ai fait un monologue auquel j'avais imposé avant de l'entreprendre des conditions de forme aussi sévères que je laissais au *fond* de liberté. Je voulais faire des vers non seulement réguliers, mais césurés, sans enjambements, sans rimes faibles. Je voulais essayer d'être un peu plus abstrait que les habitudes modernes ne le tolèrent. J'ai eu un mal du diable avec les *mots*. J'ai fait plus de cent *brouillons*. Les transitions m'ont coûté une peine infinie. Enfin, ce fut un rude *exercice!*

Letter to Aimé Lafont, September 1922. *Lettres à Quelques-Uns*, pp. 143–5

Both *La Jeune Parque* and *Charmes* bear the imprint of the years of those meditations at dawn in which Valéry indulged after the Night of Genoa: the recurrent figure of Narcissus, with his own name or under an alias,[1] the preoccupation with dramas of mind and body played out on the threshold of consciousness.

Inasmuch as Valéry's later poetry so frequently depicts the mind meditating, he can be adjudged to have come very much closer than Baudelaire, Mallarmé or Rimbaud to the full realization of his poetic ambitions. Con-

---

[1] See *Fragments de Narcisse, Le Cimetière Marin, La Pythie, Ebauche d'un Serpent, Aurore, Palme.* Some critics have gone so far as to say that the whole collection, *Charmes*, is a series of impressions of the poetic mind at work. Madame E. Noulet, for example, has described *Charmes* as 'l'histoire du poème ou celle de l'énergie créatrice dès le moment où elle épanouit sa "profusion"': *Paul Valéry* (Editions de l'Oiseau Bleu, 1927), p. 49. Clearly, a poet so preoccupied with states of consciousness will make of these the main themes of his work, but to interpret such a poem as *Les Pas* exclusively as the expression of Valéry's reactions to inspiration is to take a restricted view of its meaning and fail to recognize that a poem's appeal may lie in its ambiguity. *Les Pas* is sensuous enough in its lyricism almost to demand to be interpreted as the portrayal of a lover's emotions while welcoming the approach of his beloved. Cf. Valéry: 'La richesse d'une œuvre est le nombre des sens ou des valeurs qu'elle peut recevoir tout en demeurant elle-même.' ('Esquisse d'un Eloge de la Virtuosité', *Vues*, La Table Ronde, 1948, p. 357.)

sistent with his claim that to watch himself working interested him more than selling the finished product is the fact that his essays and addresses on the problems of poetry-making far exceed in bulk his poetry itself.[1] His practice is not, however, always in conformity with his theories.

Thus, he condemned Pascal for making Death a literary theme[2] and sought to sacrifice to the Idol of the Intellect alone, yet *Le Cimetière Marin* contains some of the tenderest lines ever written on the death of lovers:

> Ils ont fondu dans une absence épaisse,
> L'argile rouge a bu la blanche espèce,
> Le don de vivre a passé dans les fleurs!
> Où sont des morts les phrases familières,
> L'art personnel, les âmes singulières?
> La larve file où se formaient des pleurs.
>
> Les cris aigus des filles chatouillées,
> Les yeux, les dents, les paupières mouillées,
> Le sein charmant qui joue avec le feu,
> Le sang qui brille aux lèvres qui se rendent,
> Les derniers dons, les doigts qui les défendent,
> Tout va sous terre et rentre dans le jeu!   *Valéry O.*, p. 150

And there is something of a paradox in the fact that while condemning *les choses vagues*, and proclaiming that inward contemplation alone held interest for him, Valéry could write with such feeling of the outside world as in the lovely evocation of sunset in *Fragments du Narcisse*

> O douceur de survivre à la force du jour,
> Quand elle se retire enfin rose d'amour,
> Encore un peu brûlante, et lasse, mais comblée,
> Et de tant de trésors tendrement accablée
> Par de tels souvenirs qu'ils empourprent sa mort,
> Et qu'ils la font heureuse agenouiller dans l'or,

---

[1] The most important of his pronouncements are listed in the bibliography, pp. 282–4.

Cf. 'Tout ce qui vise la sensibilité No. 2, romances, Musset, mendiants, les pauvres gens de Hugo, Jean Valjean, etc., m'inspire du dégoût, sinon de la colère. Pascal qui joue de la mort, Hugo de la misère, virtuoses qu'ils sont sur ces instruments émouvants, me sont essentiellement antipathiques.' (*Propos me Concernant*, p. 54.)

Cf. also Flaubert's attack against: 'tous ceux qui vous parlent de leurs amours envolés, de la tombe de leur mère, de leur père, de leurs souvenirs bénis, baisent des médailles, pleurent à la lune, délirent de tendresse en voyant des enfants, se pâment au théâtre, prennent un air pensif devant l'océan. Farceurs! farceurs! et triples saltimbanques! qui font le saut du tremplin sur leur propre cœur pour atteindre à quelque chose.' (Letter to Louise Colet, 1852. *Correspondance* (Fasquelle four-volume edition), vol. II, p. 83.)

Puis s'étendre, se fondre, et perdre sa vendange,
Et s'éteindre en un songe en qui le soir se change.[1]

Valéry O., p. 123

Valéry's notorious disparagement of Poetry and Inspiration seems neither wholly serious nor wholly sincere. It may be explained partly as that curious desire to strike a *grand seigneur* attitude which other poets have shared; Gide reports an encounter with Valéry:

Rencontré Paul Valéry chez Adrienne Monnier. L'ai longuement raccompagné. Il se dit gêné, exaspéré même par la fausse situation où le porte son succès.

'On veut que je représente la poésie française. On me prend pour un poète! Mais je m'en fous, moi, de la poésie. Elle ne m'intéresse que par raccroc. C'est par accident que j'ai écrit des vers. Je serais exactement le même si je ne les avais pas écrits. C'est-à-dire que j'aurais, à mes propres yeux, la même valeur. Cela n'a pour moi aucune importance.'[2]

GIDE: *Journal 1889–1939* (Gallimard, *Bibliothèque de la Pléiade*, 1948),
entry for 30 December 1922, p. 749

Valéry's attitude may also be taken to express the somewhat coquettish desire to appear different from his fellow-poets: he applied to himself these words of Father Hardouin, a seventeenth-century priest:

Croyez-vous que je me sois donné la peine de me lever tous les jours de ma vie à quatre heures du matin pour penser comme tout le monde?

Propos me Concernant, p. 60

Une opinion qui me paraît trop semblable à la mienne me fait douter de la mienne.

Ibid. pp. 10–11

Ce que je sais, c'est que je me sens réellement trop différent — non peut-

---

[1] Valéry himself declared that these lines 'sont très précisément ceux qui m'ont coûté le plus de travail, et que je considère comme les plus parfaits de tous ceux que j'ai écrits, je veux dire les plus conformes à ce que j'avais voulu qu'ils fussent, assouplis à toutes les contraintes que je leur avais assignées. Notez qu'ils sont, par ailleurs, absolument vides d'idées, et atteignent ainsi à ce degré de pureté qui constitue justement ce que je nomme *poésie pure*.' (Quoted in Jean de Latour, *Examen de Valéry* (Gallimard, 1935), p. 159. Also in *Valéry O.*, pp. 1661–2.)

[2] Cf. Lamartine: 'Le bon public. . . croit que j'ai passé trente années de ma vie à aligner des rimes et à contempler les étoiles; je n'y ai employé trente mois, et la poésie a été pour moi ce qu'est la prière, le plus beau et le plus intense des actes de la pensée, mais le plus court et celui qui dérobe le moins de temps au travail du jour.' ('Lettre à M. Léon Bruys d'Ouilly, servant de Préface aux Recueillements Poétiques', *Recueillements Poétiques* (Garnier, 1925), p. xii.)

Lamartine's claim that his poetry is simply the spontaneous overflow of his feelings, 'untouched by hand', is not borne out by his manuscripts, which show clearly that much of his work was the object of patient revision. The fiction that they composed in a fine frenzy, untrammelled by reason, was one that Romantic poets found particularly convenient to perpetuate.

être que je le sois plus, mais que je le sente et *tende* à le sentir plus que
n'importe qui — des gens. Te rappelles-tu: je te disais abandonner les
idées que j'avais dès que d'autres me semblaient les avoir. C'est toujours
vrai. Je veux être maître chez moi.   Letter to Gide, 10 November 1894,
Gide–Valéry Correspondance, p. 217

But his pronouncements can also be interpreted as so many attempts to
exorcize the emotions he so much distrusted. If Valéry had Teste's
suspicion of feeling, he was at the same time as keenly alive to the pleasures
of the senses as Mallarmé's *faune*: this much can be seen not only from his
predilection for voluptuous nudes (*Luxurieuse au Bain*, *La Dormeuse*, and
the picture of Eve in *Ebauche d'un Serpent*), or for portraying the lovers'
embrace (*Fragments du Narcisse II*, *La Fausse Morte*); not only from the
strength he attributes to physical desire (*La Jeune Parque*, *La Pythie*)—but
to the marked sensuousness, even sexuality, of his verse even when it
deals with non-human or abstract subjects.[1]

Valéry himself was perfectly aware that poetry should draw its sustenance from the body as well as the mind: it was when considering how
the poet should approach the problem of verse-making that he declared:
'Un poème doit être une fête de l'Intellect. Il ne peut être autre chose.'
('Littérature', *Tel Quel I*, Gallimard, 1930, p. 142.) The poem should be
coldly and lucidly constructed but from materials provided by the poet's
whole being, the senses, and the dark as well as the bright regions of the
mind:

Dans le poète:
L'oreille parle,
La bouche écoute;
c'est l'intelligence, l'éveil, qui enfante et rêve;
c'est le sommeil qui voit clair;
c'est l'image et le phantasme qui regardent;
c'est le manque et la lacune qui créent.[2]   *Ibid.* p. 142.

[1] To look no further, consider the eight lines evoking the sunset, above.
[2] The whole passage from which these extracts were taken was parodied by André Breton
and Paul Eluard to express the Surrealist attitude diametrically opposed to that of Valéry:
Cf. 'Un poème doit être un débacle de l'intellect. Il ne peut être autre chose....'

Dans le poète:
l'oreille rit,
la bouche jure,
C'est l'intelligence, l'éveil qui tue;
C'est le sommeil qui rêve et voit clair;
C'est l'image et le phantasme qui ferment les yeux:
C'est le manque et la lacune qui sont créés....'
('Notes sur la Poésie', *La Révolution Surréaliste*, no. 12, 15 December 1929.)

Quoi! c'est vous, mal déridées!
Que fîtes-vous, cette nuit,
Maîtresses de l'âme, Idées,
Courtisanes par ennui?
　—Toujours sages, disent-elles,
Nos présences immortelles
Jamais n'ont trahi ton toit!
Mais secrètes araignées
Dans les ténèbres de toi!

Ne seras-tu pas de joie
Ivre! à voir de l'ombre issus
Cent mille soleils de soie
Sur tes énigmes tissus?
Regarde ce que nous fîmes:
Nous avons sur tes abîmes
Tendu nos fils primitifs,
Et pris la nature nue
Dans une trame ténue
De tremblants préparatifs. . . .

Leur toile spirituelle,
Je la brise, et vais cherchant
Dans ma forêt sensuelle
Les oracles de mon chant. . . .
'Aurore', Valéry O., p. 112

These lines not only define the central theme of Valéry's poetry, his
emotional relationship with his own thought, they also point to the source
of its strength and weakness: his search for Truth did not lead him out-
wards through the world and to other people, but ever more deeply in-
wards into his own being.

Mais moi, Narcisse aimé, je ne suis curieux
　Que de ma seule essence;
Tout autre n'a pour moi qu'un cœur mystérieux,
　Tout autre n'est qu'absence.
O mon bien souverain, cher corps, je n'ai que toi!
Le plus beau des mortels ne peut chérir que soi. . . .
'Fragments du Narcisse', Valéry O., p. 128

VII. THE CASE FOR HUGO

Tout poète véritable, indépendamment des pensées qui lui viennent de son organisation propre et des pensées qui lui viennent de la vérité éternelle, doit contenir la somme des idées de son temps.

HUGO: Preface to *Les Rayons et Les Ombres*

'N ou s voyons aujourd'hui que la résonance, après plus de soixante ans, de l'œuvre unique et très peu volumineuse de Baudelaire emplit encore toute la sphère poétique, qu'elle est présente aux esprits, impossible à négliger': this view of *Les Fleurs du Mal*, expressed by Valéry in an important essay on Baudelaire,[1] is clearly shared by most historians and anthologists of modern French poetry; they place Baudelaire at the beginning of the modern period and show how all subsequent developments in French poetry can be attributed to the influence of his example.[2] While it is clear that 'ni Verlaine, ni Mallarmé, ni Rimbaud n'eussent été ce qu'ils furent sans la lecture qu'ils firent des *Fleurs du Mal* à l'âge décisif',[3] it is no less evident that Baudelaire's work would in turn almost certainly have been very different without the example and the challenge of Hugo:

On voit assez que Baudelaire a recherché ce que Victor Hugo n'avait pas fait; qu'il s'abstient de tous les effets dans lesquels Victor Hugo était invincible; qu'il revient à une prosodie moins libre et scrupuleusement éloignée de la prose; qu'il poursuit et rejoint presque toujours la production du *charme continu*, qualité inappréciable et comme transcendante de certains poèmes, — mais qualité qui se rencontre peu, et ce peu rarement pur, dans l'œuvre immense de Victor Hugo.

VALÉRY: 'Situation de Baudelaire', *Valéry O.*, p. 602

Modern French poets have been much readier than professional critics and literary historians to acknowledge Hugo's influence and mastery: Leconte de Lisle described him as

L'auteur des seuls chefs-d'œuvre lyriques que la poésie française puisse opposer avec la certitude de triomphe aux littératures étrangères, l'écrivain

---

[1] 'Situation de Baudelaire', *Valéry O.*, p. 610.
[2] See, for example, M. Raymond, *De Baudelaire au Surréalisme*; G. Michaud, *Message Poétique du Symbolisme,* and Professor C. A. Hackett's introduction to his *Anthology of Modern French Verse.*
[3] Valéry: 'Situation de Baudelaire', *Valéry O.*, p. 612.

qui a rendu à notre langue rythmée la vigueur, la souplesse et l'éclat dont elle était destituée depuis deux siècles, mérite toute la gratitude des poètes et tout le respect des rares intelligences qui aiment et comprennent encore le Beau.   Victor Hugo, in *Derniers Poèmes* (Lemerre), p. 260

Baudelaire wrote of him in one of the finest essays in *L'Art Romantique*:

Victor Hugo était, dès le principe, l'homme le mieux doué, le plus visiblement élu pour exprimer par la poésie ce que j'appelerai le *mystère de la vie*. La nature qui pose devant nous, de quelque côté que nous nous tournions, et qui nous enveloppe comme un mystère, se présente sous plusieurs états simultanés dont chacun, selon qu'il est plus intelligible, plus sensible pour nous, se reflète plus vivement dans nos cœurs : forme, attitude et mouvement, lumière et couleur, son et harmonie. La musique des vers de Victor Hugo s'adapte aux profondes harmonies de la nature; sculpteur, il découpe dans ses strophes la forme inoubliable des choses; peintre, il les illumine de leur couleur propre. Et, comme si elles venaient directement de la nature, les trois impressions pénètrent simultanément le cerveau du lecteur. De cette triple impression résulte la *morale des choses*. Aucun artiste n'est plus universel que lui, plus apte à se mettre en contact avec les forces de la vie universelle, plus disposé à prendre sans cesse un bain de nature. Non seulement il exprime nettement, il traduit littéralement la lettre nette et claire; mais il exprime, avec *l'obscurité indispensable*, ce qui est obscur et confusément révélé. Ses œuvres abondent en traits extra-ordinaires de ce genre, que nous pourrions appeler des tours de force si nous ne savions pas qu'ils lui sont essentiellement naturels. Le vers de Victor Hugo sait traduire pour l'âme humaine, non seulement les plaisirs les plus directs qu'elle tire de la nature visible, mais encore les sensations les plus fugitives, les plus compliquées, les plus morales (je dis exprès sensations morales) qui nous sont transmises par l'être visible, par la nature inanimée ou dite inanimée; non seulement la figure d'un être extérieur à l'homme, végétal ou minéral, mais aussi sa physionomie, son regard, sa tristesse, sa douceur, sa joie éclatante, sa haine répulsive, son enchante-ment ou son horreur; enfin, en d'autres termes, tout ce qu'il y a d'humain dans n'importe quoi, et aussi tout ce qu'il y a de divin, de sacré ou de diabolique.

Ceux qui ne sont pas poètes ne comprennent pas ces choses.

                    Baudelaire O.C., pp. 1076–7

Verlaine wrote of him:

quelle grande figure et avec tous ses défauts, c'est encore, avec Lamartine incomparablement plus poète, certes, mais infiniment moins artiste, le Maître! 'A Propos du dernier livre posthume de Victor Hugo', *Œuvres Posthumes*, vol. II (Messein, 1927), p. 317

Mallarmé paid tribute to him in one of his most important essays, *Crise de Vers*.[1]

Hugo, dans sa tâche mystérieuse, rabattit toute la prose, philosophie, éloquence, histoire au vers, et, comme il était le vers personnellement, il confisqua chez qui pense, discourt ou narre, presque le droit à s'énoncer. ...Le vers, je crois, avec respect attendit que le géant qui l'identifiait à sa main tenace et plus ferme toujours de forgeron, vînt à manquer; pour, lui, se rompre. *Mallarmé O.C.*, pp. 360-1

Valéry's criticisms of Hugo were reserved for his early work and for his extravagant use of vast and imprecise words:[2] for the technical mastery displayed in his last poems, he had nothing but the most enthusiastic praise:

Ce qui me frappe dans Victor Hugo, c'est une puissance vitale incomparable. Puissance vitale, c'est-à-dire longévité et capacité de travail *combinées*; longévité *multipliée par* capacité de travail. Pendant plus de soixante années, cet homme extraordinaire est à l'ouvrage tous les jours de cinq heures à midi! il ne cesse de provoquer les combinaisons du langage, de les vouloir, de les attendre, et de les entendre lui répondre... quels vers, quels vers prodigieux, quels vers auxquels aucuns vers ne se comparent en étendue, en organisation intérieure, en résonance, en plénitude, n'a-t-il pas écrits dans la dernière période de sa vie! Dans *La Corde d'Airain*, dans *Dieu*, dans *La Fin de Satan*, dans la pièce sur la mort de Gautier...le vieillard très illustre atteint le plus haut point de la puissance poétique et de la noble science du versificateur.[3] 'Situation de Baudelaire', *Valéry O.*, p. 603

[1] And also, Professor L. J. Austin has argued, in the sonnet *Hommage à Wagner*: see 'Mallarmé, Hugo et Richard Wagner', *Revue d'Histoire Littéraire de la France* (1951), pp. 156-7.

[2] Cf. 'il perd de plus en plus le sentiment des proportions, il empâte ses vers de mots indéterminés, vagues et vertigineux, et il y place l'abîme, l'infini, l'absolu, si abondamment et si aisément que ces termes monstrueux en perdent jusqu'à l'apparence de profondeur qui leur est accordée par l'usage.' ('Situation de Baudelaire', *Valéry O.*, p. 603.) Valéry's condemnation of this aspect of Hugo's work was to be expected since he had declared unrelenting war on les *Choses Vagues* (see p. 119) and had written to Gide in November 1894 'le vague me tue' (*Gide-Valéry Correspondance*, p. 218).

[3] See also the important essay, 'Victor Hugo, créateur par la forme', *Valéry O.*, pp. 585-90.

Even when his fellow-poets objected violently to his philosophical or unorthodox religious views, they felt obliged, like Péguy or Claudel, to acknowledge his skill as a craftsman: Péguy's *Victor-Marie, comte Hugo* is largely unfavourable to Hugo, but in it he praises *Booz Endormi* as 'un des plus grands poèmes païens (et bibliques) charnels qu'il y ait jamais eus' (*Victor-Marie, comte Hugo*, Gallimard, 1934, p. 127). Claudel, the most scathing of all Hugo's poetic critics, could concede grudgingly:

On a répété a satiété que Victor Hugo était un incomparable artisan de vers. C'est certainement vrai dans un sens, car son vers est infiniment plus coloré, plus riche, plus sonore que le vers classique, il parle davantage à nos sens.[1]   'Réflexions et Propositions sur le vers français', *Pos.*, p. 34

It is not without significance that Hugo received such tribute from the poets who came after him: he anticipated so many of their themes, and, even more important, so many of their devices. Thus, Baudelaire's *Correspondances* were prefigured in *Les Rayons et les Ombres*:

> Entends sous chaque objet sourdre la parabole
> Sous l'éternel universel vois l'éternel symbole....
>
> *Que la Musique date du seizième siècle...*

Mallarmé's idealism was anticipated in the Preface to *Odes*:

Le domaine de la poésie est illimité. Sous le monde réel, il existe un monde idéal, qui se montre resplendissant à l'œil de ceux que des méditations graves ont accoutumés à voir dans les choses plus que les choses. Les beaux ouvrages de poésie en tout genre, soit en vers, soit en prose, qui ont

---

[1] Claudel went on to criticize Hugo's verbosity, a charge from which he himself can scarcely be exonerated. While Claudel speaks as a craftsman, his views are usually shrewd and fair; as a Catholic propagandist, his comments are inevitably partisan and harshly dogmatic: cf. 'La Religion sans religion de Victor Hugo, c'est quelque chose comme le vin sans alcool, le café sans caféine et le topinambour qui est le parent pauvre de la pomme de terre....' He could, however, make the effort to appreciate an unorthodox viewpoint: '...Victor Hugo ne peut s'arracher à sa bataille contre les fantômes. Je ne parle pas dans un esprit de dénigrement et de moquerie. Personne ne peut contester la sincerité du grand poète et qu'il fut vraiment et réellement un voyant, à la manière de l'Anglais Blake. Non pas un voyant des choses de Dieu, il n'a pas vu Dieu, mais personne n'a tiré tant de choses de cette ombre que fait l'absence de Dieu.' (*Op. cit.* p. 50.) It is piquant to note that Rimbaud, whose writings played so vital a part in Claudel's conversion to Catholicism, should have praised Hugo, albeit faintly, for having partly filled the role of *voyant* in which he felt all great poets should be cast: cf. 'il a bien du vu dans les derniers volumes' (letter to Demeny, 15 May 1871). This is apparently a reference to *Les Misérables*, and not to the truly visionary poems of Hugo's last years which were, of course, inaccessible to Rimbaud when he wrote the *voyant* letters in 1871.

honoré notre siècle, ont révélé cette vérité, à peine soupçonnée auparavant, que la poésie n'est pas dans la forme des idées, mais dans les idées elles-mêmes. La poésie, c'est tout ce qu'il y a d'intime dans tout.

Before the Tournon crisis set Mallarmé dreaming of his *Grand Œuvre*, and before Rimbaud saw his visions, Hugo wrote in *William Shakespeare*:

Le mystère sollicite...les contemplateurs....Ne jamais trouver le point d'arrêt, passer d'une spirale à l'autre comme Archimède, et d'une zone à l'autre comme Alighieri, tomber en voletant dans le puits circulaire, c'est l'éternelle aventure du songeur. Il se heurte à la paroi rigide où glisse le rayon pâle. Il rencontre la certitude parfois comme un obstacle et la clarté parfois comme une crainte. Il passe outre. Il est l'oiseau sous la voûte. C'est terrible. N'importe. On songe....

Qui regarde trop longtemps dans cette horreur sacrée sent l'immensité lui monter à la tête. Qu'est-ce que la sonde vous rapporte, jetée dans ce mystère? Que voyez-vous? Les conjectures tremblent, les doctrines frissonnent; les hypothèses flottent; toute la philosophie humaine vacille d'un souffle sombre devant cette ouverture.

L'étendue du possible est en quelque sorte sous vos yeux. Le rêve qu'on a en soi, on le retrouve hors de soi. Tout est indistinct. Des blancheurs confuses se meuvent. Sont-ce des âmes? On aperçoit dans les profondeurs des passages d'archanges vagues, sera-ce un jour des hommes? Vous vous prenez la tête dans les mains, vous tâchez de voir et de savoir. Vous êtes à la fenêtre dans l'inconnu. De toutes parts les épaisseurs des effets et des causes, amoncelées les unes derrière les autres, vous enveloppent de brume. L'homme qui ne médite pas vit dans l'aveuglement, l'homme qui médite vit dans l'obscurité. Nous n'avons que le choix du noir. Dans ce noir, qui est jusqu'à présent presque toute notre science, l'expérience tâtonne, l'observation guette, la supposition va et vient. Si vous y regardez très souvent, vous devenez *vates*. La vaste méditation religieuse s'empare de vous.

Tout homme a en lui son Pathmos. Il est libre d'aller ou de ne point aller sur cet effrayant promontoire de la pensée d'où l'on aperçoit les ténèbres. S'il n'y va point, il reste dans la vie ordinaire, dans la conscience ordinaire, dans la vertu ordinaire, dans la foi ordinaire ou dans le doute ordinaire; et c'est bien. Pour le repos intérieur, c'est évidemment le mieux. S'il va sur cette cime, il est pris. Les profondes vagues du prodige lui ont apparu. Nul ne voit impunément cet océan-là. Désormais il sera le penseur dilaté, agrandi, mais flottant; c'est-à-dire le songeur. Il touchera par un point au poète, et par l'autre au prophète. Une certaine quantité de lui appartient maintenant à l'ombre. L'illimité entre dans sa vie, dans sa conscience, dans sa vertu, dans sa philosophie. Il devient extraordinaire aux autres hommes, ayant une mesure différente de la leur. Il a des devoirs qu'ils n'ont pas. Il vit dans la prière diffuse, se rattachant, chose étrange, à une certitude indéterminée qu'il appelle Dieu. Il distingue dans ce crépuscule assez de la vie antérieure et assez de la vie ultérieure pour saisir ces deux bouts de fil sombre et y renouer son âme. Qui a bu boira, qui a songé songera. Il s'obstine à cet abîme attirant, à ce sondage de l'inexploré, à ce désintéressement de la terre et de la vie, à cette entrée dans le défendu, à cet effort pour tâter l'impalpable, à ce regard sur l'invisible, il y vient, il y retourne, il s'y accoude, il s'y penche, il y fait un pas, puis deux, et c'est ainsi qu'on pénètre dans l'impénétrable, et c'est ainsi qu'on s'en va dans les élargissements sans bornes de la méditation infinie. . . .

Garder son libre arbitre dans cette dilatation, c'est être grand. Mais, si grand qu'on soit, on ne résout pas le problème. On presse l'abîme de questions. Rien de plus. Quant aux réponses, elles sont là, mais mêlées à l'ombre. Les énormes linéaments de vérités semblent parfois apparaître un instant, puis rentrent et se perdent dans l'absolu. . . .

William Shakespeare, 1864 (Hetzel and Co.), pp. 140–1

Rimbaud's Promethean aspirations had already been voiced by Hugo:

Compléter un univers par l'autre, verser sur le moins de l'un le trop de l'autre, accroître ici la liberté, là la science, là l'idéal, communiquer aux inférieurs des patrons de la beauté supérieure, échanger les effluves, apporter le feu central à la planète, mettre en harmonie les divers mondes d'un système, hâter ceux qui sont en retard, croiser les créations, cette fonction mystérieuse n'existe-t-elle pas?

N'est-elle pas remplie à leur insu par de certains prédestinés qui, momentanément et pendant leur passage humain, s'ignorent en partie eux-mêmes? Tel atome, moteur divin appelé âme, n'a-t-il pas pour emploi de faire aller et venir un homme solaire parmi les hommes terrestres? Puisque l'atome floral existe, pourquoi l'atome stellaire n'existerait-il pas? Cet homme solaire ce sera tantôt le voyant, tantôt le calculateur, tantôt le thaumaturge, tantôt le navigateur, tantôt l'architecte, tantôt le mage, tantôt le législateur, tantôt le héros, tantôt le poète. La vie de l'humanité marchera par eux. . . . *Ibid.* pp. 142–3[1]

[1] See also *Ibo*, p. 100.

Apollinaire, who in *L'Esprit Nouveau et les Poètes* and *La Jolie Rousse* proclaimed the poet's prophetic role, had been anticipated by Hugo when he wrote in *Les Rayons et les Ombres*:

> Le poète en des jours impies
> Vient préparer des jours meilleurs.
> Il est l'homme des utopies;
> Les pieds ici, les yeux ailleurs.
> C'est lui qui sur toutes les têtes,
> En tout temps, pareil aux prophètes,
> Dans sa main, où tout peut tenir,
> Doit, qu'on l'insulte ou qu'on le loue,
> Comme une torche qu'il secoue,
> Faire flamboyer l'avenir.
>
> *Fonction du Poète*, 1839

However, if one can draw close parallels between Hugo's more grandiose poetic aims and those of later nineteenth-century French poets, it does not necessarily establish proof of direct literary borrowing. The belief that the poet should play a mystic or Messianic role was common currency in nineteenth-century French poetry, and to enumerate the more important of Hugo's literary aspirations is neither to hail him as a great original thinker, or to claim him as the prime instigator of all modern movements in French poetry: it is rather to acknowledge his sensitivity to the spirit of his age and to recognize his incomparable immensity.

Pour le *mesurer*, il suffit de rechercher ce que les poètes qui sont nés autour de lui, ont été obligés d'inventer pour exister auprès de lui. Le problème capital de la littérature, depuis 1840 jusqu'en 1890, n'est-il pas: Comment faire autre chose que Hugo? Comment être visible malgré Hugo? Comment se percher sur les cimes de Hugo? On l'a cherché du côté de la perfection technique, du côté de la bizarrerie des sujets, du côté des sentiments, du côté des dimensions du poème....

VALÉRY: Letter to P. Souday, October 1923, *Lettres à Quelques-Uns*, p. 149

Sitôt que vous voulez me donner l'idée d'un parfait artiste, mon esprit ne s'arrête pas à la perfection dans un genre de sujets, mais il conçoit immédiatement la nécessité de la perfection dans tous les genres. Il en est de même dans la littérature en général et dans la poésie en particulier. Celui qui n'est pas capable de tout peindre, les palais et les masures, les sentiments de tendresse et ceux de cruauté, les affections limitées de la famille et la charité universelle, la grâce du végétal et les miracles de l'architecture, tout ce qu'il y a de plus doux et tout ce qui existe de plus horrible, le sens intime et la beauté extérieure de chaque religion, la physionomie morale et physique de chaque nation, tout enfin, depuis le visible jusqu'à l'invisible, depuis le ciel jusqu'à l'enfer, celui-là, dis-je, n'est vraiment pas poète dans l'immense étendue du mot et selon le cœur de Dieu. Vous dites de l'un: c'est un poète de l'amour, et de l'autre, c'est un poète de la gloire. Mais de quel droit limitez-vous ainsi la portée des talents de chacun? Voulez-vous affirmer que celui qui a chanté la gloire était, *par cela même*, inapte à célébrer l'amour? Vous infirmez ainsi le sens universel du mot *poésie*. Si vous ne voulez pas simplement faire entendre que des circonstances, qui ne viennent pas du poète, l'ont *jusqu'à présent* confiné dans une spécialité, je croirai toujours que vous parlez d'un pauvre poète, d'un poète incomplet, si habile qu'il soit dans *son* genre.

BAUDELAIRE: 'Victor Hugo', 'L'Art Romantique', *Baudelaire O.C.*, pp. 1079–80

Le grand poète — et le grand artiste en tout genre, du reste — est celui dont l'œuvre, apportant quelque chose de neuf, augmente et modifie les dimensions du domaine de la pensée poétique — celui après qui on ne peut plus à la fois penser les choses comme avant que son œuvre apparût, ni écrire de la même façon — celui dont la présence, pour un temps, présidera dans l'esprit de ses contemporains ou des générations suivantes, à l'acte de penser et d'écrire — celui aussi par qui les personnalités fortes seront influencées et qu'elles devront le plus se garder d'imiter. Par là, d'ailleurs, s'exerce sa meilleure *influence*, celle qui obligera quelques autres à chercher pour leur propre compte un moyen d'expression nouveau, le mieux adapté à leur propre personnalité. L'œuvre du grand poète est celle dont l'influence s'étend en ondes centrifuges à travers les œuvres qui lui succèdent à l'infini.

PIERRE REVERDY: *En Vrac* (Editions du Rocher, Monaco, 1956), quoted in Charpier and Seghers, *op. cit.* p. 513

PART III

POETIC MEANS

❖❖❖❖❖❖❖❖❖❖❖❖❖❖❖❖❖❖❖❖❖❖❖❖❖❖❖❖❖❖❖❖

*Qui dit romantisme dit art moderne, c'est-à-dire intimité, spiritualité,
couleur, aspiration vers l'infini, exprimées par tous les moyens que
contiennent les arts.*   BAUDELAIRE: 'Salon de 1846', *Baudelaire O.C.*, pp. 602–3

❖❖❖

*Que veut dire Symbolisme? Si l'on s'en tient au sens étroit et étymo-
logique, presque rien; si l'on passe outre, cela peut vouloir dire: indivi-
dualisme en littérature, liberté de l'art, abandon des formules enseignées,
tendances vers ce qui est nouveau, étrange et même bizarre; cela peut
vouloir dire aussi: idéalisme, dédain de l'anecdote sociale, anti-natural-
isme, tendance à ne prêter attention qu'à l'acte par lequel un homme se
distingue d'un autre homme, à ne vouloir réaliser que des résultats, que
l'essentiel; enfin, pour les poètes, le symbolisme semble lié au vers libre.*

RÉMY DE GOURMONT: 'Le Livre des Masques', *Mercure de France* (1923), p. 8

❖❖❖

*Permettez-moi de vous conseiller de ne pas vous embarrasser de tout ce
que l'on a écrit sur le Symbolisme, et de considérer seulement ce qui a été
produit, et ce qui est de probabilité, quant aux intentions. Ce qui est
probable en ces matières, c'est qu'une époque littéraire est avant tout une
réaction. Elle se dispose contre quelque autre qui la précède. Le
Symbolisme est né contre le Parnasse et le Réalisme, eux-mêmes
dressés contre le Romantisme, et d'une part, en matière de sujets,
d'autre part, comme revendication de la forme. Ne pas oublier qu'il y a
toujours des auteurs et des œuvres de transition; il y a un syncrétisme
littéraire.*

*J'ajoute que les démonstrations d'usage en histoire littéraire, comme
Romantisme, Symbolisme, etc., n'ont à mes yeux qu'une valeur toute
fictive, en laquelle se confondent des circonstances tout hétérogènes, co-
ïncidences chronologiques, rencontres fortuites de jeunes gens, force
persuasive de tel homme, ambitions et démons de la contradiction. En
réalité, la perspective du temps groupe tout ce que l'on veut.*

Il y a cependant quelques similitudes techniques qui donnent parfois des éléments de définitions plus nettes. Mais le Symbolisme a essayé un peu de tout; je veux dire qu'entre 1885 et 1900, on a tenté beaucoup plus 'd'expériences' que jamais auparavant. (Exception faite pour le temps de la Pléiade.) Et c'est là le trait le plus remarquable de son développement. C'est cette diversité sur laquelle il faut insister. Jamais plus de raisonnements, plus de recherches, plus de hardiesses.

Quant à l'influence de la métaphysique, elle a été très superficielle, — fort heureusement, — et surtout verbale. Ce qui a véritablement existé, c'est une sorte de mysticisme esthétique, parfois très prononcé.... Le Symbolisme n'est pas du tout un système défini, ni définissable.

VALÉRY: Letter to M. Timmermanns, 18 December 1922.
Lettres à Quelques-Uns, pp. 203–4

❖ ❖

I. THE PURIFICATION OF POETRY

On voit enfin, vers le milieu du XIXe siècle, se prononcer dans notre littérature, une volonté remarquable d'isoler définitivement la Poésie de tout autre essence qu'elle-même. Une telle préparation de la poésie à l'état pur avait été prédite et recommandée avec la plus grande précision par Edgar Poe. Il n'est donc pas étonnant de voir commencer dans Baudelaire cet essai d'une perfection qui ne se préoccupe plus que d'elle-même.
VALÉRY: 'Avant-Propos à la Connaissance de la Déesse',
Valéry O., p. 1270

MODERN French poets have insisted, even more than the Romantics, that poetry is not merely a degraded form of prose,[1] but a special form of language with its own unique function to perform:

Un désir indéniable à mon temps est de séparer comme en vue d'attributions différentes le double état de la parole, brut ou immédiat ici, là essentiel.

[1] This view was widely held in the eighteenth century:
Cf. l'abbé Trubet: 'la plus grande louange qu'on pût donner à des vers, ce serait peut-être de dire qu'ils valent de la prose' (Letter to M. de la Motte, 10 January 1732).
Cf. Pope: 'Is not poetry but prose run mad?' (Prologue, *Epistle to Dr Arbuthnot*).
Cf. d'Alembert, quoted by Valéry: 'Je citerai d'abord le grand d'Alembert: "*Voici, ce me*

Narrer, enseigner, même décrire, cela va et encore qu'à chacun suffirait peut-être, pour échanger la pensée humaine, de prendre ou de mettre dans la main d'autrui en silence une pièce de monnaie, l'emploi élémentaire du discours dessert l'universel reportage dont, la Littérature exceptée, participe tout entre les genres d'écrits contemporains. . . .

Au contraire d'une fonction de numéraire facile et représentatif, comme le traite d'abord la foule, le Dire, avant tout, rêve et chant, retrouve chez le poète, par nécessité constitutive d'un art consacré aux fictions, sa virtualité.

MALLARMÉ: 'Avant-dire au *Traité du Verbe* de René Ghil', *Mallarmé O.C.*, pp. 857–8[1]

Le poète, à mes yeux, se connaît à ses idoles et à ses libertés, qui ne sont pas celles de la plupart. La poésie se distingue de la prose pour n'avoir ni toutes les mêmes gênes, ni toutes les mêmes licences que celle-ci. L'essence de la prose est de périr, — c'est-à-dire d'être 'comprise' — c'est-à-dire, d'être dissoute, détruite sans retour, entièrement remplacée par l'image ou par l'impulsion qu'elle signifie selon la convention du langage. Car la prose sous-entend toujours l'univers de l'expérience et des actes — univers dans lequel, — ou *grâce auquel*, — nos perceptions et nos actions ou émotions doivent finalement se correspondre ou se répondre d'une seule manière — *uniformément*. L'univers pratique se réduit à un ensemble de *buts*. Tel but atteint, la parole expire. Cet univers exclut l'ambiguité, l'élimine; il commande que l'on procède par les plus courts chemins, et il étouffe au plus tôt les harmoniques de chaque événement qui s'y produit à l'esprit.

VALÉRY: 'Au Sujet du Cimetière Marin': *Valéry O.C.*, pp. 1501–2

La poésie n'a pas le moins du monde pour objet de communiquer à quelqu'un quelque notion déterminée, — à quoi la prose doit suffire. Observez seulement le destin de la prose, comme elle expire à peine entendue, et expire de l'être, — c'est-à-dire d'être toute remplacée dans l'esprit attentif par une idée ou figure finie. Cette idée, dont la prose vient d'exciter les conditions nécessaires et suffisantes, s'étant produite, aussitôt

semble, écrit-il, *la loi rigoureuse, mais juste, que notre siècle impose aux poètes: il ne reconnaît plus pour bon en vers que ce qu'il trouverait excellent en prose*."'
'Cette sentence est de celles dont l'inverse est exactement ce que nous pensons qu'il faut penser. Il eût suffi à un lecteur de 1760 de former la contraire pour trouver ce qui *devait* être recherché et goûté dans la suite assez prochaine des temps. Je ne dis point que d'Alembert se trompât, ni son siècle. Je dis qu'il croyait parler de Poésie, cependant qu'il pensait sous ce nom tout autre chose. . . .' ('Questions de Poésie', *Valéry O.*, p. 1292.)
[1] M. Henri Mondor has recently revealed that Valéry copied this passage into the black notebook he reserved for passages from his favourite poets. See H. Mondor, *Précocité de Valéry* (Gallimard, 1957), pp. 95–6.

les moyens sont dissous, le langage s'évanouit devant elle. C'est un phénomène constant dont voici un double contrôle, notre mémoire nous répète le discours que nous n'avons pas compris. La répétition répond à l'incompréhension. *Elle nous signifie que l'acte du langage n'a pu s'accomplir.* Mais au contraire, et comme par symétrie, si nous avons compris, nous sommes en possession d'exprimer sous d'autres formes l'idée que le discours avait composée en nous. L'acte du langage accompli nous a rendus maîtres du point central qui commande la multiplicité des expressions possibles d'une idée acquise. En somme, le sens, qui est la tendance à une substitution mentale uniforme, unique, résolutoire, est l'objet, la loi, la limite d'existence de la prose pure.

Tout autre est la fonction de la poésie. Tandis que le fond unique est exigible de la prose, c'est ici la forme unique qui ordonne et survit. C'est le son, c'est le rythme, ce sont les rapprochements physiques des mots, leurs effets d'induction ou leurs influences mutuelles qui dominent, aux dépens de leur propriété de se consommer en un sens défini et certain. Il faut donc que dans un poème le sens ne puisse l'emporter sur la forme et la détruire sans retour; c'est au contraire le retour, la forme conservée, ou plutôt exactement reproduite comme unique et nécessaire expression de l'état ou de la pensée qu'elle vient d'engendrer au lecteur, qui est le ressort de la puissance poétique. *Un beau vers renaît indéfiniment de ses cendres*, il redevient, — comme l'effet de son effet, — cause harmonique de soi-même.

Cette condition essentielle ne pourrait presque jamais être satisfaite si le fond, si le sens d'un ouvrage de poésie devait être assujetti aux exigences étroites de la prose. VALÉRY: 'Commentaires de Charmes', *Valéry O.*, pp. 1510–11

La parole écrite est employée à deux fins: ou bien nous voulons produire dans l'esprit du lecteur un état de connaissance, ou bien un état de joie. Dans le premier cas l'objet est la chose principale, il s'agit d'en fournir une description analytique exacte et complète, de faire progresser le lecteur par des chemins continus jusqu'à ce que le circuit du spectacle ou de la thèse ou de l'événement soit complet; il ne faut pas que dans cette marche son pas soit distrait ou heurté. Dans le second cas par le moyen des mots, comme le peintre par celui des couleurs et le musicien par celui des notes, nous voulons d'un spectacle ou d'une émotion ou même d'une idée abstraite constituer une sorte d'équivalent ou d'*espèce* soluble dans l'esprit. Ici l'expression devient la chose principale. Nous informons le lecteur, nous le faisons participer à notre action créatrice ou *poétique*, nous plaçons dans la bouche secrète de son esprit une énonciation de tel objet ou de tel sentiment qui est agréable à la fois à sa pensée et à ses organes physiques d'expression. A l'imitation du vers premier que je viens de définir, nous procédons à l'émission d'une série de complexes isolés, il faut leur laisser, par l'alinéa, le temps, ne fût-ce qu'une seconde, de se coaguler à l'air libre, suivant les limites d'une mesure qui permette au lecteur d'en *comprendre* d'un seul coup et la structure et la saveur.

Dans le premier cas, il y a prose, dans le second il y a poésie. Dans la prose les éléments primordiaux de la pensée sont en quelque sorte laminés et soudés, raccordés pour l'œil, et leurs ruptures natives sont artificiellement remplacées par des divisions logiques. Les blancs du stade créateur ne sont plus rappelés que par les signes de la ponctuation qui marquent les arrêts et les suspens, comme les alinéas marquent les étapes, dans le train uniforme du discours. Dans la poésie, au contraire, le lingot a été accepté tel quel et soumis seulement à une élaboration additionnelle dont nous allons maintenant examiner les conditions spirituelles et physiques.[1]

CLAUDEL: 'Réflexions et Propositions sur le Vers Français', Pos., pp. 10–12

Having recognized that poetry and prose each had a distinctive function, poets sought to purge poetry of all prosaic contamination:

Certains, qui conservaient des formes traditionnelles du Vers français s'étudiaient à éliminer les descriptions, les sentences, les moralités, les précisions arbitraires; ils purgeaient leur poésie de presque tous ces éléments intellectuels que la musique ne peut exprimer. . . .

VALÉRY: 'Avant-Propos à la Connaissance de la Déesse',
Valéry O., p. 1272

Philosophical elements were eliminated:

Quand un peintre se dit: — Je vais faire une peinture crânement poétique ! Ah ! la poésie ! . . . il fait une peinture froide, où l'intention de l'œuvre brille aux dépens de l'œuvre: — *le Rêve du Bonheur* ou *Faust et Marguerite*. — Et cependant, MM. Papety et Ary Scheffer[2] ne sont pas des gens dénués de

---

[1] Claudel commented on this passage: 'Bien entendu, par cette séparation entre les deux catégories de l'expression humaine, je ne veux exprimer que des tendances divergentes et les différences extrêmes, tandis qu'une large zone médiane reste indécise. Cette remarque est surtout vraie. . .pour la littérature française où la poésie n'est souvent que de la prose "montée", tandis que la prose de son côté est toute chargée et agitée de vers infus.' (*Ibid.* pp. 12–13.)

[2] Dominique Papety, 1815–49, and Arty Scheffer, 1795–1858, were both *genre* painters characterized by their preference for sentimental subjects and presentation.

valeur; — mais!....c'est que la poésie d'un tableau doit être faite par le spectateur.

— Comme la philosophie d'un poème par le lecteur.

— Vous y êtes, c'est cela même.

— La poésie n'est pas donc une chose philosophique?

— Pauvre lecteur, comme vous prenez le mors aux dents, quand on vous met sur une pente!

La poèsie est essentiellement poétique; mais comme elle est avant tout *fatale*,[1] elle doit être involontairement philosophique.

— Ainsi, la poésie philosophique est un genre faux?

— Oui.   BAUDELAIRE: 'Prométhée Délivré', *Baudelaire O.C.*, p. 930

Je révère l'opinion de Poe, nul vestige d'une philosophie, l'éthique ou la métaphysique ne transparaîtra; j'ajoute qu'il la faut, incluse et latente.

       MALLARMÉ: Reply to question on Poe, *Mallarmé O.C.*, p. 872

Philosopher en vers, ce fut, et c'est encore, vouloir jouer aux échecs selon les règles du jeu de dames.[2]

       VALÉRY: 'Autres Rhumbs', *Tel Quel II* (N.R.F. 1943), pp. 154-5

La pensée doit être cachée dans les vers comme la vertu nutritive dans un fruit. Un fruit est nourriture, mais il ne paraît que délice. On ne perçoit que de plaisir, mais on reçoit une substance. L'enchantement voile cette nourriture insensible qu'il conduit....   VALÉRY: 'Littérature', *Tel Quel I*, p. 144

Dans la forêt enchantée du Langage, les poètes vont tout exprès pour se perdre, et s'y enivrer d'égarement, cherchant les carrefours de signification, les échos imprévus, les rencontres étranges; ils ne craignent ni les détours, ni les surprises, ni les ténèbres; — mais le veneur qui s'y excite à courre la 'vérité', à suivre une voie unique et continue, dont chaque élément soit le seul qu'il doive prendre pour ne perdre ni la piste, ni le gain du chemin parcouru, s'expose à ne pas capturer enfin que son ombre. Gigantesque, parfois; mais ombre tout de même.

       VALÉRY: 'Discours prononcé au Deuxième Congrès international d'Esthétique et de Science de l'art', 8 August 1937, *Valéry O.*, pp. 1300-1

---

[1] Cf. W. B. Yeats: 'Our words must seem to be inevitable.' (Letter to Dorothy Wellesley, 3 May 1936. *Letters on Poetry from W. B. Yeats to Dorothy Wellesley*, Oxford University Press, 1940, p. 68.)

[2] Cf. Marmontel: 'Plus un Poète, à génie égal, sera Philosophe, plus il sera Poète.' (*Poétique Française*, quoted in Charpier and Seghers, *op. cit.* p. 180.)

Il ne s'agit pas en effet de penser à proprement parler en poésie mais d'en donner en quelque sorte l'équivalent ou la nostalgie.

J. SUPERVIELLE: 'En Songeant à un Art Poétique', Naissances, p. 63

Detailed or clear-cut description was proscribed and stress laid on the need for imprecision and suggestion:

Relativement au rêve pur, à l'impression non analysée, l'art défini, l'art positif est un blasphème.[1]

BAUDELAIRE: 'La Chambre Double',
'Le Spleen de Paris', Baudelaire O.C., p. 278

Pour moi, me voilà résolument à l'œuvre. J'ai enfin commencé mon *Hérodiade*. Avec terreur, car j'invente une langue qui doit nécessairement jaillir d'une poétique très nouvelle, que je pourrais définir en ces deux mots: *Peindre non la chose, mais l'effet qu'elle produit.*

Le vers ne doit donc pas, là, se composer de mots, mais d'intentions et toutes les paroles s'effacer devant la sensation. Je ne sais si tu me devines, mais j'espère que tu m'approuveras quand j'aurai réussi. Car *je veux* pour la première fois de ma vie *réussir*. Je ne toucherais jamais plus à ma plume si j'étais terrassé.[2] MALLARMÉ: Letter to Cazalis, October 1864, *Propos*, pp. 46–7

Abolie, la prétention, esthétiquement une erreur, quoiqu'elle régît les chefs-d'œuvre, d'inclure au papier subtil du volume autre chose que par exemple l'horreur de la forêt, ou le tonnerre muet épars au feuillage; non le bois intrinsèque et dense des arbres.[3] Quelques jets de l'intime orgueil véridiquement trompétés éveillent l'architecture du palais, le seul habitable; hors de toute pierre, sur quoi les pages se refermeraient mal....

Parler n'a trait à la traité des choses que commercialement: en littérature, cela se contente d'y faire une allusion ou de distraire leur qualité qu'incorporera quelque idée.... MALLARMÉ: 'Crise de Vers', *Mallarmé O.C.*, pp. 365–6

---

[1] This was another belief which was encouraged by Poe: cf. 'I *know* that indefiniteness is an element of the true music—I mean of the true musical expression. Give to it any undue decision—imbue it with any very determinate tone—and you deprive it at once of its ethereal, its ideal, its intrinsic and essential character. You dispel its luxury of dream. You dissolve the atmosphere of the mystic upon which it floats. You exhaust it of its breath of faëry. It now becomes a tangible and easily appreciable idea—a thing of the earth, earthy.' ('Marginalia: cxcvi', *Poe: Works*, A. and C. Black, 1910, vol. III, p. 457.)

[2] Cf. Banville: 'La poésie a pour but de faire passer des impressions dans l'âme du lecteur et de susciter des images dans son esprit, — mais non pas en décrivant ces impressions et ces images. C'est par un ordre de moyens beaucoup plus compliqués et mystérieux.' (*Petit Traité de Versification*, Fasquelle, 1922 ed., p. 262.)

[3] Cf. Banville: 'Un poète qui se borne à écrire les choses comme elles sont ressemble à un peintre qui copierait toutes les feuilles d'un arbre, ce qui ne donnerait à personne l'idée d'un arbre. Il faut, non qu'il représente l'arbre, mais qu'il le fasse voir.' (*Loc. cit.*)

Quant au fond, les jeunes sont plus près de l'idéal poétique que les Parnassiens qui traitent encore leurs sujets à la façon des vieux philosophes et des vieux rhéteurs, en présentant les objets directement. Je pense qu'il faut, au contraire, qu'il n'y ait qu'allusion. La contemplation des objets, l'image s'envolant des rêveries suscitées par eux, sont le chant: les Parnassiens, eux, prennent la chose entièrement et la montrent;[1] par là ils manquent de mystère; ils retirent aux esprits cette joie délicieuse de croire qu'ils créent. *Nommer* un objet, c'est supprimer les trois-quarts de la jouissance du poème qui est faite du bonheur de deviner peu à peu; le *suggérer*, voilà le rêve. C'est le parfait usage de ce mystère qui constitue le symbole: évoquer petit à petit un objet pour montrer un état d'âme, ou, inversement, choisir un objet et en dégager un état d'âme, par une série de déchiffrements....

Il doit y avoir toujours énigme en poésie, et c'est le but de la littérature — il n'y en a pas d'autres — d'*évoquer* les objets....

L'enfantillage de la littérature jusqu'ici a été de croire, par exemple, que choisir un certain nombre de pierres précieuses et en mettre les noms sur le papier, même tres bien, c'était *faire* des pierres précieuses. Eh bien, non! La poèsie consistant à *créer*, il faut prendre dans l'âme humaine des états, des lueurs d'une pureté si absolue que, bien chantés et bien mis en lumière, cela constitue en effet les joyaux de l'homme: là, il y a symbole, il y a création, et le mot poésie a ici son sens: c'est, en somme, la seule création humaine possible. Et si, véritablement, les pierres précieuses, dont on se pare ne manifestent pas un état d'âme, c'est indûment qu'on s'en pare....

MALLARMÉ: Answer to Huret's *Enquête*,
Mallarmé O.C., pp. 868–70

Mallarmé re-expressed this belief in succinct poetic form with *Toute l'âme résumée*: just as smoke-rings cannot be produced till the ash is removed from the burning cigar-end, so poetry will only create its best effects when precise details are eliminated:

> Toute l'âme résumée
> Quand lente nous l'expirons
> Dans plusieurs ronds de fumée
> Abolis en d'autres ronds

---

[1] Cf. Leconte de Lisle: 'Le premier soin de celui qui écrit en vers ou en prose doit être de mettre en relief le côté pittoresque des choses extérieures.' (Quoted in M. Ibrovac: *J. M. de Heredia: Sa Vie, Son Œuvre*, Les Presses Universitaires, 1923, p. 344.)

Atteste quelque cigare
Brûlant savamment pour peu
Que la cendre se sépare
De son clair baiser de feu

Aussi le chœur des romances
A la lèvre vole-t-il
Exclus-en si tu commences
Le réel parce que vil

Le sens trop précis rature
Ta vague littérature.   *Mallarmé O.C.*, p. 73

De la musique avant toute chose,
Et pour cela préfère l'Impair
Plus vague et plus soluble dans l'air,
Sans rien en lui qui pèse ou qui pose.

Il faut aussi que tu n'ailles point
Choisir tes mots sans quelque méprise:
Rien de plus cher que la chanson grise
Où l'Indécis au Précis se joint.

C'est des beaux yeux derrière des voiles,
C'est le grand jour tremblant de midi,
C'est, par un ciel d'automne attiédi,
Le bleu fouillis des claires étoiles!

Car nous voulons la Nuance encor,
Pas la Couleur, rien que la nuance!
Oh! la nuance seule fiance
Le rêve au rêve et la flûte au cor!...

VERLAINE: from 'Art Poétique', *Verlaine O.C.*, pp. 206–7

Je songe à une poésie qui serait de la psychologie dans un forme de rêve,
avec des fleurs, du vent, des senteurs, d'inextricables symphonies avec une
phrase (un sujet) mélodique, dont le dessin reparaît de temps en temps. . . .

JULES LAFORGUE: Letter to C. Henry, December 1881,
Œuvres Complètes, vol. IV, p. 66

Je rêve de la poésie qui ne dise rien, mais soit des bouts de rêverie sans
suite. Quand on veut dire, exposer, démontrer quelque chose, il y a la
prose.   LAFORGUE: Letter to Madame Mullezer, 18 July 1882, *ibid.* p. 182

Une poésie ne doit pas être une description exacte (comme une page de roman) mais noyée de rêve.

(Je me souviens à ce propos d'une définition que me donnait Bourget: La poésie doit être à la vie ce qu'un concert de parfums est à un parterre de fleurs), voilà mon idéal. Pour le moment du moins. Car la destinée d'un artiste est de s'enthousiasmer et se dégoûter d'idéaux successifs. Cet idéal, mes Complaintes n'y répondent pas assez encore à mon gré, et je les retoucherai, je les noierai un peu plus.

LAFORGUE: Letter to his sister, May 1883, ibid. p. 21

The poet's function was not to moralize, neither was it to describe the world around him: it was 'inspecter l'invisible et entendre l'inouï' (Rimbaud: letter to P. Demeny, 18 May 1871). The ideal generally held was that poetry should express feeling rather than thought: it should suggest *un état d'âme*, it should be incantation.

Banville defined poetry as

cette magie qui consiste à éveiller des sensations à l'aide d'une combinaison de sons... cette sorcellerie grâce à laquelle des idées nous sont nécessairement communiquées, d'une manière certaine, par des mots qui cependant ne les expriment pas.

Quoted by Gide in the introduction to his Anthologie de la Poésie Française
(Gallimard, Bibliothèque de la Pléiade, 1949)

De la langue et de l'écriture, prises comme opérations magiques, sorcellerie évocatoire.[1]
BAUDELAIRE: 'Fusées', Baudelaire O.C., p. 1189

On a cru fort longtemps que certaines combinaisons de paroles pouvaient être chargées de plus de force que de sens apparent; étaient mieux comprises par les choses que par les hommes, par les roches, les eaux, les fauves, les dieux, par les trésors cachés, par les puissances et les ressorts de la vie, que par l'âme raisonnable; plus claires pour les Esprits que pour l'esprit. La mort même parfois cédait aux conjurations rythmées, et la tombe lâchait un spectre. Rien de plus antique, ni d'ailleurs de plus *naturel* que cette croyance dans la force propre de la parole, que l'on

---

[1] Cf. Baudelaire's description of the effect of hashish on his view of language: 'La grammaire, l'aride grammaire elle-même, devient quelque chose comme une sorcellerie évocatoire; les mots ressuscitent revêtus de chair et d'os, le substantif, dans sa majesté substantielle, l'adjectif, vêtement transparent qui l'habille et le colore comme un glacis, et le verbe, ange du mouvement, qui donne le branle à la phrase.' ('Le Poème du Haschisch', *Baudelaire O.C.*, pp. 458–9.)

pensait agir bien moins par sa *valeur d'échange* que par je ne sais quelles
résonances qu'elle devait exciter dans la substance des êtres.

L'efficace des 'charmes' n'était pas dans la signification résultante de
leurs termes tant que dans leurs sonorités et dans les singularités de leur
forme. Même, *l'obscurité* leur était presque essentielle.

Ce qui se chante ou s'articule aux instants les plus solennels ou les plus
critiques de la vie; ce qui sonne dans les liturgies; ce qui se murmure ou se
gémit dans les extrêmes de la passion; ce qui calme un enfant ou un
misérable; ce qui atteste la vérité dans un serment, ce sont paroles qui ne se
peuvent résoudre en idées claires, ni séparer, sans les rendre absurdes ou
vaines, d'un certain ton et d'un certain mode. Dans toutes ces occasions,
l'accent et l'allure de la *voix* l'emportent sur ce qu'elle éveille d'intelligible:
ils s'adressent à notre vie plus qu'à notre esprit. — Je veux dire que ces
paroles nous intiment de *devenir*, bien plus qu'elles ne nous excitent à
comprendre. VALÉRY: 'Je disais quelquefois à Stéphane Mallarmé', *Valéry O.*, pp. 649–50

La Poésie. Est l'essai de représenter, ou de restituer, par les moyens du
langage articulé, *ces choses* ou *cette chose*, que tentent obscurément
d'exprimer les cris, les larmes, les caresses, les baisers, les soupirs etc. et que
semble vouloir les objets, dans ce qu'ils ont d'apparence de vie ou de dessein
supposé.

Cette chose n'est pas définissable autrement. Elle est de la nature de
cette énergie qui se dépense à répondre à ce qui est....[1]

VALÉRY: 'Littérature', *Tel Quel I*, p. 144

The quest for poetic purity resulted in the condemnation of the long
poem which was dismissed as, at best, a series of pearls of pure poetry
strung together on a thread of prose:

En somme, ce qu'on appelle un poème se compose pratiquement de
fragments de poésie pure enchâssés dans la matière d'un discours.

VALÉRY: 'Poésie Pure', *Valéry O.*, p. 1457

[1] Cf. Lamartine: 'J'ai toujours pensé que la poésie était surtout la langue des prières, la
langue parlée et la révélation de la langue intérieure. Quand l'homme parle au suprême Inter-
locuteur, il doit nécessairement employer la forme la plus complète et la plus parfaite de ce
langage que Dieu a mis en lui. Cette forme relativement parfaite et complète, c'est évidemment
la forme poétique. Le vers réunit toutes les conditions de ce qu'on appelle la parole, c'est-
à-dire le son, la couleur, l'image, le rhythme, l'harmonie, l'idée, le sentiment, l'enthousiasme: la
parole ne mérite véritablement le nom de Verbe ou de Logos, que quand elle réunit toutes ces
qualités. Depuis les temps les plus reculés les hommes l'ont senti par instinct; et toutes les
cultes ont eu pour langue la poésie, pour premier prophète ou pour premier pontife les poètes.'
(Lamartine's own commentary on his poem 'La Prière', 'Méditations Poétiques', *op. cit.* p. 497.)

même les plus grandes œuvres versifiées, les plus admirables, peut-être, qui nous aient été transmises, appartiennent à l'ordre didactique ou historique. Le *De natura rerum*, les *Géorgiques*, *l'Enéide*, *La Divine Comédie*, *La Légende des Siècles*...empruntent une partie de leur substance et de leur intérêt à des notions que la prose la plus indifférente aurait pu recevoir.[1]
                      VALÉRY: 'Avant-Propos à la Connaissance de la Déesse',
Valéry O., p. 1270

Voltaire a dit merveilleusement bien que 'la Poésie n'est faite que de beaux détails'. Je ne dis autre chose. L'univers poétique dont je parlais s'introduit par le nombre ou, plutôt, par la densité des images, des figures, des consonances, dissonances, par l'enchaînement des tours et des rythmes — l'essentiel étant d'éviter constamment ce qui reconduirait à la prose, soit en la faisant regretter, soit en suivant exclusivement l'*idée*. . . .

. . .En somme, plus un poème est conforme à la Poésie, moins il peut se penser en prose sans périr. Résumer, mettre en prose un poème, c'est tout simplement méconnaître l'essence d'un art. La nécessité poétique est inséparable de la forme sensible, et les pensées énoncées ou suggérées par un texte de poème ne sont pas du tout l'objet unique et capital du discours, — mais des *moyens* qui concourent *également* avec les sons, les cadences, le nombre et les ornements, à provoquer, à soutenir une certaine tension ou exaltation, à engendrer en nous un *monde* — ou un *mode d'existence* — tout harmonique.

        VALÉRY: 'Au Sujet du Cimetière Marin', *Valéry O.*, pp. 1502–3

---

[1] Poe had anticipated this argument in *The Poetic Principle*: 'I hold that a long poem does not exist. I maintain that the phrase "a long poem" is simply a flat contradiction in terms.

'I need scarcely observe that a poem deserves its title only inasmuch as it excites, by elevating the soul. The value of the poem is in the ratio of this elevating excitement. But all excitements are, through a psychal necessity, transient. That degree of excitement which would entitle a poem to be so called at all, cannot be sustained throughout a composition of any great length. After the lapse of half an hour, at the very utmost, it flags—fails—a revulsion ensues—and then the poem, is in effect, and in fact, no longer such.

'There are, no doubt, many who have found difficulty in reconciling the critical dictum that "Paradise Lost" is to be devoutly admired throughout, with the absolute impossibility of maintaining for it, during perusal, the amount of enthusiasm which that critical dictum would demand. This great work, in fact, is to be regarded as poetical only when, losing sight of that vital requisite in all works of Art, Unity, we view it merely as a series of minor poems.' (Poe, *op. cit.* pp. 197–8.)

But cf. Keats: 'A long poem is a test of invention which I take to be the Polar star of poetry, as fancy is the sails, and imagination the rudder.' (Letter to Benjamin Bailey, 8 October 1817, Forman ed. *Keats's Letters*, p. 53.)

Valéry's ideal was to purge poetry of all prose elements and distil it to a pure quintessence:

Je n'ai jamais pris ce terme de 'pure' que dans le sens où le prennent les chimistes. Je me demandais si l'on ne pourrait séparer, dans le discours, des parties ayant un caractère particulier, des éléments poétiques, pour ne constituer une œuvre qu'avec eux: mon ami Bremond a vu dans le mot 'pur' une notion mystique,[1] telle n'était pas mon intention.

VALÉRY: Cours de Poétique, lesson 11 (Yggdrasill)

But it was an ideal which Valéry himself considered unattainable:

J'ai toujours considéré, et je considère encore, que c'est là un objet impossible à atteindre, et que la poésie est toujours un effort pour se rapprocher de cet état purement idéal.   'Poésie Pure', Valéry O., p. 1457

Valéry's most difficult poem, La Jeune Parque, would be more accessible to the ordinary reader were it longer: it is obscure and only five hundred lines long because Valéry removed or deliberately blurred all the descriptive or narrative clues which would have helped the reader situate the meditation in space and time. But in spite of Valéry's proscription of descriptive elements, some of the most memorably poetic passages in his work, the sunset in Fragments du Narcisse, the islands in La Jeune Parque, are description, just as the whole of Le Cimetière Marin is a triumphant refutation of his belief that 'la vraie pensée n'est pas adaptable au vers' (letter to André Fontainas, Réponses, Au Pigeonnier, 1928, p. 16).

The term 'poésie pure' is most commonly associated with Valéry and sometimes also with Poe, Baudelaire and Mallarmé, who clearly nurtured if they did not entirely provide the body of Valéry's beliefs. It is, however, possible to regard the work of all French poets, from the time of Lamartine onwards, as 'une préparation de la poésie à l'état pur'. Poets proposed a variety of means by which poetry could be transformed, some stressing musicality, others exploiting imagery, some demanding freedom from all prosodic shackles, others insisting that fixed rules were the source of the poet's strength—but all were concerned to make poetry more expressive, more poetic.

[1] Cf. Henri Bremond: 'S'il en faut croire Walter Pater "tous les arts aspireraient à rejoindre la musique". Non, ils aspirent tous, mais chacun par les magiques intermédiaires qui lui sont propres — les mots; les notes; les couleurs; les lignes; — ils aspirent tous à rejoindre la prière.' (La Poésie Pure, quoted in Charpier and Seghers, op. cit. p. 457.)

Je n'en suis encore qu'à entrevoir le but et les moyens. Des sensations nouvelles, des sentiments plus forts à communiquer par le verbe. Je perçois, j'éprouve, je ne formule pas comme je veux.... Percevons, éprouvons davantage.... Quand est venue la science d'un langage plus riche, la jeunesse est partie, les vibrantes sensibilités s'endorment.... Les réveiller! Des excitants!... Les parfums, les poisons aspirés par la Sibylle!

Words attributed to Rimbaud by E. Delahaye, Rimbaud O.C., p. xxiv

Je ne cherche qu'un lyrisme neuf et humaniste à la fois.

APOLLINAIRE: Letter to Toussaint Lorca, 11 May 1908, Apollinaire O.C., p. 1052

Pour ce qui est de la poésie libre dans *Alcools* il ne peut y avoir aujourd'hui de lyrisme authentique sans la liberté complète du poète et même s'il écrit en vers réguliers c'est sa liberté qui le convie à ce jeu; hors de cette liberté il ne saurait plus y avoir de poésie. Si vous ne reconnaissez cette vérité essentielle votre esprit étouffé dans les limites d'une convention qui n'a plus de raison d'être ne pourra se développer.

APOLLINAIRE: Letter of 30 October 1915, Lettres à sa Marraine, op. cit. p. 39.

II. THE POET AND LANGUAGE

Ce n'est point avec des idées qu'on fait des sonnets, Degas, c'est avec des mots.   MALLARMÉ to Degas: quoted in Mondor, *Vie de Mallarmé*, p. 684

◇ ◇ ◇

Ah! les mots! les mots! Il n'y a rien de comparable: ni la musique, ni la peinture ne valent les mots.   PÉGUY to J. Lotte, 20 September 1910: *Lettres et Entretiens*, p. 143

◇ ◇ ◇

Le langage a été donné à l'homme pour qu'il en fasse un usage surréaliste.

ANDRÉ BRETON: 'Premier Manifeste du Surréalisme', Breton, op. cit. p. 31

I. VOCABULARY

IN one of the best essays in *L'Art Romantique*, Baudelaire describes his first meeting with Théophile Gautier:

Il me demanda..., avec un œil curieusement méfiant, et comme pour m'éprouver, si j'aimais à lire des dictionnaires. Il me dit cela comme il dit tout autre chose, fort tranquillement, et du ton qu'un autre aurait pris pour s'informer si je préférais la lecture des voyages à celle des romans. Par bonheur, j'avais été pris très-jeune de lexicomanie, et je vis que ma réponse me gagnait de l'estime. Ce fut justement à propos des dictionnaires qu'il ajouta *'que l'écrivain qui ne savait pas tout dire,* celui qu'une idée si étrange, si subtile qu'on la supposât, si imprévue, tombant comme une pierre de la lune, *prenait au dépourvu et sans matériel pour lui donner corps, n'était pas un écrivain'.*   *Baudelaire O.C.,* pp. 1017–18

Gautier was not the only poet to be affected by *lexicomanie* or to be pre-occupied with general problems of language. It has been suggested that the poetry of both Mallarmé and Rimbaud reveals that they were assiduous readers of their dictionaries;[1] Mallarmé produced a somewhat curious analysis of the emotive qualities of the letters of the English alphabet,[2] and at one stage in his career was planning to write a philological thesis.[3]

In one of his earliest published articles, a review of Bréal's *Essai de Sémantique,* which appeared in the *Mercure de France* in January 1898 (pp. 254–60), Valéry particularly commended to his readers' attention the sections 'comment s'est formée la syntaxe' and 'comment s'est fixé le sens des mots', adding 'Je ne les analyserai pas, je dirai seulement qu'elles con-duisent aux problèmes les plus passionnants ceux que ces problèmes peuvent passionner'. One of his last, and most important essays, *Poésie et Pensée Abstraite,* reveals him still tormented by the vagueness and impre-cision of language.

Baudelaire translated Poe's poems, stories and essays, Mallarmé trans-lated his poems and an insignificant fairy tale by Mrs C. W. Elphinstone

---

[1] See C. Chassé, *Les Clefs de Mallarmé* (Aubier, 1954) and J. B. Barrère, 'Rimbaud, l'Apprenti Sorcier', *Revue d'Histoire Littéraire de la France* (January–March 1956), pp. 50–64. Cf. also Banville: 'Si vous avez de la mémoire, instrument dont il est impossible de vous supposer tout à fait dénué, et même avec très peu de mémoire du répertoire de mots bons à être employés en rimes et aussi le répertoire des mots qui, dans tel ou tel cas et pour produire tel ou tel effet, peuvent s'accoupler aux premiers et leur servir de rimes jumelles. Je vous ai dit de ne lire que VOTRE LIVRE en fait de poésie; mais je ne vous interdis pas, je vous ordonne au contraire de lire le plus qu'il vous sera possible des dictionnaires, des encyclopédies, des ouvrages techniques traitant de tous les métiers et de toutes les sciences spéciales, des cata-logues de librairie et des catalogues de ventes, des livrets des musées, enfin tous les livres qui pourront augmenter le répertoire des mots que vous savez et vous renseigner sur leur accep-tion exacte, propre ou figurée.' (*Petit Traité de Poésie Française,* pp. 72–3.)

[2] See p. 187.

[3] His preparatory notes for this were first published in 1929, under the title *Diptyque,* see *Mallarmé O.C.,* pp. 849–56.

Hope, *The Star of the Fairies*; in 1897, Valéry was working on a translation of *The Red Badge of Courage*, by Stephen Crane—all these facts are further evidence of the modern poet's particular interest in problems of language. It came to be realized that poetry is 'un art de langage',[1] and that if any radical reform is to be effected in poetry, the poet must begin not by tampering with the rules of prosody but by revitalizing language itself:

Il faudrait faire voir que le langage contient des ressources émotives mêlées à ses propriétés pratiques et directement significatives. Le devoir, le travail, la fonction du poète sont de mettre en évidence et en action ces puissances de mouvement et d'enchantement, ces excitants de la vie affective et de la sensibilité intellectuelle, qui sont confondues dans le langage usuel avec les signes et les moyens de communication de la vie ordinaire et superficielle. Le poète se consacre et se consume donc à définir et à construire un langage dans le langage; et son opération, qui est longue, difficile, délicate, qui demande les qualités les plus diverses de l'esprit, et qui jamais n'est achevée comme jamais elle n'est exactement possible, tend à constituer le discours d'un être plus pur, plus puissant et plus profond dans ses pensées, plus intense dans sa vie, plus élégant et plus heureux dans sa parole que n'importe quelle personne réelle. Cette parole extraordinaire se fait connaître et reconnaître par le rythme et les harmonies qui la soutiennent et qui doivent être si intimement, et même si mystérieusement liés à sa génération, que le son et le sens ne se puissent plus séparer et se répondent indéfiniment dans la mémoire.[2]

VALÉRY: 'Situation de Baudelaire', *Valéry O.*, p. 611

Two directly opposed views were adopted by modern French poets to the store of words available for poetry-building: either the poet's vocabulary should be deliberately restricted to words judged to be poetic, or else

[1] Valéry: 'Poésie et Pensée Abstraite', *Valéry O.*, p. 1324.
[2] Cf. T. S. Eliot's description of what he considered to be his most constant poetic problem:

Trying to learn to use words, and every attempt
Is a wholly new start, and a different kind of failure
Because one has only learnt to get the better of words
For the thing one no longer has to say, or the way in which
One is no longer disposed to say it. And so each venture
Is a new beginning, a raid on the inarticulate
With shabby equipment always deteriorating
In the general mess of imprecision of feeling,
Undisciplined squads of emotion...

('East Coker', *Four Quartets*, Faber and Faber, 1944, pp. 21–2.)

it should be greatly enlarged by borrowings from popular or dialect speech, or by the creation of new words:

Un poète use à la fois de la langue vulgaire, — qui ne satisfait qu'à la condition de compréhension et qui est donc purement transitive, — et du langage qui s'oppose à celui-ci, — comme s'oppose un jardin soigneusement peuplé d'espèces bien choisies à la campagne tout inculte où toute plante vient, et d'où l'homme prélève ce qu'il y trouve de plus beau pour le remettre et le choyer dans une terre exquise.

Peut-être pourrait-on caractériser un poète par la proportion qu'on y trouve de ces deux langages: l'un, naturel; l'autre, purifié et spécialement cultivé pour l'usage somptuaire? Voici un bon exemple, de deux poètes du même temps et du même milieu: Verlaine, qui ose associer dans ses vers les formes les plus familières et les termes les plus communs à la poétique artificieuse du Parnasse, et qui finit par écrire en pleine et même cynique impureté: et ceci, non sans bonheur; et Mallarmé, qui se crée un langage presque entièrement sien par le choix raffiné des mots et par les tours singuliers qu'il invente ou développe, refusant à chaque instant la solution immédiate que lui souffle l'esprit de tous. Ce n'était point là autre chose que se défendre, jusque dans le détail et le fonctionnement élémentaire de la vie mentale, *contre l'automatisme.*

VALÉRY: 'Je disais quelquefois à Stéphane Mallarmé', *Valéry O.*, pp. 657–8

Rien de plus affreux que le langage poétisé, que des mots trop jolis gracieusement liés à d'autres perles. La poésie véritable s'accommode de nudités crues, de planches qui ne sont pas de salut, de larmes qui ne sont pas irisées. Elle sait qu'il y a des déserts de sable et des déserts de boue, des parquets cirés, des chevelures décoiffés, des mains rugueuses, des victimes puantes, des héros misérables, des idiots superbes, toutes les sortes de chiens, des balais, des fleurs dans l'herbe, des fleurs sur les tombes. Car la poésie est dans la vie.[1]   ELUARD: 'La Poésie est Contagieuse', *Les Sentiers et les Routes de la Poésie*, pp. 16–17

[1] Cf. Hugo:

J'ai pris et démoli la bastille des rimes.
J'ai fait plus: j'ai brisé tous les carcans de fer
Qui liaient le mot peuple, et tiré de l'enfer
Tous les vieux mots damnés, légions sépulcrales;
J'ai de la périphrase écrasé les spirales,
Et mêlé, confondu, nivelé sous le ciel
L'alphabet, sombre tour qui naquit de Babel;
Et je n'ignorais pas que la main courroucée
Qui délivre le mot, délivre la pensée....
('Réponse à un acte d'accusation', *Les Contemplations*)

The most striking examples of crude or popular speech in modern French poetry are to be found not in the work of Verlaine, nor in *Les Fleurs du Mal* where there is something fastidious in the language of even the most morbid of subjects,[1] but in the poetry of Rimbaud. Rimbaud[2] did not hesitate to employ *mots bas* to express his disgust for the world about him: his 'petites amoureuses' are dismissed as 'laiderons' as he jeers at them

> Plaquez de touffes douloureuses
> Vos tétons laids. . . .
>
> 'Mes Petites Amoureuses', *Rimbaud O.C.*, p. 75

he depicts 'les pauvres à l'église' listening to 'vingt gueules gueulant les cantiques pieux', 'fringalant du nez dans les missels antiques' and 'bavant la foi mendiante et stupide' ('Les Pauvres à l'Eglise', *Rimbaud O.C.*, p. 79). He hurls invective at the victors of the Commune:

> Tas de chiennes en rut mangeant des cataplasmes.
>
> 'L'Orgie Parisienne', *Rimbaud O.C.*, p. 81

> Syphilitiques, fous, rois, pantins, ventriloques,
> Qu'est-ce que ça peut faire à la putain Paris,
> Vos âmes et vos corps, vos poisons et vos loques?
> Elle se secouera de vous, hargneux pourris.   *Ibid.*

In his truculence he preferred to refer to the parts of the body by a familiar rather than a polite term: *culs* ('Les Effarés'), *tétons* ('Au Cabaret Vert'), *caboche* ('Les Assis'). If no word was readily available, for his immediate purpose, he was quite prepared to invent one: thus he composed the verb *Robinsonner* ('Roman') from Robinson Crusoe, *silluner* ('Les Poètes de Sept Ans'), *abracadabrantesques* ('Le Cœur Volé'), *ithyphalliques* et *pioupiesques* (*ibid.*).

But the most notable poetic creator of neologisms was undoubtedly Laforgue, who freely created new nouns: *Eternullité* ('Préludes Auto-biographiques', 'Les Complaintes', *Œuvres Complètes*, vol. I, p. 63), *luno-logues* ('Pierrots', *ibid.* p. 227), *rêvoir* ('Préludes Autobiographiques', *ibid.* p. 62), *le transcendental en allé* ('Pierrots', *ibid.* p. 221), *les voluptantes* ('Complainte des Voix sous le Figuier Bouddhique, *ibid.* p. 74); new

---

[1] Consider *Une Charogne, A une Madone* and *A Celle qui est trop gaie.*

[2] Le jeune homme, devant des laideurs de ce monde
Tressaille dans son cœur largement irrité. . . .
('Les Sœurs de Charité', *Rimbaud O.C.*, p. 86.)

adjectives: *don quichottesque* ('L'Hiver qui Vient', *Œuvres Complètes*, vol. II, p. 144), *hosannahles* ('Complainte des Cloches', vol. I, p. 155), *sangsuelles* ('Complainte des Voix sous le Figuier Bouddhique', vol. I, p. 75), *sexciproques* ('Complainte à Notre-Dame des Soirs', *ibid.* p. 71). *C'était un très-au vent d'octobre paysage* ('Complainte d'un autre dimanche', *ibid.* p. 92); new verbs: *angéluser* ('Complainte des débats mélancoliques et Littéraires',*ibid.* p. 188), *s'arlequiner* ('Esthétique', vol. II, p. 26), *aubader* ('Complainte des Condoléances au Soleil', vol. I, p. 162), *élixirer* ('Préludes Autobiographiques', *ibid.* p. 66), *hallaliser* ('Complainte de l'Automne monotone', *ibid.* p. 108), *ubiquiter* ('Complainte du vent qui s'ennuie la Nuit', *ibid.* p. 144), *ventriloquer* ('Complainte des grands pins', *ibid.* p. 159).

> Dans les soirs
> Feu d'artificeront vers vous mes sens encensoirs!

('Complainte du pauvre Chevalier-Errant', *ibid.* p. 119). Laforgue's favourite formulae were to fashion one part of speech from another, noun from participle, verb from noun, and to telescope two words together to form a portmanteau word, new in itself, yet retaining a suggestion of its components.

Mallarmé and Valéry, in contrast, chose to work within the self-imposed limits of a rigorously restricted poetic vocabulary. Mallarmé made very few inventions in vocabulary and, perhaps surprisingly, used few rare or archaic words.[1] Within his limited vocabulary certain words are charged with particular significance with which the reader new to Mallarmé must familiarize himself, always bearing in mind that Mallarmé reserved the right to employ such words sometimes in their generally accepted sense, sometimes as key-words of his own: thus 'astre' can mean star as well as glory; 'bond' can be used with its regular sense of 'leap', but also with Mallarmé's private sense of any 'striving upward towards the Ideal'.

Valéry denounced vague words as imperfect tools for the prose-writer or the thinker:

> Il n'est pas de proposition, il n'est pas de description, pas de raisonnement dans lesquels les mots de *temps* et *d'espace* ne puissent être avantageusement remplacés par d'autres termes chaque fois plus particuliers.
>
> *Temps, espace, infini* sont mots incommodes. Toute proposition qui se précise les abandonne.   'Analecta', CX, *Tel Quel II*, p. 293

---

[1] For this aspect of Mallarmé's work, see J. Scherer, *L'Expression Littéraire dans l'Œuvre de Mallarmé* (Droz, 1947).

But their very vagueness made them ideal tools for the poet aiming to achieve the maximum effects of resonance:

Tous ces pas infinis me semblaient éternels.

'La Jeune Parque', Valéry O., p. 100

Osera-t-il, le Temps, de mes diverses tombes,
Ressusciter un soir favori des colombes....

Ibid., Valéry O., p. 101

Temple du Temps, qu'un seul soupir résume....[1]

'Le Cimetière Marin', Valéry O., p. 148

Though not charging certain words with quite the same amount of personal meaning as Mallarmé, Valéry nevertheless employed some which readers of his verse will find have a special significance: such words, for example, as *absence, charme, composer, doré, extrême, idole, or, poreux, pur, ravir, temple.* He also on occasions made use of words rarely encountered in modern speech: *chlamyde* ('Le Cimetière Marin', *Valéry O.*, p. 151), *empyreumes* ('La Pythie', *ibid.* p. 133), *neumes* (*ibid.*).[2] These words are not, however, as *recherché* as certain terms to be found in the work of Apollinaire: *aémères* ('L'Ermite', *Apollinaire O.P.*, p. 101), *argyraspides* ('La Chanson du Mal Aimé', *ibid.* p. 55), *chibriape* (*ibid.* p. 56), *dendro- phores* (*ibid.* p. 55), *godiveaux* ('Palais', *ibid.* p. 62), *gypaètes* ('Le Vent Nocturne', *ibid.* p. 96), *isochrones* ('L'Ermite', *ibid.* p. 101), *passiflores* (*ibid.* p. 102), *pyraustes* ('La Chanson du Mal Aimé', *ibid.* p. 94), *sphingeries* ('Descendant des hauteurs où pense la lumière', *ibid.* p. 110). Apollinaire took no little pride in displaying the learning gleaned from his wide though undisciplined reading, and from his studies in the Bibliothèque Nationale, further evidence of which may be seen in the abstruse proper names frequently encountered in *Alcools*, and, in particular, in *La Chanson du Mal Aimé*. The profusion of such exotic erudition, juxtaposed with images drawn from modern urban civilization, led to his being described as a 'brocanteur'.[3]

---

[1] Cf. Diderot: '...La clarté, de quelque manière qu'on l'entende, nuit à l'enthousiasme. Poète, parlez sans cesse d'éternité, d'infini, d'immensité, du temps, de l'espace, de la Divinité, des tombeaux, des mânes, des enfers, d'un ciel obscur, des mers profondes, des forêts obscures, du tonnerre, des éclairs qui déchirent la nue. Soyez ténébreux.' (*Salon de 1867*, quoted in Charpier and Seghers, *op. cit.* p. 182.)

[2] See A. Henry: *Langage et Poésie chez Valéry*, Mercure de France, 1952, pp. 89–170.

[3] Apollinaire's somewhat disingenuous defence was: 'Toutefois, ce n'est pas la bizarrerie qui me plaît, c'est la vie et quand on sait voir autour de soi, on voit les choses les plus curieuses

2. SYNTAX

Mallarmé refused to mutilate existing words or to create new ones as Laforgue had done, because he held that words were living things, that their life was sacrosanct:

Le Mot présente, dans ses voyelles et ses diphtongues, comme une chair; et dans ses consonnes, comme une ossature délicate à disséquer.

'Les Mots Anglais', *Mallarmé O.C.*, p. 901

Faced with the problem 'donner un sens plus pur aux mots de la tribu', Mallarmé's solution was simply to use the words of everyday, but in a manner which the ordinary reader could not hope to understand. René Ghil reported him as saying:

Il convient de nous servir des mots de tout le monde, dans le sens que tout le monde croit comprendre! Je n'emploie que ceux-là. Ce sont les mots mêmes que le Bourgeois lit tous les matins, les mêmes! Mais, voilà (et ici son sourire s'accentuait), s'il lui arrive de les retrouver en tel mien poème, il ne les comprend plus! C'est qu'ils ont été récrits par un poète.

Les Dates et les Œuvres (Crès, 1923), quoted in Scherer, *op. cit.* p. 65

Mallarmé's solution[1] was to disrupt the word-order required by normal French syntax; and to give new values to his words by placing them in unfamiliar juxtaposition:

Le vers qui de plusieurs vocables refait un mot total, neuf, étranger à la langue et comme incantatoire, achève cet isolement de la parole: niant, d'un trait souverain, le hasard demeuré aux termes malgré l'artifice

---

et les plus attachantes. Quoiqu'on dise! je ne suis pas un grand liseur, je ne lis guère que les mêmes choses depuis mon enfance et je ne me suis adonné à la lecture d'une façon méthodique, et si je suis lettré, ce que je crois, c'est plutôt par un goût naturel qui me fait bien saisir l'intensité de vie et de perfection d'un ouvrage soit d'art, soit de littérature, soit d'autre chose, c'est plutôt par une sorte d'intuition, dis-je, que par l'étude.... Je suis comme ces marins qui dans les ports passent leur temps au bord de la mer, qui amène tant de choses imprévues, où les spectacles sont toujours neufs et ne lassent point, mais brocanteur me paraît un qualificatif très injuste pour un poète qui a écrit un si petit nombre de pièces dans le long espace de quinze ans.' (Apollinaire: Letter to Henri Martineau, 19 July 1913, quoted in M. Adéma, *Apollinaire le Mal-Aimé* (Plon, 1952), p. 160.)

[1] M. C. Chassé has put forward another hypothesis: that Mallarmé made a particular study of the root-meanings of words in his Littré, and purified language by restoring to words senses long discarded. His exegeses are always interesting, though not always plausible; sometimes the need to apply his methods to *every* poem, leads him to find scabrous significance in the inoffensive; see in this respect the regrettable analyses of 'Dame, sans trop d'ardeur...', (*Les Clefs de Mallarmé*, pp. 205–7), and of 'Petit Air (II)', *ibid.* pp. 214–18.

de leur retrempe alternée en le sens et la sonorité, et vous cause cette surprise de n'avoir ouï jamais tel fragment ordinaire d'élocution, en même temps que la réminiscence de l'objet nommé baigné dans une neuve atmosphère.   'Crise de Vers', *Mallarmé O.C.*, p. 368

Les mots, d'eux-mêmes, s'exaltent à mainte facette reconnue la plus rare ou valant pour l'esprit, centre de suspens vibratoire; qui les perçoit indépendamment de la suite ordinaire, projetés, en paroi de grotte, tant que dure leur mobilité ou principe, étant ce qui ne se dit pas du discours: prompts tous, avant extinction, à une réciprocité de feux distante ou présentée de biais comme contingence.   'Le Mystère dans les Lettres', *Mallarmé O.C.*, p. 386

L'œuvre pure implique la disparition élocutoire du poète, qui cède l'initiative aux mots, par le heurt de leur inégalité mobilisés; ils s'allument de reflets réciproques comme une virtuelle traînée de feux sur des pierreries, remplaçant la respiration perceptible en l'ancien souffle lyrique ou la direction personnelle enthousiaste de la phrase.[1]

    'Crise de Vers', *Mallarmé O.C.*, p. 366

Though Mallarmé assiduously disrupted orthodox French word-order,

---

[1] Cf. Horace: Dixeris egregie notum si callida verbum
              Reddiderit iunctura novum.   *Ars Poetica*
('You may gain the finest effects in language by the skilful setting which makes a well-known word new.')

Cf. Gautier, who declared that words: 'ont en eux-mêmes et en dehors des sens qu'ils expriment une beauté ou une valeur propre, comme les pierres précieuses qui ne sont pas encore taillées et montées en colliers, en bracelets ou en bagues. Il y a des mots diamant, saphir, rubis, émeraude, d'autres qui luisent comme du phosphore quand on les frotte, et ce n'est pas un mince travail de les choisir.' (Preface to *Les Fleurs du Mal*, quoted by F. Brunot, 'La Langue Française de 1815 à nos jours', in L. Petit de Julleville, *Histoire de la Langue et de la Littérature Française des Origines à 1900*, vol. VIII, Armand Colin, 1899, p. 787.)

Cf. Claudel: 'Le mot est une espèce de condensé de l'énergie intrinsèque du sentiment; le mot conserve le sentiment, si vous voulez; c'est une espèce de pile qui garde l'intensité du sentiment dont il est l'expression et qui dégage à son tour une énergie. A ce point de vue là, le mot...est un élément créateur, il est un sentiment portatif, si je peux dire, qui traduit au dehors l'énergie créatrice de son auteur....

'Par exemple, une insulte. Une insulte dégage une espèce d'énergie considérable dont on se sent frappé, une insulte est presque comme un soufflet!

'Quand vous appelez quelqu'un "Cochon", autour de ce mot "cochon" rayonne tout de suite une quantité d'ondes, exactement comme si vous appliquiez votre main sur la joue de l'individu. Dans le mot de l'insulte, de même que dans un mot caressant, si vous voulez: "Mon amour", ou autre chose, il se dégage également des ondes de ce mot-là, et l'art du poète est justement d'arranger ces mots de telle manière que l'effet recherché soit d'autant plus puissant qu'il est soutenu par un concert d'autres mots qui viennent à son aide, et qui en constituent une espèce de mot nouveau, qui, quelquefois, prend un paragraphe entier ou une page même pour produire tout son effet....' (*Mémoires Improvisés*, pp. 202–3.)

he submitted to the dictates of syntax, and this was the one sure guarantee against complete unintelligibility:

Quel pivot, j'entends, dans ces contrastes, à l'intelligibilité? il faut une garantie —

La Syntaxe — 'Le Mystère dans les Lettres', *Mallarmé O.C.*, p. 385

Il y a à Versailles des boiseries à rinceaux, jolis à faire pleurer; des coquilles, des enroulements, des courbes, des reprises de motifs. Telle m'apparaît d'abord la phrase que je jette sur le papier, en un dessin sommaire, que je revois ensuite, que j'épure, que je réduis,[1] que je synthétise. Si l'on obéit à l'invitation de ce grand espace blanc laissé à dessein au haut de la page comme pour séparer de tout, le déjà lu ailleurs, si l'on arrive avec une âme vierge, neuve, on s'aperçoit alors que je suis profondément et scrupuleusement syntaxier, que mon écriture est dépourvue d'obscurité, que ma phrase est ce qu'elle doit être et être pour toujours. . . .

Words attributed to Mallarmé by Maurice Guillemot: *Villégiatures d'Artistes* (Flammarion, 1898), quoted in Mondor, *Vie de Mallarmé*, pp. 506–7

Mallarmé's fellow-poets readily recognized that his syntactical experiments were one of the prime causes of his obscurity:

Il est probable pour moi que le premier élément de votre phrase en est la syntaxe ou le dessin qui des mots divers qu'elle rapproche ou distancie, de manière à les dépouiller d'une part inutile de leur sens ou à les rehausser d'un éclat étranger, constitue ce que vous appelez excellemment un terme. Là me semble l'origine du proverbe de votre obscurité, qui est, non le vague, mais la précision extrême et l'élégance d'un esprit habitué à de hauts jeux. . . .   CLAUDEL: Letter to Mallarmé, 25 March 1895, quoted in Mondor, *Vie de Mallarmé*, p. 710

La syntaxe était à ce poète une algèbre qu'il cultivait pour elle-même. . . . Il me semblait quelquefois qu'il eût examiné, pesé, miré tous les mots de la langue un à un, comme un lapidaire ses pierres, tant la sonorité, l'éclat, la couleur, la limpidité, la portée de chacun, et je dirais presque son *orient*, s'accusaient dans ses propos comme dans ses écrits, où il les assemblait et montait avec une efficace et une valeur de position incomparables.[2]

VALÉRY: 'Sorte de Préface aux Thèmes anglais pour toutes les grammaires, par Stéphane Mallarmé', *Valéry O.*, pp. 685–6

[1] See p. 79.

[2] Cf. Robert de Montesquiou: 'L'obscurité de Mallarmé ne réside pas dans le choix des mots, tous élus parmi les plus simples, sans recherches de néologismes ni d'archaïsmes, mais dans leur agencement.' (*Diptyque de Flandre, Triptyque de France*, Chiberre, 1921, quoted in Scherer, *op. cit.* p. 79.)

The more important of Mallarmé's syntactic innovations were: the frequent inversion of noun and verb, the separation of an adjective from the noun it qualifies, inversion of two terms in apposition, the avoidance of relative pronouns and of conjunctions, the elimination, as far as possible, of active forms of the verb, the omission of articles, the use of *aucun* in a positive sense. Certain of these experiments were the natural outcome of Mallarmé's lifelong policy of condensing and concentrating his verse to the maximum degree:

finir par une recette que j'ai inventée et que je pratique: 'Il faut toujours couper le commencement et la fin de ce qu'on écrit. Pas d'introduction, pas de finale. . . .' *Letter to Cazalis, 25 April 1864, Propos, p. 42*

Criticizing verses submitted to him by a friend in 1866, he wrote:

il y a des passages où je préfererais un beau vers à une belle strophe. . . . *Letter to A. Mérat, 6 May 1866, ibid. p. 74*

je n'ai créé mon œuvre que par *élimination*, et toute vérité acquise ne naissait que de la perte d'une impression qui, ayant étincelé, s'était consumée et me permettait, grâce à ses ténèbres dégagées, d'avancer plus profondément dans la sensation des Ténèbres Absolues. La Destruction fut ma Béatrice. . . . *Letter to E. Lefébure, 17 May 1867, ibid. p. 91*

A typical example of Mallarmé's fondness for ellipsis, so condensed as to be positively cryptic,[1] is the phrase in *Le Tombeau de Charles Baudelaire* which depicts the prostitute, who symbolizes the Muse of *Les Fleurs du Mal*, sitting against a lamp-post and 'absente avec frissons', the most elliptical manner possible of saying that she is lost in darkness each time the lamp flickers. Mallarmé's characteristic syntactical rearrangements combine with his fondness for concision in the sestet of *Le Tombeau d'Edgar Poe*.

> Du sol et de la nue hostiles, ô grief!
> Si notre idée avec ne sculpte un bas-relief
> Dont la tombe de Poe éblouissante s'orne,
>
> Calme bloc ici-bas chu d'un désastre obscur,
> Que ce granit du moins montre à jamais sa borne
> Aux noirs vols du Blasphème épars dans le futur.
> *Mallarmé O.C.*, p. 70

[1] Cf. Horace: 'Brevis esse laboro obscurus fio'. (*Ars Poetica*.)

Normal syntax would require the following word-order:

Si notre idée ne sculpte (pas) avec (ce) grief [= struggle] du sol et de la nue hostiles [i.e. hostile to one another], un bas-relief dont s'orne la tombe éblouissante de Poe que, du moins ce granit, calme bloc chu ici-bas d'un désastre obscur, montre à jamais sa borne aux noirs vols du blasphème épars dans le futur.

The prose word-order makes the meaning clear, but the carefully woven poetic incantation is at once destroyed.[1]

Just how deliberately Mallarmé laboured to make his poetry obscure may be seen by comparing the successive drafts of his poems. Compare, for example, the earliest form of a stanza of *Le Pitre Châtié* with the final version:

> Pour ses yeux, — pour nager dans ces lacs, dont les quais
> Sont plantés de beaux cils qu'un matin bleu pénètre,
> J'ai, Muse, — moi, ton pitre, — enjambé la fenêtre
> Et fui notre baraque où fument tes quinquets.

Early version, 1864, Mallarmé O.C., p. 1416

> Yeux, lacs avec ma simple ivresse de renaître
> Autre que l'histrion qui du geste évoquais
> Comme plume la suie ignoble des quinquets,
> J'ai troué dans le mur de toile une fenêtre.

Final version published in 1887, Mallarmé O.C., p. 31

Even more striking are the successive versions of *L'Après-Midi d'un Faune*, in which Mallarmé may be seen progressing all the time towards greater allusiveness and closer concision.[2]

One may make a similar comparison between different versions of a

---

[1] Cf. Gérard de Nerval: '...Puisque vous avez eu l'imprudence de citer un des sonnets composés dans cet état de rêverie *supernaturaliste*, comme diraient les Allemands, il faut que vous les entendiez tous. Vous les trouverez dans mes poésies. Ils ne sont guère plus obscurs que la métaphysique d'Hegel ou les *mémorables* de Swedenborg, et perdraient leur charme à être expliqués, si la chose était possible, concédez-moi du moins le mérite de l'expression; la dernière folie qui me restera probablement, ce sera de me croire poète: c'est à la critique de m'en guérir.' (Preface of *Les Filles du Feu*, dedicated to Alexandre Dumas, 1853. Gérard de Nerval, *Œuvres Complètes*, Gallimard, *Bibliothèque de la Pléiade*, vol. I, pp. 182–3.)

[2] See H. Mondor, *Histoire d'un Faune* (Gallimard, 1948), or *Mallarmé O.C.*, pp. 1448–66.

poem by Apollinaire: the first, entitled *Le Retour*, first appeared in *Le Festin d'Europe* (December 1903):

> Toc, toc...'Il a fermé sa porte.
> Les lys du jardin sont flétris. ...
> Quel est donc ce mort qu'on emporte?'
> — 'Tu viens de toquer à sa porte.'
> — 'Et je suis veuve, aux pieds meurtris.'

Apollinaire O.C., p. 1058

In the final version published in *Alcools* and renamed *La Dame*, the narrative elements have been eliminated together with the punctuation:

> Toc toc Il a fermé sa porte
> Les lys du jardin sont flétris
> Quel est donc ce mort qu'on emporte
>
> Tu viens de toquer à sa porte
> Et trotte trotte
> Trotte la petite souris.[1]

Ibid. p. 127

So assiduously did Mallarmé practise his cult of obscurity that he ultimately found himself unable to readopt normal French syntax. He is reputed to have said to Camille Mauclair:

Que de fois j'ai résolu de me mettre à écrire les livres que je portais dans mon cerveau, en me contentant d'une forme française habituelle, d'un-à-peu-près éloquent et expressif, avec des rythmes et une syntaxe d'usage courant, en me jurant à moi-même de secouer le joug; et puis, au moment de commencer, je sentais que je ne pouvais pas, que l'on n'a pas le droit de mesurer ainsi de la forme écrite et je commençais à étudier ce qu'elle exige.

'L'Art en Silence', quoted in Mondor, *Vie de Mallarmé*, pp. 675–6

His last letter to his wife and daughter (see p. 89) displays the same tortured syntax as much of his prose, and on such an occasion, since he was clearly concerned with elucidating rather than obscuring his thought, he would seem to have been the unwilling victim of the writing habits of a lifetime.

While there is no particular artistic merit in obscurity for its own sake,

---

[1] Clearly a conscious or unconscious borrowing from Verlaine:

> Dame souris trotte,
> Noire dans le gris du soir,
> Dame souris trotte,
> Grise dans le noir.

('Impression Fausse', 'Parallèlement', *Verlaine O.C.*, p. 354)

and none at all in the obscurity which results from incapacity to express oneself, it is nevertheless true that the most potent—Valéry would have said the 'purest'—poetry is that which acts as an incantation, the power of which defies analysis.[1] Mallarmé's best poems are incantations of this sort, like Blake's *Sick Rose*, Coleridge's *Kubla Khan*, Gérard de Nerval's *Chimères*, *Le Guignon* of Baudelaire, Rimbaud's *Derniers Vers* and most of *Les Illuminations*, Verlaine's *L'Espoir luit*, Valéry's *Vin Perdu* or *La Ceinture*, Apollinaire's *Lul de Faltenin*. Even when patient exegetists have sifted out the prose-meaning, or revealed his raw materials before they were fused in his alchemist's crucible, his poetic essence retains its potency. At such moments, we are justified in applying to Mallarmé the words he himself wrote as homage to Tennyson in 1892:

Avoir doté la voix d'intonations point ouïes jusqu'à soi... et faire rendre à l'instrument national tels accords neufs mais reconnus innés, constitue le poète, dans l'extension de sa tâche ou de son prestige.

'Tennyson vu d'ici', *Mallarmé O.C.*, p. 530

3. THE IMAGE

To describe one object in terms of another, to perceive 'affinities in objects where no brotherhood exists to passive minds' (Wordsworth), has always been the poet's pride and power: Aristotle, in his *Poetics*, held that mastery of metaphor is the mark of true genius; Pope, imitating Horace, claimed that

> One simile that solitary shines
> In the dry Desert of a thousand lines,
> Or lengthened thought, that gleams thro' many a page
> Has sanctified whole poems for an age.

'First Epistle', *Epistles*, Book III

to which Tennyson provided a grandiloquent echo when speaking of

> Jewels, five words long
> That on the sketch'd forefinger of all Time
> Sparkle for ever;   *The Princess*, Part One

[1] Cf. Coleridge: 'Poetry gives most pleasure when only generally and not perfectly understood.' ('Anima Poetæ', Coleridge, *op. cit.* p. 156.)

And cf. Flaubert: 'Ce qui me semble à moi le plus haut dans l'art (et le plus difficile) ce n'est ni de faire rire, ni de faire pleurer, ni de vous mettre en rut ou en fureur, mais d'agir à la façon de la nature, c'est-à-dire de *faire rêver*. Aussi les très belles œuvres ont ce caractère, elles sont sereines d'aspect et incompréhensibles.' (Letter to Louise Colet, 1853; *Correspondance*, ed. cit. vol. II, p. 304.)

more recently, T. S. Eliot has written:

The only way of expressing emotion in the form of art is by finding an 'objective correlative'; in other words, a set of objects, a situation, a chain of events which shall be the formula of that *particular* emotion; such that when the external facts, which must terminate in sensory experience, are given, the emotion is immediately evoked.   'Hamlet', *Selected Essays* (Faber, 1951), p. 145

Modern French poets showed a similar high regard for the image, so much so, in fact, that in the works of some it came to be looked on as the supreme creative principle in poetic style, not merely an adornment but the poem itself:

La poésie consistant à *créer*, il faut prendre dans l'âme humaine des états, des lueurs d'une pureté si absolue que, bien chantés et bien mis en lumière, cela constitue en effet les joyaux de l'homme: là, il y a symbole, il y a création, et le mot poésie a ici son sens: c'est, en somme, la seule création humaine possible.   MALLARMÉ: Reply to Huret's 'Enquête', *Mallarmé O.C.*, p. 870

L'image est une création pure de l'esprit. Elle ne peut naître d'une comparaison mais du rapprochement de deux réalités plus ou moins éloignées. Plus les rapports des deux réalités rapprochées seront lointains et justes, plus l'image sera forte — plus elle aura de puissance émotive et de réalité poétique.

  PIERRE REVERDY in *Nord-Sud* (March 1918), quoted in André Breton, *op. cit.* p. 21

L'image est la lanterne magique qui éclaire les poètes dans l'obscurité. Elle est aussi la surface éclairée lorsqu'il s'approche de ce centre mystérieux où bat le cœur même de la poésie....

...la plupart du temps je n'avance dans ma pensée qu'à la faveur des images. Si l'image, même quand elle est juste, est plus imprécise que le concept, elle rayonne davantage et va plus loin dans l'inconscient. Elle l'incarne dans le poème alors que le concept plus ou moins formulé, n'est là que pour l'intelligibilité et pour permettre au poème d'atteindre une autre image qui émerge peu à peu des profondeurs.

  J. SUPERVIELLE: 'En Songeant à un Art Poétique', *Naissances*, p. 61

Baudelaire habitually referred to his metaphors or similes as 'correspondances', a term which he probably owed to Swedenborg. Sometimes the term was employed by Baudelaire in a markedly mystical sense:

c'est cet admirable, cet immortel instinct du Beau qui nous fait considérer la terre et ses spectacles comme un aperçu, comme une correspondance du Ciel.   'Notes Nouvelles sur Edgar Poe', *Nouvelles Histoires Extraordinaires*, p. xx

l'analogie universelle ou ce qu'une religion mystique appelle la correspondance.   Letter to Alphonse Toussenel, 21 January 1856,
                              Correspondance Générale, vol. I, p. 368

Linked with this belief was the essentially mystic view that that world was
a vast and indivisible unity:

les choses s'étant toujours exprimées par une analogie réciproque, depuis
le jour où Dieu a proféré le monde comme une complexe et indivisible
totalité.   'Richard Wagner et Tannhäuser à Paris', 'L'Art Romantique',
                              Baudelaire O.C., p. 1043

tout, forme, mouvement, nombre, couleur, parfum, dans le *spirituel* comme
dans le *naturel*, est significatif, réciproque, converse, *correspondant*.
                              'Victor Hugo', 'L'Art Romantique', *ibid.* p. 1077

Chez les excellentes poètes, il n'y a pas de métaphore, de comparaison ou
d'épithète qui ne soit d'une adaptation mathématiquement exacte dans la
circonstance actuelle, parce que ces comparaisons, ces métaphores et ces
épithètes sont puisées dans l'inépuisable fonds de l'*universelle analogie*, et
qu'elles ne peuvent être puisées ailleurs.   *Ibid.* p. 1078

But Baudelaire did not always use the term 'correspondance' in a mystical
sense: sometimes, as when he compared the restful effects of his beloved's presence to the calm of a far country, it is simply a synonym
for analogy:

Fleur incomparable, tulipe retrouvée, allégorique dahlia, c'est-là, n'est-ce
pas, dans ce beau pays si calme et si rêveur, qu'il faudrait aller vivre et
fleurir? Ne serais-tu pas encadrée dans ton analogie, et ne pourrais-tu pas
te mirer, pour parler comme les mystiques, dans ta propre *correspondance*?
                    'L'Invitation au Voyage', 'Le Spleen de Paris', *ibid.* pp. 298-9

And side by side with his conception of the world as a mysterious totality,
was the poet's traditional view of the universe as a vast storehouse of
images, which he could draw on the more powerfully to express his personal feelings:

Tout l'univers n'est qu'un magasin d'images et de signes auxquels
l'imagination donnera une place et une valeur relative; c'est une espèce de
pâture que l'imagination doit digérer et transformer.
                              'Le Gouvernement de l'Imagination', *ibid.* p. 771

He particularly praised Gautier for his

immense intelligence innée de la correspondance et du symbolisme universels, ce répertoire de toute métaphore....

'L'Art Romantique', ibid. pp. 1026–7

In an article on Marceline Desbordes-Valmore, Baudelaire claimed

Je me suis toujours plu à chercher dans la nature extérieure et visible des exemples et des métaphores qui me servissent à caractériser les jouissances et les impressions d'un ordre spirituel.   'L'Art Romantique', ibid. p. 1092

Is this borne out in practice? Only inasmuch as certain of his images translate into poignant form his yearning for the spiritually unattainable, his remorse for the irreparable: the poet is likened to a captive albatross, his soul is 'un cimetière abhorré de la lune', his youth 'ne fut qu'un ténébreux orage'. But such comparisons are no more spiritual than Lamartine's 'Mon âme est un torrent qui descend des montagnes', or Verlaine's

> Je suis un berceau
> Qu'une main balance
> Au creux d'un cerveau
> Silence, silence....

The first half of the quotation from the Desbordes-Valmore article is, however, demonstrably true: Baudelaire's images are consistently drawn from 'la nature extérieure et visible':

Dans certains états de l'âme presque surnaturels, la profondeur de la vie se révèle tout entière dans le spectacle, si ordinaire qu'il soit, qu'on a sous ses yeux. Il en devient le symbole....   'Fusées', ibid. p. 1189

The reader finds no difficulty in following the characteristic Baudelairean progression from the familiar, everyday experience to the unfamiliar conclusion; he has recourse to the poet's traditional system of references to natural phenomena: the Woman who spurns his love is as cold and inaccessible as the Moon (*Je t'adore à l'égal de la voûte nocturne*); the Moon, in turn, is likened to a languidly reclining courtesan (*Tristesse de la Lune*); the woman who holds out the promise of peace is 'un beau ciel d'automne, clair et rose' (*Causerie*).

Another reason why Baudelaire's imagery presents no difficulty to the general reader is that the relationship between the two terms of his analogies is always abundantly clear: he either employs the allegory with explanatory commentary (*L'Albatros*), or similes simplified by such linking words as 'comme', 'tel que', 'semblable à'.

> On dirait ton regard d'une vapeur couvert;
> Ton œil mystèrieux (est-il bleu, gris ou vert?)
> Alternativement tendre, rêveur, cruel,
> Réfléchit l'indolence et la pâleur du ciel.
>
> Tu rappelles ces jours blancs, tièdes et voilés,
> Qui font se fondre en pleurs les cœurs ensorcelés,
> Quand, agités d'un mal inconnu qui les tord,
> Les nerfs trop éveillés raillent l'esprit qui dort.
>
> Tu ressembles parfois à ces beaux horizons
> Qu'allument les soleils des brumeuses saisons...
> Comme tu resplendis, paysage mouillé
> Qu'enflamment les rayons tombant d'un ciel brouillé!
>
> O femme dangereuse, ô séduisants climats!
> Adorerai-je aussi ta neige et vos frimas,
> Et saurai-je tirer de l'implacable hiver
> Des plaisirs plus aigus que la glace et le fer?
>
> 'Ciel Brouillé', *ibid.* p. 121
>
> Mon enfant, ma sœur,
> Songe à la douceur
> D'aller là-bas vivre ensemble!
> Aimer à loisir,
> Aimer et mourir
> Au pays qui te ressemble!
>
> 'L'Invitation au Voyage', *ibid.* p. 125

The analogical link can still be readily discerned when the poet replaces the comparative 'comme' or 'ressemble' by the verb 'être':

— Vivrons-nous jamais, passerons-nous jamais dans ce tableau qu'a peint mon esprit, ce tableau qui te ressemble?

Ces trésors, ces meubles, ce luxe, cet ordre, ces parfums, ces fleurs miraculeuses, c'est toi. C'est encore toi, ces grands fleuves et ces canaux tranquilles. Ces énormes navires qu'ils charrient, tout chargés de richesses, et d'où montent les chants monotones de la manœuvre, ce sont mes pensées qui dorment ou qui roulent sur ton sein. Tu les conduis doucement vers la mer qui est l'Infini, tout en réfléchissant les profondeurs du ciel dans la limpidité de ta belle âme; — et quand, fatigués par la houle et gorgés des produits de l'Orient, ils rentrent au port natal, ce sont encore mes pensées enrichies qui reviennent de l'Infini vers toi.

'L'Invitation au Voyage', 'Le Spleen de Paris', ibid. p. 299

It is still possible to perceive the analogy when the two terms are simply placed in apposition:

> Rubens, fleuve d'oubli, jardin de la paresse,
> Oreiller de chair fraîche où l'on ne peut aimer,
> Mais où la vie afflue et s'agite sans cesse,
> Comme l'air dans le ciel et la mer dans la mer;
>
> Léonard de Vinci, miroir profond et sombre,
> Où des anges charmants, avec un doux souris
> Tout chargé de mystère, apparaissent à l'ombre
> Des glaciers et des pins qui ferment leur pays...

'Les Phares', ibid. pp. 86–7

But as the connecting link becomes more tenuous, so the first term of the comparison recedes into the background until the second term forms the greater part, if not the whole, of the poem.

Qu'est-ce que l'art pur suivant la conception moderne? C'est créer une magie suggestive contenant à la fois l'objet et le sujet, le monde extérieur à l'artiste et l'artiste lui-même.

BAUDELAIRE: 'L'Art Philosophique', Baudelaire O.C., p. 918

Autonomous images of this sort are found in the more difficult work of Mallarmé and Rimbaud, where they are the chief cause of the poems' obscurity but also of their rich suggestiveness:

Il ne s'agit point du tout en poésie de transmettre à quelqu'un ce qui se passe d'intelligible dans un autre. Il s'agit de créer dans le premier un état dont l'expression soit précisément et singulièrement celle qui le lui communique. Quelle que soit l'image ou l'émotion qui se forme dans l'amateur de poèmes, elle vaut et elle se suffit si elle produit en lui cette relation réciproque entre la parole-cause et la parole-effet. Il en résulte que le lecteur jouit d'une très grande liberté quant aux idées, liberté analogue à celle que l'on reconnaît à l'auditeur de musique, quoique moins étendue.   VALÉRY: 'Commentaires de Charmes', Valéry O., p. 1511

So rich is Mallarmé's work in every variety of figure of speech that it is no exaggeration to say that he was positively haunted by a Demon of Analogy.[1] In isolation, many of these figures of speech make no more demand upon the reader's powers of comprehension than the imagery of the Romantics or the poets of the Pléiade. Some are distinctly precious conceits: (*Placet Futile, Las de l'Amer Repos*); others are simple comparisons drawn with 'comme'; thus the burnished hair of his beloved's head as it nestles amongst the cushions is 'comme un casque guerrier d'impératrice enfant' (*Victorieusement fui le suicide beau*); analogies may be expressed by simple juxtaposition of the two terms:

> Yeux, lacs.... (*Le Pitre Châtié*)
> ...trois grands cils d'émeraude, roseaux (*Las de l'amer repos*)

apposition may also be expressed by connecting the two terms with the word 'de'

> Vous mentez, ô fleur nue
> De mes lèvres... (*Hérodiade*)

and all three devices may be threaded together to form a necklace of images:

> Mon âme vers ton front où rêve, ô calme sœur,
> Un automne jonché de taches de rousseur,
> Et vers le ciel errant de ton œil angélique
> Monte, comme dans un jardin mélancolique,
> Fidèle, un blanc jet d'eau soupire vers l'Azur.   *Soupir*

One will also find transferred epithets:

> le blond torrent de mes cheveux immaculés (*Hérodiade*)
> l'horreur lucide d'une larme (*Toast Funèbre*)
> personification: la lune s'attristait (*Apparition*)
> l'impuissance s'étire en un long bâillement (*Renouveau*)
> l'Azur rit sur la haie (*ibid.*)

even allegory, as when the tercets of *Toute l'âme résumée* are linked to the quatrains by an explanatory 'ainsi' (see pp. 144–5).

---

[1] See Gardner Davies, 'Le Démon de l'Analogie', *French Studies* (1955), pp. 197–211 and 326–47: an admirably lucid, and profusely illustrated, account of Mallarmé's predilection for analogy.

In the verse of rhetorical poets like Hugo and Claudel images are commonly used to emphasize and clarify their message; Mallarmé found in imagery an ideal way to make his poetry obscure:

Evoquer, dans une ombre exprès, l'objet tu, par des mots allusifs, jamais directs, se réduisant à du silence égal, comporte tentative proche de créer.

'Magie', *Mallarmé O.C.*, p. 400

One obvious way of avoiding the obvious was periphrasis, a device which Hugo had thought to banish from French poetry:[1] thus, in *Toast Funèbre*, Mallarmé refers to the hour of sunset and of the poet's death as

l'heure commune et vile de la cendre

and to Gautier's tomb as 'un lieu de porphyre'; he does not say that Poe's detractors accused him of finding inspiration in drink, but that they

Proclamèrent très haut le sortilège bu
Dans le flot sans honneur de quelque noir mélange.

Le Tombeau d'Edgar Poe

Some of Mallarmé's other ways of avoiding direct reference were to employ synecdoche: 'le marbre' instead of the marble tomb (*Le Tombeau de Charles Baudelaire*), 'un immortel pubis' instead of a prostitute (*ibid.*); or, as far as possible, to employ the vaguest possible terms, generic and not particular: instead of speaking of a ruined building washed by waves under the blue sky,

Une ruine, par mille écumes bénie
Sous l'hyacinthe....

Mes bouquins refermés sur le nom de Paphos

instead of a laurel wreath, merely 'feuillage' (*Le Tombeau de Charles Baudelaire*), instead of musical scores, merely 'vélins' (*Hommage à Wagner*).

But Mallarmé was not content merely with the avoidance of direct references. As has been seen, he systematically disguised his analogies by syntactical modifications: by inverting the terms:

Du sol et de la nue hostiles, ô grief! (*Le Tombeau d'Edgar Poe*)
O de notre bonheur, toi, le fatal emblême! (*Toast Funèbre*)

by disrupting normal word-order and separating the already inverted terms:

Trompettes tout haut d'or pâmé sur les vélins (*Hommage à Wagner*)

by the ambiguous use of 'de' as a link between two terms, so that the

[1] Cf. 'J'ai de la périphrase écrasé les spirales.' (*Réponse à un acte d'accusation.*)

reader might assume one term to be the complement of the other instead of in apposition to it:

> Le silence déjà funèbre d'une moire (*ibid.*)

Finally, the reader's confusion could be further confounded by the complete elimination of punctuation marks.[1]

When Mallarmé's fondness for analogy was allied with his insistence on concision, the product was as intricate as a watch or a miniature music-box, each tiny part exquisite in itself, yet functional, not merely ornamental:

> Coupable qui, sur cet art, avec cécité opérera un dédoublement: ou en sépare, pour les réaliser dans une magie à côté, les délicieuses, pudiques — pourtant exprimables, métaphores.   MALLARMÉ: 'Magie', *ibid.* p. 400

> Instituer une relation entre les images exacte, et que s'en détache un tiers aspect fusible et clair présenté à la divination. . . .
>   MALLARMÉ: 'Crise de Vers', *ibid.* p. 365

By far the most common form of image in Rimbaud's early work is the simile formed with 'comme':

> Sur l'onde calme et noire où dorment les étoiles
> La blanche Ophélia flotte comme un grand lys. . . .   *Ophélie*

> Amoureuse de la campagne,
>   Semant partout,
> Comme une mousse de champagne
>   Ton rire fou. . . .   *Les Reparties de Nina*

> Un petit baiser, comme une folle araignée,
>   Te courra par le cou. . . .   *Rêvé pour l'Hiver*

Following his 'voyant' experiences, Rimbaud's language is enriched sometimes to the point of indigestibility:

> . . . Trouver une langue. . . .
> . . . Cette langue sera de l'âme pour l'âme, résumant tout, parfums, sons, couleurs, de la pensée accrochant la pensée et tirant. . . .
> . . . En attendant, demandons au *poète* du *nouveau*, — idées et formes. Tous les habiles croiraient bientôt avoir satisfait à cette demande: — ce n'est pas cela!   RIMBAUD: Letter to P. Demeny, 15 May 1871,
>   *Rimbaud O.C.*, pp. 271–2

[1] See pp. 187–8.

Rimbaud's new use of language greatly intensified the sensuousness of his early manner, expressing not only the ever-quick response to colours that his early work had shown, but appealing, by synaesthetic devices, to all the senses:

A la lisière de la forêt — les fleurs de rêve tintent, éclatent, éclairent — la fille à lèvre d'orange, les genoux croisés dans le clair déluge qui sourd des prés, nudité qu'ombrent, traversent et habillent les arcs-en-ciel, la flore, la mer. . . .   'Enfance', 'Les Illuminations', *ibid.* p. 176

— Un envol de pigeons écarlates tonne autour de ma pensée.

'Vies I', *ibid.* pp. 181–2

Une matinée couverte, en juillet. Un goût de cendres vole dans l'air; — une odeur de bois suant dans l'âtre, — les fleurs rouies, — le saccage des promenades, — la bruine des canaux par les champs, — pourquoi pas déjà les joujoux et l'encens?   'Phrases', *ibid.* pp. 185–6

Pendant que les fonds publics s'écoulent en fêtes de fraternité, il sonne une cloche de feu rose dans les nuages.   *Ibid.* p. 186

Sur les versants, des moissons de fleurs grandes comme nos armes et nos coupes, mugissent. Des cortèges de Mabs en robes rousses, opalines, montent des ravines. Là-haut, les pieds dans la cascade et les ronces, les cerfs tettent Diane. Les Bacchantes des banlieues sanglotent et la lune brûle et hurle. . . .   'Villes', *ibid.* p. 189

Everything is vivid, kaleidoscopic movement in *Les Illuminations*: visual images are evoked in terms of taste, melodies trace patterns in the air, flowers have voices, colours change into sounds and sounds into shapes. The incantation is all the more effective because although, unlike Mallarmé, Rimbaud always employs '*mots directs*', who or what they refer to is invariably left unexplained:

Madame *** établit un piano dans les Alpes. La messe et les premières communions se célébrèrent aux cent mille autels de la cathédrale.
Les caravanes partirent. Et le Splendide-Hôtel fut bâti dans le chaos de glaces et de nuit du pôle.   'Après le Déluge', *ibid.* p. 175

C'est elle, la petite morte, derrière les rosiers. — Le jeune maman trépassée descend le perron. — La calèche du cousin crie sur la sable. —

Le petit frère — (il est aux Indes!) là, devant le couchant, sur le pré
d'œillets. — Les vieux qu'on a enterrés tout droits dans le rempart aux
giroflées.   'Enfance', *ibid.* pp. 176-7

O la face cendrée, l'écusson de crin, les bras de cristal! le canon sur lequel
je dois m'abattre à travers la mêlée des arbres et de l'air léger!
                                                    'Being Beauteous', *ibid.* p. 181

Until exegetists are able to map the intricate network of references
linking Rimbaud's allusions with his life and his reading,[1] the reader's
imagination is free to rove, and scholars may with impunity dazzle one
another with the brilliance of their conjectures.

Much more tenaciously than Baudelaire, Claudel believed in the unity
and indivisibility of all creation:

La terre, le ciel bleu, le fleuve avec ses bateaux et trois arbres soigneusement sur la rive,

La feuille et l'insecte sur la feuille, cette pierre que je soupèse dans ma main,

Le village avec tous ces gens à deux yeux à la fois qui parlent, tissent,
marchandent, font du feu, portent des fardeaux, complet un orchestre qui
joue,

Tout cela est l'éternité et la liberté de ne pas être lui est retirée,

Je les vois avec les yeux du corps, je les produis dans mon cœur!
                    'L'Esprit et l'Eau', 'Cinq Grandes Odes', *Claudel O.P.*, p. 242

[1] Cf. Ruskin's description of the imagination of Dante, Scott, Turner and Tintoretto as
consisting not in a voluntary production of new images, but an involuntary remembrance,
exactly at the right moment of something they had actually seen.
   'Imagine all that any of these men had seen or heard in the whole course of their lives, laid
up accurately in their memories as in vast storehouses, extending, with the poets, even to the
slightest intonations of syllables heard in the beginning of their lives, and, with the painters,
down to minute folds of drapery, and shapes of leaves and stones; and over all this unindexed
and immeasurable mass of treasure, the imagination brooding and wandering, but dream-gifted,
so as to summon at any moment exactly such groups of ideas as shall justly fit each other: this
I conceive to be the real nature of the imaginative mind.' (*Modern Painters*, five-volume
edition, George Allen, London, 1900, vol. IV, p. 33.)
   And cf. T. S. Eliot: 'Only a part of an author's imagery comes from his reading. It comes
from the whole of his sensitive life since early childhood. Why, for all of us, out of all that we
have heard, seen, felt, in a lifetime, do certain images recur, charged with emotion, rather than
others? The song of one bird, the leap of one fish, at a particular place and time, the scent of one
flower, an old woman on a German mountain path, six ruffians seen through an open window
playing cards at night at a small French railway junction where there was a watermill; such
memories may have symbolic value, but of what we cannot tell, for they come to represent the
depths of feeling into which we cannot peer. We might just as well ask why, when we try to
recall visually some period in the past, we find in our memory just the few meagre arbitrarily
chosen set of snapshots that we do find there, the faded poor souvenirs of passionate moments.'
(*The Use of Poetry and the Use of Criticism:* Conclusion, Faber and Faber, 1933, p. 148.)

Salut donc, ô monde nouveau à mes yeux, ô monde maintenant total!

O credo entier des choses visibles et invisibles, je vous accepte avec un cœur catholique!

Où que je tourne la tête

J'envisage l'immense octave de la Création!

Le monde s'ouvre et, si large qu'en soit l'empan, mon regard le traverse d'un bout à l'autre.

J'ai pesé le soleil ainsi qu'un gros mouton que deux hommes forts suspendent à une perche entre leurs épaules.

J'ai recensé l'armée des Cieux et j'en ai dressé état,

Depuis les grandes Figures qui se penchent sur le vieillard Océan

Jusqu'au feu le plus rare englouti dans le plus profond abîme,

Ainsi que le Pacifique bleu-sombre où le baleinier épie l'évent d'un souffleur comme un duvet blanc.

Vous êtes pris et d'un bout du monde jusqu'à l'autre autour de Vous

J'ai tendu l'immense rets de ma connaissance.

Comme la phrase qui prend aux cuivres

Gagne les bois et progressivement envahit les profondeurs de l'orchestre,

Et comme les éruptions du soleil

Se répercutent sur la terre en crises d'eau et en raz de marée,

Ainsi du plus grand Ange qui vous voit jusqu'au caillou de la route et d'un bout de votre création jusqu'à l'autre,

Il ne cesse point continuité, non plus que de l'âme au corps. . . .

Ibid. pp. 240–1

The whole of Creation was ransacked for Claudel's images: the far countries of the earth he had visited in his travels, the animal, vegetable and mineral kingdoms; the vastness of cosmic space:

Ne quitte point mes mains, ô Lyre, aux sept cordes, pareille à un instrument de report et de comparaison!

Que je voie tout entre tes fils bien tendus! et la Terre avec ses feux, et le ciel avec ses étoiles. . . .   'Les Muses', 'Cinq Grandes Odes', *ibid.* p. 227

the humble sights of everyday:

Laisse-moi chanter les œuvres des hommes et que chacun retrouve dans mes vers ces choses qui lui sont connues,

Comme de haut on a plaisir à reconnaître sa maison, et la gare, et la
mairie, et ce bonhomme avec son chapeau de paille, mais l'espace autour
de soi est immense!

Car à quoi sert l'écrivain, si ce n'est à tenir des comptes?

'La Muse qui est la Grâce', *ibid.* p. 266

In complete contrast to Mallarmé, Claudel, the apologist of his faith,
wanted his poetry to be understood by as many as possible:

Et moi qui fais les choses éternelles avec ma voix, faites que je sois tout entier
Cette voix, une parole totalement intelligible.

'L'Esprit et l'Eau', *ibid.* p. 243

To ensure complete clarity and to carry conviction, Claudel's practice,
as the above passages amply demonstrate, was by accumulating similes
and metaphors, to express the unity of all creation:

Comme l'arbre au printemps nouveau chaque année
Invente, travaillé par son âme,
Le vert, le même qui est éternel, crée de rien sa feuille pointue,
Moi, l'homme,
Je sais ce que je fais,
De la poussée et de ce pouvoir même de naissance et de création
J'use, je suis maître,
Je suis au monde, j'exerce de toutes parts ma connaissance.
Je connais toutes choses et toutes choses se connaissent en moi.
J'apporte à toute chose sa délivrance.
Par moi
Aucune chose ne reste plus seule mais je l'associe à une autre dans mon
cœur.

Ibid. p. 238

Valéry might well have been thinking of Claudel's attitude to metaphor,
when with typical matter-of-factness he commented in his notebook:

X...voudrait faire croire qu'une métaphore est une communication du
ciel.

Une métaphore est *ce qui arrive* quand on *regarde de telle façon*, comme
un éternuement est ce qui arrive quand on regarde un soleil.

De quelle façon? Vous le sentez. Un jour, on saura peut-être le *dire*
très précisément.

Fais ceci et cela, — et voici toutes les métaphores du monde.

'Calepin d'un Poète', *Valéry O.*, p. 1453

At the outset of his career, however, Valéry had described the symbol as 'cet incomparable mode d'expression artistique':

Après avoir été chez tous les peuples mystiques d'un quotidien emploi, il a disparu devant le rationalisme et le matérialisme. Les artistes ont oublié la beauté de l'allégorie, et cependant, comme l'a écrit Charles Baudelaire, c'est une forme esthétique *essentielle*.

'Sur la Technique Littéraire', *Valéry O.*, p. 1786

Mallarmé commented on Valéry's early verses:

Le don de subtile analogie avec la musique adéquate, vous possédez cela, certainement, qui est tout.
Letter to Valéry, 25 October 1890, *Propos*, p. 170

All Valéry's verse is, in fact, rich in imagery and music, but his analogies are not, in themselves, as subtle as Mallarmé's, nor a source of difficulty. This is because he has a particular fondness for one of the more elementary forms of poetic image, personification, by means of which the inanimate or the abstract is clothed in human form. Thus, by a sustained metaphor in *Aurore*, Valéry likens his ideas to young women and portrays them waking in the early morning, while in the last stanza, the beautiful figure of Hope is seen swimming through the fountain of his mind. Natural landscape in *La Jeune Parque*, the plane tree in *Au Platane*, the marble columns in *Cantique des Colonnes*, the setting sun in *Fragments du Narcisse*, Poetry itself in *Poésie*—all these are endowed with the capacity for human feelings and the faculty of human speech. One is tempted to apply to Valéry himself the words he employed to describe Hugo's gift of transmuting all he touched into poetry:

Il transforme tout ce qu'il veut en poésie. Il trouve dans l'emploi de la forme poétique le moyen de communiquer une vie étrange à toute chose. Il n'est pour lui d'objet inanimé. Il n'est d'abstraction qu'il ne fasse parler, chanter, se plaindre, ou menacer et cependant il n'y a chez lui pas un vers qui ne soit un vers. Pas une erreur de forme. C'est que chez lui, la forme est toute maîtresse. L'acte qui fait la forme domine entièrement en lui.
'Victor Hugo, Créateur par la Forme', *Valéry O.*, p. 589

Twentieth-century poets have tended to stress the value of the image at the expense of the other elements of the poem; rhythm, rhyme and form in general; as though their palate were jaded, they have sought more and more startling analogies:

Les savants scrutent sans cesse de nouveaux univers qui se découvrent à chaque carrefour de la matière, et il n'y aurait rien de nouveau sous le soleil. Pour le soleil, peut-être. Mais pour les hommes!

Il y a mille et mille combinaisons naturelles qui n'ont jamais été composées. Ils les imaginent et les mènent à bien, composant ainsi avec la nature cet art suprême qu'est la vie. Ce sont ces nouvelles combinaisons, ces nouvelles œuvres de l'art de vie, que l'on appelle le progrès....

Mais le nouveau existe bien, sans être un progrès. Il est tout dans la surprise. L'esprit nouveau est également dans la surprise. C'est ce qu'il y a en lui de plus vivant, de plus neuf. *La surprise est le grand ressort nouveau.* C'est par la surprise, par la place importante qu'il fait à la surprise que l'esprit nouveau se distingue de tous les mouvements artistiques et littéraires qui l'ont précédé.

Ici, il se détache de tous et n'appartient plus qu'à notre temps....

APOLLINAIRE: *L'Esprit Nouveau et les Poètes*

Tout porte à croire qu'il existe un certain point de l'esprit d'où la vie et la mort, le réel et l'imaginaire, le passé et le futur, le communicable et l'incommunicable, le haut et le bas cessent d'être perçus contradictoirement. Or, c'est en vain qu'on chercherait à l'activité surréaliste un autre mobile que l'espoir de détermination de ce point.

ANDRÉ BRETON: 'Deuxième Manifeste du Surréalisme', Breton, *op. cit.* p. 51

Some of Apollinaire's *trouvailles* are both ingenious and pleasing:

La fenêtre s'ouvre comme une orange
Le beau fruit de la lumière. 'Les Fenêtres', 'Calligrammes', *Apollinaire O.P.*, p. 169

Bergère ô tour Eiffel le troupeau des ponts bêle ce matin.
'Zone', 'Alcools', *ibid.* p. 39

La veilleuse dans l'ombre est un bijou d'or cuit. 'Palais', *ibid.* p. 61

Mon verre est plein de vin trembleur comme une flamme.
'Nuit Rhénane', *ibid.* p. 111

Surrealist images are, by their very nature, deliberately incongruous: the most successful image, claimed André Breton,

est celle qui présente le degré d'arbitraire le plus élevé, je ne le cache pas; celle qu'on met le plus longtemps à traduire en langage pratique, soit qu'elle recèle une dose énorme de contradiction apparente, soit que l'un des termes, en soit curieusement dérobé, soit que s'annonçant sensationnelle, elle ait l'air de se dénouer faiblement (qu'elle ferme brusquement l'angle de son compas), soit qu'elle tire d'elle-même une justification *formelle* dérisoire, soit qu'elle soit d'ordre hallucinatoire, soit qu'elle prête très naturellement à l'abstrait le marque du concret, ou inversement, soit qu'elle implique la négation de quelque propriété physique élémentaire, soit qu'elle déchaîne le rire. En voici, dans l'ordre, quelques exemples:

Le rubis de champagne (Lautréamont)

Beau comme la loi de l'arrêt du développement de la poitrine chez les adultes dont la propension à la croissance n'est pas en rapport avec la quantité de molécules que leur organisme s'assimile (idem)

Une église se dressait éclatante comme une cloche (Philippe Soupault)

Dans le sommeil de Rose Sélavy il y a un nain sorti d'un puits qui vient manger son pain la nuit (Robert Desnos)

Sur le pont la rosée à tête de chatte se berçait (André Breton)

Un peu à gauche, dans mon firmament deviné, j'aperçois — mais sans doute n'est-ce qu'une vapeur de sang et de meurtre — le brillant dépoli des perturbations de la liberté (Louis Aragon)

Dans la forêt incendiée,

Les lions étaient frais (Roger Vitrac)

La couleur des bas d'une femme n'est pas forcément à l'image de ses yeux, ce qui a fait dire à un philosophe qu'il est inutile de nommer: 'Les céphalopodes ont plus de raisons que les quadrupèdes de haïr le progrès' (Max Morise).

'Premier Manifeste du Surréalisme', Breton, *op. cit.* pp. 35–6

A recent pronouncement by Breton reveals that the Surrealists' aim is closer than perhaps they would want to admit to that of Baudelaire or Claudel: to express by their analogies, the mysterious unity of all creation:

L'attitude du surréalisme à l'égard de la nature est commandée avant tout par la conception initiale qu'il s'est faite de l'image' poétique. On sait qu'il y a vu le moyen d'obtenir, dans des conditions d'extrême détente bien mieux que d'extrême concentration de l'esprit, certains traits de feu reliant deux éléments de la réalité de catégories si éloignées l'une de l'autre que la raison se refuserait à les mettre en rapport et qu'il faut s'être défait momentanément de tout esprit critique pour leur permettre de se confronter. Cet extraordinaire gréement d'étincelles, dès l'instant où l'on en a surpris le mode de génération et où l'on a pris conscience de ses inépuisables ressources, mène l'esprit à se faire du monde et de lui-même une représentation moins opaque. Il vérifie alors, fragmentairement il est vrai, *du moins par lui-même*, que 'tout ce qui est en haut est comme ce qui est en bas' et tout ce qui est en dedans comme ce qui est en dehors. Le monde, à partir de là, s'offre à lui comme un cryptogramme qui ne demeure indéchiffrable qu'autant que l'on n'est pas rompu à la gymnastique acrobatique permettant à volonté de passer d'un agrès à l'autre. On n'insistera jamais trop sur le fait que la métaphore, bénéficiant de toute licence dans le surréalisme, laisse loin derrière elle l'analogie (préfabriquée) qu'ont tenté de promouvoir en France Charles Fourier et son disciple Alphonse Toussenel. Bien que toutes deux tombent d'accord pour honorer le système des 'correspondances', il y a de l'une à l'autre la distance qui sépare le haut vol du terre-à-terre.

'Du Surréalisme en ses Œuvres Vives', 1953,
Breton, *op. cit.* pp. 121–2

In practice, however, the Surrealists have so far failed signally to suggest anything more than their inability to free themselves from the influence of Baudelaire and Rimbaud: they are like sorcerer's apprentices trying in vain to recall the spells of the great magicians. And too often, they, like other modern poets, are content when they have produced their images, forgetting that disconnected images, however glittering, no more constitute a poem, than a handful of scattered pearls is a necklace:

Images, however beautiful, though faithfully copied from nature, and as accurately represented in words, do not of themselves characterize the poet. They become proofs of original genius only as far as they are modified by a predominant passion; or by associated thoughts or images awakened by that passion; or when they have the effect of reducing multitude to unity, or succession to an instant; or lastly, when a human and intellectual life is transferred to them from the poet's own spirit.[1]

COLERIDGE: 'Biographia Literaria', *op. cit.* pp. 256–7

---

[1] Another comment by Coleridge does not seem inapposite here: 'Modern poetry is characterized by the poets' *anxiety* to be always striking. There is the same march in the Greek and Latin poets. Claudian, who had powers to have been anything—observe in him this anxious, craving vanity! Every line, nay, every word, stops, looks full in your face, and asks and *begs* for praise! As in a Chinese painting, there are no distances, no perspective, but all is in the foreground; and this is nothing but vanity. I am pleased to think that, when a mere stripling, I had formed the opinion that true taste was virtue, and that bad writing was bad feeling.' ('Notebooks', *op. cit.* p. 178.)

Je ne déprise pas le don éblouissant que fait notre vie à notre conscience, quand elle jette brusquement dans le brasier mille souvenirs d'un seul coup. Mais, jusques à nos jours, jamais une trouvaille, ni un ensemble de trouvailles, n'ont paru constituer un ouvrage.

VALÉRY: 'Au Sujet d'Adonis', *Valéry O.*, p. 481

III. TRANSPOSITIONS D'ART

Il y aurait encore tant de choses à dire, particulièrement sur les parties concordantes de tous les arts et les ressemblances dans leurs méthodes.

BAUDELAIRE: 'Le Gouvernement de l'Imagination', *Baudelaire O.C.*, p. 772

Ce qui fut baptisé: le 'Symbolisme', se résume très simplement dans l'intention commune à plusieurs familles de poètes (d'ailleurs ennemies entre elles) de 'reprendre à la Musique leur bien'. Le secret de ce mouvement n'est pas autre. L'obscurité, les étrangetés qui lui furent tant reprochées; l'apparence de relations trop intimes avec les littératures anglaise, slave ou germanique; les désordres syntaxiques, les rythmes irréguliers, les curiosités du vocabulaire, les figures continuelles . . . tout se déduit facilement sitôt que le principe est reconnu.

VALÉRY: 'Avant-dire à la Connaissance de la Déesse', *Valéry O.*, p. 1272

I. POETRY AND MUSIC

ONE of the ways by which later nineteenth-century French poets most hoped to make poetry more expressive was through exploiting its musical resources. Baudelaire planned to demonstrate

Comment la poésie touche à la musique par une prosodie dont les racines plongent plus avant dans l'âme humaine que ne l'indique aucune théorie classique;

Que la poésie française possède une prosodie mystérieuse et méconnue, comme les langues latine et anglaise;

'Projets de Préface pour les Fleurs du Mal, 1863–1865', *Baudelaire O.C.*, p. 1365

J'ai souvent entendu dire que la musique ne pouvait pas se vanter de traduire quoi que ce soit avec certitude, comme fait la parole ou la peinture. Cela est vrai dans une certaine proportion, mais n'est pas tout-à-fait vrai.

Elle traduit à sa manière, et par les moyens qui lui sont propres. Dans la musique, comme dans la peinture et même dans la parole écrite, qui est cependant le plus positif des arts, il y a toujours une lacune complétée par l'imagination de l'auditeur.

Ce sont sans doute ces considérations qui ont poussé Wagner à considérer l'art dramatique, c'est-à-dire la réunion, la *coïncidence* de plusieurs arts, comme l'art par excellence, le plus synthétique et le plus parfait.

BAUDELAIRE: 'Richard Wagner et Tannhäuser', *Baudelaire O.C.*, p. 1041

Certainement, je ne m'assieds jamais aux gradins des concerts, sans percevoir parmi l'obscure sublimité telle ébauche de quelqu'un des poèmes immanents à l'humanité ou leur originel état, d'autant plus compréhensible que tu et que pour en déterminer la vaste ligne le compositeur éprouva cette facilité de suspendre jusqu'à la tentation de s'expliquer. Je me figure par une indéracinable sans doute préjugé d'écrivain, que rien ne demeurera sans être proféré; que nous en sommes là, précisément, à rechercher, devant une brisure des grands rythmes littéraires...et leur éparpillement en frissons articulés proches de l'instrumentation, un art d'achever la transposition, au Livre, de la symphonie ou uniment de reprendre notre bien: car, ce n'est pas de sonorités élémentaires par les cuivres, les cordes, les bois, indéniablement mais de l'intellectuelle parole à son apogée que doit avec plénitude et évidence, résulter, en tant que l'ensemble des rapports existant dans tout, la Musique. MALLARMÉ: 'Crise de Vers',
Mallarmé O.C., pp. 367–8

Mallarmé frequently singled out for praise the musical qualities of friends' verses submitted to him for criticism:

il y a lieu de s'intéresser énormément à votre effort d'orchestration écrite. Je vous blâmerai d'une seule chose: c'est que dans cet acte de juste restitution qui doit être le nôtre, de tout reprendre à la musique, ses rythmes qui ne sont que ceux de la raison et ses colorations mêmes qui ne sont que nos passions évoquées par la rêverie, vous laissiez un peu s'évanouir le vieux dogme du Vers. Oh! plus nous étendons la somme de nos impressions et les raréfions, que d'autre part, avec une vigoureuse synthèse d'esprit, nous groupions tout cela dans des vers marqués forts, tangibles et inoubliables. Vous phrasez en compositeur, plutôt qu'en écrivain; je saisis bien votre désir exquis, ayant passé par là, pour en revenir comme vous le ferez peut-être de vous-même!... MALLARMÉ: Letter to René Ghil, 7 March 1885,
Propos, pp. 139–40

Sa très rare originalité c'est, procédant de tout l'art musical de ces derniers temps, que le vers, aussi mobile et chanteur qu'il peut l'être, ne perd rien de sa couleur ni de cette richesse de tons qui s'est un peu evaporée dans la subtile fluidité contemporaine. Les deux, vision et mélodie, se fondent en un charme indécis pour l'ouïe et pour l'œil, qui me semble la poésie même. . . .

MALLARMÉ: Letter to Ernest Raynaud, 19 October 1887, *ibid.* p. 156

Toute la chose non dite qui flûtise sous les vrais vers, étrangère à la parole, même quand celle-ci est haute, riche, certaine. . .je l'entends avec délice. . . .

MALLARMÉ: Letter to the same, 29 October 1888, *ibid.* p. 163

La fusion entre le chant, toute pensée et les évocations extérieures, y est d'un amalgame vague et riche, où l'on ne saurait mettre le doigt, brutalement, sur rien, tandis qu'on demeure enchanté. Je crois bien que c'est cela la poésie. . . .

MALLARMÉ: Letter to Gustave Kahn, 6 January 1897, *ibid.* p. 208

De la musique encore et toujours!
Que ton vers soit la chose envolée
Qu'on sent qui fuit d'une âme en allée
Vers d'autres cieux, à d'autres amours.[1]

VERLAINE: 'Art Poétique', *Verlaine O.C.*, p. 207

La poésie n'est pas la musique, elle est encore moins le discours. C'est peut-être cet ambigu qui fait sa délicatesse. On peut dire qu'elle va chanter, plus qu'elle ne chante; et qu'elle va s'expliquer plus qu'elle ne s'explique.

VALÉRY: Letter to Madame Croïza, *Pièces sur l'Art* (Gallimard, 1936), p. 51

La poésie est l'ambition d'un discours qui *soit chargé* de plus de sens et mêlé de plus de musique que la langage ordinaire n'en porte et n'en peut porter.

VALÉRY: 'Passage de Verlaine', *Valéry O.*, p. 712

---

[1] Banville wrote to Verlaine on 9 July 1885, after reading *Jadis et Naguère*: 'Parfois, peut-être, vous côtoyez de si près le rivage de la poésie que vous risquez de tomber dans la musique! Il est possible que vous ayez raison.' (*Verlaine O.C.*, p. xx.) But cf. Lamartine: 'J'ai toujours pensé que la musique et la poésie se nuisaient en s'associant. Elles sont l'une et l'autre des arts complets: la musique porte en elle son sentiment, de beaux vers portent en eux leur mélodie.' (Commentary on *Le Lac. Méditations Poétiques*, Hachette, 1922, vol. II, p. 468.)

Poe had stressed the suggestive powers of music in *The Poetic Principle*,[1] but it was Wagner whose example was accepted as both an object for adulation and a challenge:

Par Berlioz et par Wagner, la musique romantique avait recherché les effets de la littérature. Elle les a supérieurement obtenus: ce qui est aisé à concevoir, car la violence, sinon la frénésie, l'exagération de profondeur, de détresse, d'éclat ou de pureté qui étaient dans le goût de ce temps-là, ne se traduisent guère dans le langage sans entraîner avec elles bien des niaiseries et des ridicules insolubles dans la durée; ces éléments de ruine sont moins sensibles chez les musiciens que chez les poètes....

...une époque vint pour la poésie, où elle se sentit pâlir et défaillir devant les énergies et les ressources de l'orchestre. Le plus riche, le plus retentissant poème de Hugo est très loin de communiquer à son auditeur ces illusions extrêmes, ces frissons, ces transports; et, dans l'ordre quasi-intellectuel, ces feintes lucidités, ces types de pensée, ces images d'une étrange mathématique réalisée, que libère, dessine ou fulmine la symphonie; et qu'elle exténue jusqu'au silence, ou qu'elle anéantit d'un seul coup, laissant après elle dans l'âme l'extraordinaire impression de la toute-puissance et du mensonge....Jamais, peut-être, la confiance que les poètes placent dans leur génie particulier, les promesses d'éternité qu'ils ont reçues dès la jeunesse du monde et du langage, leur possession immémoriale de la lyre, et ce premier rang qu'ils se flattent d'occuper dans la hiérarchie des serviteurs de l'univers, n'ont paru si précisément menacés. Ils sortaient accablés des concerts. Accablés, — éblouis; comme si dans le septième ciel transportés par une cruelle faveur, on ne les eût ravis jusqu'à cette altitude que pour qu'ils connussent une lumineuse contemplation de

---

[1] Cf. 'It is in Music perhaps that the Soul most nearly attains the great end for which, when inspired by the Poetic Sentiment it struggles—the creation of supernal Beauty.' (Poe, *op. cit.* p. 204.)

Cf. also Thomas Carlyle: 'A *musical* thought is one spoken by a mind that has penetrated into the inmost heart of the thing; detected the inmost mystery of it, namely the *melody* that lies hidden in it; the inward harmony of coherence which is its soul, whereby it exists, and has a right to be, here in this world. All inmost things, we may say, are melodious; naturally utter themselves in Song. The meaning of Song goes deep. Who is there that, in logical words, can express the effect music has on us? A kind of inarticulate unfathomable speech, which leads us to the edge of the Infinite, and lets us for moments gaze into that.

'Greeks fabled of Sphere-Harmonies: it was the feeling they had of the inner structure of Nature; that the Soul of all her voices and utterances was perfect music. Poetry, therefore, we will call *musical Thought*. The Poet is he who *thinks* in that manner. At bottom, it turns still on power of intellect; it is a man's sincerity and depth of vision that makes him a Poet. See deep enough, and you see musically; the heart of Nature *being* everywhere music if you can only reach it.' (*On Heroes, Hero Worship*, Chapman and Hall, 1890, pp. 77-8.)

possibilités interdites et de merveilles inimitables. Plus aiguës et plus incontestables sentaient-ils ces délices impérieuses, plus la souffrance de leur orgueil était présente et désespérée....

...nous étions nourris de musique, et nos têtes littéraires ne rêvaient que de tirer du langage presque les mêmes effets que les causes purement sonores produisaient sur nos êtres nerveux....

> VALÉRY: 'Avant-propos à la Connaissance de la Déesse',
> *Valéry O.*, pp. 1271–2, *passim*

Ouïr l'indiscutable rayon, comme des traits dorent et déchirent un méandre de mélodies: ou la Musique rejoint le vers pour former, depuis Wagner, la Poésie.　　　　MALLARMÉ: 'Crise de Vers', *Mallarmé O.C.*, p. 365

Singulier défi qu'aux poètes dont il usurpe le devoir avec la plus candide et splendide bravoure, inflige Richard Wagner!

Le sentiment se complique envers cet étranger, transports, vénération, aussi d'un malaise que tout soit fait, autrement qu'en irradiant, par un jeu direct, du principe littéraire même.

> MALLARMÉ: 'Richard Wagner: Rêverie d'un poète français', *Mallarmé O.C.*, pp. 541–2

Among the majority of later nineteenth-century French poets, Wagner became the object of a veritable cult, possibly even more enthusiastic than their adulation of Poe and certainly as misguided. Baudelaire was as overwhelmed by his discovery of Wagner as he had been by his first encounter with the work of Poe, and he declared that each had given expression to ideas and emotions that had long been intimately his own. He wrote an eloquent letter of praise to Wagner in February 1860[1] and devoted to him an outstanding essay in *L'Art Romantique*, 'Richard Wagner et Tannhäuser à Paris' (see *Baudelaire O.C.*, pp. 1038–73); Wagner was one of the favourite topics of conversation at Mallarmé's *mardis* from 1886 onwards; Mallarmé too wrote an essay on Wagner, 'Richard Wagner: Rêverie d'un poète français' (see *Mallarmé O.C.*, pp. 541–6), and dedicated to him *Hommage*, one of his most difficult sonnets.[2] Valéry wrote in 1928:

Rien ne m'a plus influencé que l'œuvre de ce Wagner, ou du moins certains caractères de cette œuvre.　　　Letter to Gustave Samazeuilh, August 1928,
Valéry O., p. 14

---

[1] See *Correspondance Générale*, vol. III, pp. 31–55, also *Baudelaire, O.C.*, pp. 1471–2.

[2] The best exegeses of this sonnet are those by Gardner Davies, in *Les 'Tombeaux' de Mallarmé*, pp. 131–63; and by Professor L. J. Austin, 'Le Principal Pilier', *Revue d'Histoire Littéraire de la France* (1951), pp. 154–80.

Although, on another occasion, he expressed characteristic distrust of the powerful emotions which music was capable of arousing:

La Musique m'intimide, et l'art du musicien me confond. Il dispose de tous les pouvoirs que j'envie. Il exerce directement le système de nos émotions. D'autre part, la Musique est calcul: elle offre à l'intelligence un immense domaine de combinaisons pures — autre sujet d'envie pour le poète.   Letter to Robert Bernard, 15 February 1944, quoted in *Paul Valéry Vivant*
(Cahiers du Sud, Marseille, 1946), p. 494

Both Mallarmé and Valéry were of the belief that poetry and music sought to achieve the same end:

Oublions la vieille distinction, entre la Musique et les Lettres, n'étant que le partage, voulu, pour sa rencontre ultérieure, du cas premier: l'une évocatoire de prestiges situés à ce point de l'ouïe et presque de la vision abstrait, devenu l'entendement; qui, spacieux, accorde au feuillet d'imprimerie une portée égale.

Je pose, à mes risques esthétiquement, cette conclusion...: que la Musique et les Lettres sont la face alternative ici élargie vers l'obscur; scintillante là, avec certitude, d'un phénomène, le seul, je l'appelai, l'Idée....   'La Musique et les Lettres', *Mallarmé O.C.*, p. 649

L'univers poétique...s'introduit par le nombre ou, plutôt, par la densité des images, des figures, des consonances, dissonances, par l'enchaînement des tours et des rythmes, — l'essentiel étant d'éviter constamment ce qui reconduirait à la prose, soit en la faisant regretter, soit en suivant exclusivement *l'idée*.... La nécessité poétique est inséparable de la forme sensible, et les pensées énoncées ou suggérées par un texte de poème ne sont pas du tout l'objet unique et capital du discours, — mais des *moyens* qui concourent *également* avec les sons, les cadences, le nombre et les ornements, à provoquer, à soutenir une certaine tension ou exaltation, à engendrer en nous un *monde* — ou un *mode d'existence* — tout harmonique.

   VALÉRY: 'Au Sujet du Cimetière Marin', *Valéry O.*, pp. 1502–3

Mallarmé, while admiring and envying Wagner's powers of evocation, and dreaming of ways to 'borrow' them, preferred the poet's words to the less disciplined notes of the musician. Speaking of music and poetry, he declared:

L'un des modes incline à l'autre et y disparaissant, ressort avec emprunts: deux fois, se parachève, oscillant, un genre entier. Théâtralement pour la foule qui assiste, sans conscience, à l'audition de sa grandeur: ou, l'individu requiert la lucidité, du livre explicatif et familier.[1]

'La Musique et les Lettres', *Mallarmé O.C.*, p. 649

Claudel wrote to Mallarmé, praising his championing of literature against what he felt to be the dangerous threat of Music:

je ne veux pas tarder davantage à vous remercier [du plaisir] que m'a causé *la Musique et les Lettres*. Le voisinage de cette folle qui ne sait ce qu'elle dit a été pour tant d'écrivains d'aujourd'hui si pernicieux qu'il est agréable de voir quelqu'un, au nom de la parole articulée, lui fixer sa limite avec autorité. Si la Musique et la Poésie sont en effet identiques dans leur principe, qui est le même besoin d'un bruit intérieur à proférer, et dans leur fin, qui est la représentation d'un état de félicité fictif, le Poète affirme et explique, là où l'autre va, comme quelqu'un qui cherche, criant: l'un jouit et l'autre possède, sa prérogative étant de donner à toutes choses un nom. Nul esprit plus que vous n'était fondé à revendiquer ce haut droit des Lettres dans lesquelles vous exercez la magistrature: l'intelligence.

Letter of 25 March 1895, quoted in *Mallarmé O.C.*, p. 1610

Valéry, eternally haunted by the impurities of language,[2] envied the musician the purity of his medium:

Le langage est un élément commun et pratique; il est donc un instrument nécessairement grossier, puisque chacun le manie, l'accommode selon ses besoins et tend à le déformer suivant sa personne. Le langage, si intime qu'il soit en nous, si proche que le fait de penser sous forme de parole soit de notre âme, n'en est pas moins d'*origine statistique* et de *destination purement pratiqu*. Or le problème du poète doit être de *tirer de cet instrument pratique les moyens de réaliser une œuvre essentiellement non pratique*...il s'agit, pour lui, de créer un monde ou un ordre de choses, un système de relations, sans nul rapport avec l'ordre pratique.

---

[1] The various references Mallarmé made to music during his career, from the envy expressed for the musician's resources in the youthful *Hérésies Artistiques* (1862), and the eulogy of Wagner written in 1874, before he had seen any of the composer's works, to the essays and letters written from 1885 onwards, after he had become an assiduous concert-goer, suggest that his technical knowledge of music did not match his lifelong enthusiasm. Consult also: Professor A. G. Lehmann, *The Symbolist Aesthetic in France*, pp. 167–74, 194–247; also J. Benda, *La France Byzantine* (Gallimard, 1945), note x.

[2] Cf. 'En toute question, et avant tout examen sur le fond, je regarde au langage; j'ai coutume de procéder à la mode des chirurgiens qui purifient d'abord leurs mains et préparent leur champ opératoire. C'est ce que j'appelle *le nettoyage de la situation verbale*.' ('Poésie et Pensée Abstraite', *Valéry O.*, p. 1316.)

On the other hand:

devant le musicien, avant qu'il ait commencé son travail, tout est prêt pour que l'opération de son esprit créateur trouve, dès le début, la matière et les moyens appropriés, sans erreur possible. Il n'aura à faire subir aucune modification à cette matière et à ses moyens; il n'aura qu'à assembler des éléments bien définis et tout préparés.

'Poésie Pure, Notes pour une Conférence', 'Calepin d'un Poète',
Valéry O., pp. 1460–2 *passim*

The more ambitious modern French poets hoped to achieve through studied musicality more than the half-tones and wistful emotions so successfully evoked by the assonance, alliterative effects and subtle harmonies of Verlaine; Mallarmé, particularly in *Les Mots Anglais*, suggested that vowels and consonants have meaning and value in themselves as elements of pure sound—a chimera pursued for a surprisingly long time by one who reminded Degas so pointedly that poems must be composed of words.[1]

The importance of the punctuation signs in Mallarmé's prose cannot be over-emphasized: they are like annotations on a musical score indicating when the voice must pause, mount or descend the scale, alter key;[2] in his

[1] Cf. Claudel: 'Quand un poète dramatique voit son œuvre transcrite sur le théâtre, il sait combien les mots peuvent changer complètement de force et de sens suivant la manière dont ils sont réalisés par l'acteur. Cela, j'en ai fait bien des fois l'expérience et la forme du mot elle-même, le timbre, sa réalisation linéaire, dirai-je, puisque le mot est un ensemble de lignes, la réalisation écrite, si vous voulez, la forme orthographique, tout cela n'est que le résultat, n'est que le concentré, si l'on peut dire, la mise en boîte d'une certaine force, d'une certaine énergie dont le mot était porteur. Il y a tout un livre de Mallarmé, justement, qui est appliqué aux mots anglais, où il essaye de définir les mots anglais précisément d'après la "charge" dont les consonnes sont représentatives, parce que, avec beaucoup de raison, il attache de l'importance encore plus aux consonnes qu'aux voyelles qui sont un élément purement musical, tandis que la consonne est un élément énergétique, et cet ouvrage philologique de Mallarmé a une très grosse importance — je m'étonne qu'on n'en parle pas plus souvent — spécialement pour un auteur dramatique et spécialement pour un poète car, pour un poète, quand on parle des allitérations, n'est-ce pas, de la valeur qu'ont les consonnes placées l'une derrière l'autre, il s'agit justement de cet élément énergétique dont je vous parlais, qui est surtout traduit par la consonne....' (*Mémoires Improvisés*, p. 202.)

Also Valéry: '(Mallarmé) parla, un soir, des différences qu'il percevait entre les effets possibles des mots abstraits selon qu'ils se terminent en *té* (comme *vérité*), en *tion* (comme *transition*) ou en *ment* (comme *entendement*). Il ne lui paraissait pas indifférent d'avoir observé ces nuances....' ('Sorte de Préface aux Thèmes Anglais pour toutes les grammaires par Stéphane Mallarmé', *Valéry O.*, p. 686.)

[2] Cf. Camille Mauclair: 'La ponctuation était pour lui l'équivalent des soupirs, dièses et croches de la musique, et devait être employée dans un but analogue.' (*L'Art en Silence*, p. 97, quoted in Scherer, *op. cit.* p. 48.) In Scherer pp. 46–64 will be found a minute analysis of Mallarmé's use of punctuation.

poetry, on the contrary, he progressively dispensed with punctuation, allowing the rhythm demanded by his verse to punctuate for him. When asked by a journalist for his views on punctuation, Mallarmé, in his half-mocking reply, considered two ideal possibilities: punctuation so meaningfully set down on the blank page that no words would be necessary, or a text with its words arranged in such perfect order that all punctuation could be dispensed with. He worked towards the first ideal, but never achieved it, in his prose; he realized the second ideal in the poems he wrote after 1892:

'... Ce que vous pensez de la Ponctuation.'

— 'Monsieur' avec gravité 'aucun sujet certainement n'est plus imposant. L'emploi ou le rejet de signes convenus indique la prose ou les vers, nommément tout notre art: ceux-ci s'en passent par le privilège d'offrir, sans cet artifice de typographie, le repos vocal qui mesure l'élan; au contraire, chez celle-là, nécessité, tant, que je préfère selon mon goût, sur page blanche, un dessin espacé de virgules ou de points et leurs combinaisons secondaires, imitant, nue, la mélodie — au texte, suggéré avantageusement si, même sublime, il n'était pas ponctué.'

'Solitude', *Mallarmé O.C.*, p. 407

Apollinaire adopted the same principle for almost the whole of his poetry:

Pour ce qui concerne la ponctuation je ne l'ai supprimé que parce qu'elle m'a paru inutile et elle l'est en effet; le rythme même et la coupe des vers voilà la véritable ponctuation et il n'en est pas besoin d'une autre.

Letter to Henri Martineau, 19 July 1913, quoted in M. Adéma,
Apollinaire le mal aimé, p. 160

Valéry, who exploited to the full all the musical potentialities of language, declared that he had borrowed one particular form from the musical composer—the recitative. He wrote of *La Jeune Parque* to Aimé Lafont:

La notion de récitatifs de drame lyrique (à une seule voix) m'a hanté. Je vois, par exemple, un commencement d'acte à ce vers: 'Mystérieuse Moi, pourtant tu vis encore!...'

J'avoue que Gluck et Wagner m'étaient des modèles secrets.

Letter to A. Lafont, September 1922, in A. Lafont, *Paul Valéry, l'Homme et l'Œuvre*
(Vigneau, Marseille, 1943), pp. 7–9

Mon dessein était de composer une sorte de discours dont la suite des vers fût développée ou déduite de telle sorte que l'ensemble de la pièce produisît une impression analogue à celle des *récitatifs* d'autrefois. Ceux qui se trouvent dans Gluck, et particulièrement dans l'*Alceste*, m'avaient beaucoup donné à songer. J'enviais cette ligne.

VALÉRY: 'Le Prince et la Jeune Parque', Valéry O., pp. 1492–3

But he noted elsewhere:

Ce Racine de qui Lulli allait si studieusement entendre les tragédies; et des lignes, des mouvements duquel les belles formes et les purs développements de Gluck semblent des transformations immédiates.

'De la Diction des Vers', Pièces sur l'Art, p. 45

Thus, though in a sense he was 'borrowing' from musicians, he was merely taking back what they had previously taken from poetry.

2. OTHER ARTS

Music was not the only art-form from which the modern French poets sought to borrow in their quest for greater expressiveness.[1] Baudelaire believed

Que la poésie se rattache aux arts de la peinture, de la cuisine et du cosmétique, par la possibilité d'exprimer toute sensation de suavité ou d'amertume, de béatitude ou d'horreur, par l'accouplement de tel substantif avec tel adjectif, analogue ou contraire....

'Projets de Préface pour les Fleurs du Mal, 1863–1866', Baudelaire O.C., p. 1365

Péguy likened the texture of his litanies to the art of tapestry:

Eve se présente comme une immense tapisserie et elle offre constamment au point de vue littéraire et généralement au point de vue de l'art cette qualité essentielle de la tapisserie et de la fresque que les plans y restent à leur place, qu'ils demeurent parallèles, qu'ils ne débordent jamais de l'un sur l'autre, et notamment que les personnages ne crèvent jamais le fond. Nul disparate, rien de criard, les tons les plus éloignés restent parents. Comme dans une tapisserie, les fils passent, disparaissent, reparaissent et

---

[1] Cf. Poe: 'The Poetic Sentiment, of course, may develop itself in various modes—in Painting, in Sculpture, in Architecture, in the Dance—very especially Music—and very peculiarly, and with a wide field in the composition of the Landscape Garden.' (*The Poetic Principle*, op. cit. p. 204.)

les fils ici ce ne sont pas seulement les rimes au sens que l'on a toujours donné à ce mot dans la technique du vers, mais ce sont d'innombrables rimes intérieures, assonances, rythmes et articulations de consonnes, tout un immense appareil aussi parfaitement docile que l'appareil du tisserand. Le métier ne déborde jamais, mais il est toujours là, pas plus qu'au moyen âge l'artiste ou l'artisan ne se distingue de l'ouvrier.

'Entretien sur Eve', *Lettres et Entretiens*, Cahiers XVIII, no. 1

les fils ici ne sont pas seulement les rimes proprement dites mais ce sont les innombrables rimes intérieures, assonances, rythmes et articulations de consonnes....Nul disparate, rien de criard....C'est tout un immense appareil aussi docile que l'appareil du tisserand. *Ibid.* p. 194

Apollinaire with his *Calligrammes* sought greater expressiveness with unorthodox type-setting, often arranging his words to form the outline of the subject of the poem:

Les artifices typographiques poussés très loin avec une grande audace ont l'avantage de faire naître un lyrisme visuel qui était presque inconnu avant notre époque. Ces artifices peuvent aller très loin encore et consommer la synthèse des arts, de la musique, de la peinture et de la littérature.

Il n'y a là qu'une recherche pour aboutir à de nouvelles expressions parfaitement légitimes. 'L'Esprit Nouveau et les Poètes', *Mercure de France*, 1 December 1918, p. 386

In a letter to André Billy, he went so far as to claim that he was the inventor of 'calligrammatic' forms:

C'est un premier livre de cette sorte et rien ne s'oppose à ce que, d'autres allant plus loin dans la perfection que moi qui ai commencé cette sorte de poésie, il n'y ait des livres calligrammatiques fort beaux un jour... [*Calligrammes*] sont une idéalisation de la poésie vers-libriste et une précision typographique à l'époque où la typographie termine brillamment sa carrière, à l'aurore des moyens nouveaux de reproduction que sont le cinéma et le phonographe. *Apollinaire O.C.*, pp. 1069-70

The claim that he was the inventor of the calligram form cannot be substantiated: typographical experiments of this sort, all, like Apollinaire's, of greater pictorial than poetic interest, are to be found in such early writers as Simmias of Rhodes and Porphyrius, in the work of the *Rhétoriqueurs* and much more ambitiously in *Un Coup de dés jamais n'abolira le hasard*...Apollinaire, who was much criticized for his experiments, protested that his sole aim was to annex new domains for poetry:

Si je cesse un jour ces recherches, c'est que je serai las d'être traité en hurluberlu justement parce que les recherches paraissent absurdes à ceux qui se contentent de suivre les routes tracées.

Mais Dieu m'est témoin que j'ai voulu seulement ajouter de nouveaux domaines aux arts et aux lettres en général, sans méconnaître aucunement les mérites des chefs-d'œuvre véritables du passé ou du présent.

Letter to A. Billy, ibid. p. 1070

Not all poets agreed with Valéry's precept 'Que le poète multiplie tout ce qui sépare les vers de la prose' ('Autres Rhumbs', *Tel Quel II*, p. 156):

Quel est celui de nous qui n'a pas, dans ses jours d'ambition, rêvé le miracle d'une prose poétique, musicale sans rhythme et sans rime, assez souple et assez heurtée pour s'adapter aux mouvements lyriques de l'âme, aux ondulations de la rêverie, aux soubresauts de la conscience?

BAUDELAIRE: Dedication to Arsène Houssaye, serving as preface to Le Spleen de Paris,
Baudelaire O.C., p. 273

Baudelaire fully exploited the possibilities of the prose-poem first introduced to the French with Aloysius Bertrand's *Gaspard de la Nuit*, and which, in spite of the critical objections of some poets,[1] became a form in which some later poets achieved remarkable success.[2]

---

[1] E.g. Gautier: 'Vouloir séparer le vers de la poésie, c'est une folie moderne qui ne tend à rien de moins que l'anéantissement de l'art lui-même.' (*Souvenirs Romantiques*, Garnier, 1923 ed., p. 311.)

[2] *Le Spleen de Paris* of Baudelaire, *Les Illuminations* of Rimbaud, Claudel's *Connaissance de l'Est* and the work of Henri Michaux are possibly the most outstanding collections. Mallarmé employed the prose-poem form in his first book of *Divagations*; Valéry himself wrote many prose-poems, collected, for the most part, in *Mélange, Autres Rhumbs, Mauvaises Pensées et Autres*, but also scattered in various reviews, listed in *Valéry O.*, pp. 1698–9. M. Chapelan, *Anthologie du Poème en Prose* (Julliard, 1946), provides a wide range of examples, although he does not make a clear distinction between the prose-poem, which can be regarded as a work complete in itself and possessing all the attributes of poetry except metre, and poetic prose, possibly rich in cadence and metaphor, but part of a much larger whole. For more detailed discussion, consult: G. Blin, 'Introduction aux Petits Poèmes en Prose' in *Le Sadisme de Baudelaire* (Corti, 1948); P. Mansell Jones, 'From Poetic Prose to the Prose Poem' in *The Background of Modern French Poetry*, pp. 93–109.

Other poets did not merely seek to introduce poetic qualities into their prose-writing, but to borrow prose elements to add expressiveness to their verse:

La poésie et la prose sont arrivées aujourd'hui à un point de développement où elles gagneraient à marier leurs ressources.[1] Il est remarquable que, à l'exception du phénomène Victorien[2] que je me suis forcé d'expliquer, le type du poète français est plutôt celui d'un homme fin, sensible, intelligent, délicat et adroit, d'un esthète quelque peu formaliste et d'une veine inventive assez pauvre. Tout ce qu'il y a en français d'invention, de force, de passion, d'éloquence, de rêve, de verve, de couleur, de musique spontanée, de sentiment des grands ensembles, tout ce qui répond le mieux en un mot à l'idée que depuis Homère on se fait généralement de la poésie, chez nous ne se trouve pas dans la poésie, mais dans la prose. Les grands *poètes français*, les grands créateurs ne s'appellent pas Malherbe ou Despréaux ou Voltaire, ni même Racine, André Chénier, Baudelaire ou Mallarmé. Ils s'appellent Rabelais, Pascal, Bossuet, Saint-Simon, Chateaubriand, Honoré de Balzac, Michelet. Je compare la prose française à la fameuse vague de Hokousaï qui, après d'immenses et puissantes ondulations, vient enfin déferler contre la rive en un panache d'écume et de petits oiseaux. Ces oiseaux merveilleux, ce sont les phrases de Maurice de Guérin et d'Arthur Rimbaud....

CLAUDEL: *Réflexions et Propositions sur le vers français*, pp. 86–8

Je vais leur sortir mes Sonnets.... C'est d'une facture extrêmement serrée; pas de trous, tout est plein; mes vingt ans de prose me servent. Oh! la probité de la prose.... PÉGUY: Conversation of 27 September 1912, *Lettres et Entretiens*, Cahiers XVIII, 1, pp. 155–6

Vingt ans de prose avaient enseigné à Péguy cette sorte de probité dure que l'on ne peut apprendre en effet que dans les œuvres de la prose. Il a été assez heureux pour transporter dans ces vers cette intègre probité qui paraissait ne pas pouvoir quitter la prose. Il en résulte que le mot est constamment juste, d'une justesse technique, non point que l'auteur ait fait

---

[1] Cf. Hugo: Oui, mon vers croit pouvoir, sans se mésallier
Prendre à la prose un peu de son air familier.

Cf. also T. S. Eliot: 'Poetry has as much to learn from prose as from other poetry; and I think that an interaction between prose and verse, like the interaction between language and language, is a condition of vitality in literature.' (*The Use of Poetry and the Use of Criticism*, p. 152.)

[2] I.e. Victor Hugo, see p. 13.

des vers de prosateur, mais il a fait des vers de poète avec une sorte de marbre de prose. Aussi avons-nous dans ce poème jusqu'à des propositions de philosophie et de théologie réduites en des vers d'une telle justesse technique qu'il faudrait peut-être remonter jusqu'au *De natura rerum* pour en trouver d'une égale sévérité. Cette gravité, cette sévérité atteignent à un tel point que la plupart de ces quadrains en arrivent à se présenter comme des inscriptions et très souvent comme des inscriptions lapidaires et même funéraires.   PÉGUY: 'Commentaire à l'Eve', 'Lettres et Entretiens',
ibid. p. 195

IV. RHYTHM AND RHYME

Je me sers de formes poétiques très différentes: vers réguliers (ou presque), vers blancs qui riment quand la rime vient à moi, vers libres, versets qui se rapproche de la prose rythmée. Aimant par-dessus tout le naturel, je ne me dis jamais à l'avance que j'emploierai telle ou telle forme. Je laisse mon poème lui-même faire son choix. Ce n'est pas là mépris mais assouplissement de la technique. Ou, si l'on préfère, technique mouvante qui ne se fixe qu'à chaque poème dont elle épouse le chant. Ce qui peut-être permet une grande variété d'inspiration.

L'art poétique est pour chaque poète l'éloge plus ou moins indiscret de la poésie où il excelle. Et c'est ainsi que Verlaine nous recommande les vers impairs, Valéry les vers réguliers de forme classique et mallarméenne, Claudel le verset....   J. SUPERVIELLE: 'En Songeant à un Art Poétique',
Naissances, p. 66

1. RHYTHM

MALLARMÉ'S lecture *La Musique et les Lettres,* delivered to Oxford and Cambridge audiences on 1 and 2 March 1894, began with news of a *coup d'état* in French prosody:

J'apporte en effet des nouvelles. Les plus surprenantes. Même cas ne se vit encore.

On a touché au vers.

Les gouvernements changent: toujours la prosodie reste intacte: soit que, dans les révolutions, elle passe inaperçue ou que l'attentat ne s'impose pas avec l'opinion que ce dogme dernier puisse varier.

Il convient d'en parler déjà, ainsi qu'un invité voyageur tout de suite se décharge par traits haletants du témoignage d'un accident su et le poursuivant: en raison que le vers est tout, dès qu'on écrit. Style, versification, s'il y a cadence et c'est pourquoi toute prose d'écrivain fastueux, soustraite à ce laisser-aller en usage, ornementale, vaut en tant qu'un vers rompu, jouant avec ses timbres et encore les rimes dissimulées: selon un thyrse plus complexe. Bien l'épanouissement de ce qui naguères obtint le titre de *poème en prose.*

Très strict, numérique, direct, à jeux conjoints, le mètre, antérieur, subsiste; auprès.

Sûr, nous en sommes là, présentement; la séparation.

Au lieu qu'au début de ce siècle, l'ouïe puissante romantique combina l'élément jumeau en ses ondoyants alexandrins, ceux à coupe ponctuée et enjambements; la fusion se défait vers l'intégrité. Une heureuse trouvaille avec quoi paraît à peu près close la recherche d'hier, aura été *le vers libre,* modulation (dis-je souvent) individuelle, parce que toute âme est un nœud rythmique.   'La Musique et les Lettres', *Mallarmé O.C.,* pp. 643–4

The text of *La Musique et les Lettres*, without the modulations of Mallarmé's own voice to enliven and elucidate it, demands the reader's most intense concentration. Another account of Mallarmé's views on metrical experiments in French poetry, more lucid because it was not written by Mallarmé himself, was given in an interview reported by Jules Huret:

— Nous assistons, en ce moment, à un spectacle vraiment extraordinaire, unique, dans toute l'histoire de la poésie: chaque poète allant, dans son coin, jouer sur une flûte, bien à lui, les airs qu'il lui plaît; pour la première fois, depuis le commencement, les poètes ne chantent plus au lutrin. Jusqu'ici, n'est-ce pas, il fallait, pour s'accompagner, les grandes orgues du mètre officiel. Eh bien! on en a trop joué, et on s'en est lassé. En mourant, le grand Hugo, j'en suis bien sûr, était persuadé qu'il avait enterré toute poésie pour un siècle; et pourtant, Paul Verlaine avait déjà écrit *Sagesse*; on peut pardonner cette illusion à celui qui a tant accompli de miracles, mais il comptait sans l'éternel instinct, la perpétuelle et inéluctable poussée lyrique. Surtout manqua cette notion indubitable: que, dans une société sans stabilité, sans unité, il ne peut se créer d'art stable, d'art définitif. De cette organisation sociale inachevée, qui explique en même temps l'inquiétude des esprits, naît l'inexpliqué besoin d'individualité dont les manifestations littéraires présentes sont le reflet direct.

Plus immédiatement, ce qui explique les récentes innovations, c'est

qu'on a compris que l'ancienne forme du vers était non pas la forme
absolue, unique et immuable, mais un moyen de faire à coup sûr de bons
vers. On dit aux enfants: 'Ne volez pas, vous serez honnêtes!' C'est vrai,
mais ce n'est pas tout; en dehors des préceptes consacrés, est-il possible de
faire de la poésie? On a pensé que oui et je crois qu'on a eu raison. Le vers
est partout dans la langue où il y a rythme, partout, excepté dans les affiches
et à la quatrième page des journaux. Dans le genre appelé prose, il y a des
vers, quelquefois admirables, de tous rythmes. Mais, en vérité, il n'y a pas
de prose: il y a l'alphabet, et puis des vers plus ou moins serrés, plus ou
moins diffus. Toutes les fois qu'il y a effort au style, il y a versification.

Je vous ai dit tout à l'heure que, si on en est arrivé au vers actuel, c'est
surtout qu'on est las du vers officiel; ses partisans mêmes partagent cette
lassitude. N'est-ce pas quelque chose de très anormal qu'en ouvrant
n'importe quel livre de poésie on soit sûr de trouver d'un bout à l'autre
des rythmes uniformes et convenus là où l'on prétend, au contraire, nous
intéresser à l'essentielle variété des sentiments humains! Où est l'inspiration, où est l'imprévu, et quelle fatigue! Le vers officiel ne doit servir que
dans des moments de crise de l'âme; les poètes actuels l'ont bien compris;
avec un sentiment de réserve très délicat, ils ont erré autour, en ont
approché avec une singulière timidité, on dirait quelque effroi, et, au lieu
d'en faire leur principe et leur point de départ, tout à coup l'ont fait surgir
comme le couronnement du poème ou de la période!

D'ailleurs, en musique, la même transformation s'est produite: aux
mélodies d'autrefois très dessinées succède une infinité de mélodies brisées
qui enrichissent le tissu sans qu'on sente la cadence aussi fortement
marquée....

Mallarmé O.C., pp. 866–7

One of the most conspicuous innovators was Jules Laforgue, who in his
brief poetic career progressed from the alexandrines and traditional fixed
forms of *Le Sanglot de la Terre*, via the *vers libérés*[1] of the *Complaintes*, to
the completely free verse of *Derniers Vers*:

Pour m'ôter toute envie de publier le volume de vers que j'ai fait cet hiver
et que je t'ai lu au lit, j'en fais un second, tout autre. Le type d'aspect est la
pièce sur l'hiver que je t'ai envoyée. J'oublie de rimer, j'oublie le nombre
de syllabes, j'oublie la distribution des strophes....

LAFORGUE: Letter to G. Khan, July 1885, Lettres à un Ami

[1] For a detailed discussion of these terms, consult P. Mansell Jones, *op. cit.*, 'The Vers Libéré',
pp. 110–19; 'The First Theory of the Vers Libre', pp. 120–35.

An even more important innovator, till now denied the recognition accorded to Laforgue, was Tristan Corbière, who expressed his sardonic anti-Romantic feelings, and affirmed his belief in human nature, with vigorous, highly personal rhythms, and dynamic images.

Claudel was another to break with the classical alexandrine and the fixed poetic forms of tradition:

> O mon fils, lorsque j'étais un poète entre les hommes,
> J'inventai ce vers qui n'avait ni rime ni mètre....

> 'La Ville', 2nd version, *Claudel T.*, vol. 1, pp. 488–9

His invention, the Claudelian verset, which recalls both biblical verses and the poetry of Whitman, demands to be read aloud, like the poetry of the age before printing:

> On peut distinguer deux espèces de vers : l'un est le vers libre ou soumis à des règles prosodiques extrêmement souples : c'est le vers des Psaumes et des Prophètes, celui de Pindare et de chœurs grecs, et aussi somme toute le vers blanc de Shakespeare ou discours divisé en laisses d'un nombre approximatif de dix syllabes. (Il y aurait beaucoup à dire sur le vers des derniers drames shakespeariens dont l'élément prosodique principal paraît être l'enjambement, *the break*, le heurt, la cassure aux endroits les plus illogiques, comme pour laisser entrer l'air et la poésie par tous les bouts)....

> Mais le vers dont l'emploi partout a prévalu est le vers régulier dont la première espèce est le vers ïambique universellement employé dans le théâtre ancien et dont l'élément unique (couple d'une brève et d'une longue) est la traduction la plus simple de cette pulsation qui ne cesse de compter le temps dans notre poitrine. Le mètre souvent presque insensible se rapproche du vers libre.

> La seconde espèce dont j'ai à parler (passant sur tous les petits mètres qui servent à des états momentanés d'émotion), est le grand vers narratif ou explicatif dont la structure prosodique est très accusée. Dans cette espèce même il faut distinguer deux grandes classes suivant qu'il y a emploi ou non de la rime. L'hexamètre latin est le type du vers épique non rimé.

> Quelle est la raison qui, jusqu'à ce jour, a déterminé toutes les poésies à organiser ainsi le donné inspiratoire sur un plan fixe à l'intérieur d'un chiffre précis de pieds ou de syllabes? La principale me paraît le désir de créer dans l'esprit du lecteur un état de facilité et de bonheur. Il est porté en avant sans effort par un mouvement attendu auquel il n'y a qu'à

s'abandonner. Il est constitué dans un état harmonieux. Il sent ses mouvements et ses pensées adoptés par l'ordre éternel. Il est détaché du hasar-
deux et du quotidien. Il dort. Il habite un lieu durable où les êtres et les
choses lui sont présentés dans un langage soluble. C'est la réussite
parfaite de cette extase poétique, une seule fois, depuis la création du
monde! qui a valu à Virgile le juste titre de divin. Mais naturellement
le danger de ce mètre régulier, surtout pour de vastes espaces écrits,
quand il n'est pas employé par de très grands ou très habiles poètes,
est la monotonie. Il n'est pas toujours facile de produire l'hypnose,
mais il est très facile de procurer le sommeil.

'Réflexions et Propositions sur le vers français', *Pos.*, pp. 14–17

Je n'ai nullement...la prétention de détruire le vers régulier, qui après
tout est un moyen d'expression parmi d'autres et il n'y a aucune raison de
nous appauvrir d'aucun d'eux. J'ai voulu simplement montrer qu'il y avait
autre chose de possible. Mais je ne fais pas difficulté de reconnaître que le
vers régulier est celui qui répond le mieux à notre instinct de goût,
d'élégance et d'économie, qu'il figurerait en bonne place dans une Exposition parmi les industries qui font le plus d'honneur à notre production
parisienne. J'irai jusqu'à dire que dans aucune langue il n'y a mieux pour
la fabrication des 'véritables morceaux d'anthologie', des 'petits bijoux
finement ciselés', bibelots d'étagère, sujets de pendule, souvenirs de
Dieppe, tabatières à musique, dessous de lampe, cartes transparentes et
œufs en bois, dont notre littérature a toujours montré une abondance si
réjouissante. *Ibid.* pp. 88–9

Claudel was, in fact, no less an innovator than Apollinaire, whose
somewhat flamboyant championing of *avant-garde* movements in all the
arts was mingled with a loyal attachment to tradition:

En ce qui concerne le reproche d'être un destructeur, je le repousse
formellement, car je n'ai jamais détruit, mais au contraire, essayé de construire. Le vers classique était battu en brèche avant moi qui m'en suis
souvent servi, si souvent que j'ai donné une nouvelle vie aux vers de huit
pieds, par exemple. Dans les arts, je n'ai rien détruit non plus, tentant de
faire vivre les écoles nouvelles, mais non au détriment des écoles passées.
Je n'ai combattu, ni le symbolisme, ni l'impressionisme. J'ai loué pub-
liquement des poètes comme Moréas. Je ne me suis jamais présenté comme
destructeur mais comme bâtisseur. Letter to André Billy, *Apollinaire O.C.*, p. 1070

It is not without significance, however, that the greatest of the modern French poets, even if they professed support for *vers libre*, themselves preferred traditional metre and fixed forms:

l'auteur qui poursuit dans une nouvelle un simple but de beauté ne travaille qu'à son grand désavantage, privé qu'il est de l'instrument le plus utile, le rythme. BAUDELAIRE: 'Notes Nouvelles sur Edgar Poe', *op. cit.* p. xvi

Quel est donc l'imbécile (c'est peut-être un homme célèbre) qui traite si légèrement le Sonnet et n'en voit pas la beauté pythagorique? Parce que la forme est contraignante, l'idée jaillit plus intense. Tout va bien au Sonnet, la bouffonnerie, la galanterie, la passion, la rêverie, la méditation philosophique. Il y a là la beauté du métal et du minéral bien travaillés. Avez-vous observé qu'un morceau du ciel, aperçu par un soupirail ou entre deux cheminées, deux rochers, ou par une arcade, etc. donnait une idée plus profonde de l'infini qu'un grand panorama vu du haut d'une montagne? Quant aux longs poèmes, nous savons ce qu'il en faut penser; c'est la ressource de ceux qui sont incapables d'en faire de courts.[1]

BAUDELAIRE: Letter to Armand Fraisse, 18 February 1860, *Correspondance Générale*, vol. III, pp. 39–40

Mallarmé appreciated why his young contemporaries were so dissatisfied with traditional verse forms, applauded their experiments, and looked forward to the enlivening effect these would have on French poetry, but in his own work he preferred prosodic discipline to freedom:

Les Parnassiens, amoureux du vers très strict, beau par lui-même, n'ont pas vu qu'il n'y avait là qu'un effort complétant le leur; effort qui avait en même temps cet avantage de créer une sorte d'interrègne du grand vers harassé et qui demandait grâce. Car il faut qu'on sache que les essais des derniers venus ne tendent pas à supprimer le grand vers; ils tendent à mettre plus d'air dans le poème, à créer une sorte de fluidité, de mobilité entre les vers de grand jet, qui leur manquait un peu jusqu'ici. On entend tout d'un coup dans les orchestres de très beaux éclats de cuivre; mais on sent très bien que s'il n'y avait que cela, on s'en fatiguerait vite. Les jeunes espacent ces grands traits pour ne les faire apparaître qu'au moment

[1] Cf. Heredia: 'Si je m'en suis tenu au sonnet, c'est que je trouve que, dans sa forme mystique et mathématique... il exige, par sa brièveté et sa difficulté, une conscience dans l'exécution et une concentration de la pensée qui ne peuvent qu'exciter et pousser à la perfection l'artiste digne de ce beau nom.' (Letter to Edmund Gosse, 1896, quoted in Ibrovac, *J. M. de Heredia, sa vie, son œuvre*, Les Presses Françaises, 1923, p. 331.)

où ils doivent produire l'effet total: c'est ainsi que l'alexandrin, que personne n'a inventé et qui a jailli tout seul de l'instrument de la langue, au lieu de demeurer maniaque et sédentaire comme à présent, sera désormais plus libre, plus imprévu, plus aéré: il prendra la valeur de n'être employé que dans les mouvements graves de l'âme. Et le volume de la poésie future sera celui à travers lequel courra le grand vers initial avec une infinité de motifs empruntés à l'ouïe individuelle.

Il y a donc scission par inconscience de part et d'autre que les efforts peuvent se rejoindre plutôt qu'ils ne se détruisent. Car, si, d'un côté, les Parnassiens ont été, en effet, les absolus serviteurs du vers, y sacrifiant jusqu'à leur personnalité, les jeunes gens ont tiré directement leur instinct des musiques, comme s'il n'y avait rien eu auparavant; mais ils ne font qu'espacer le raidissement, la construction parnassienne, et selon moi, les deux efforts peuvent se compléter.

> Interview with Jules Huret, 1891,
> *Mallarmé O.C.*, pp. 867–8

Pour moi, le vers classique — que j'appellerai *le vers officiel* — est la grande nef de cette basilique 'la Poésie française', le vers libre, lui, édifie les bas-côtés pleins d'attirance, de mystère, de somptuosités rares. Le vers officiel doit demeurer, car il est né de l'âme populaire, il jaillit du sol d'autrefois, il sut s'épanouir en sublimes efflorescences. Mais le vers libre est une belle conquête, il a surgi en révolte de l'Idée contre la banalité du 'convenu' seulement, pour être, qu'il ne s'érige pas en église dissidente, en chapelle solitaire et rivale! Sachons écouter les grandes orgues du vers officiel où des doigts virtuoses firent exulter des cantates de gloire, frémir des caresses d'amour, vibrer des plaintes de vie; puis n'oublions pas que l'Art est infini... la Poésie n'est que l'expression musicale et suraiguë, émotionnante, d'un état d'âme; le vers libre est cela. En résumé peu mais bon.

> Answer to *enquête* on Le Vers Libre conducted for *Le Figaro* by Austin de Croze,
> 3 August 1895, quoted in H. Mondor, *Vie de Mallarmé*, p. 717

Always a model of inconsistency, Verlaine welcomed *vers libre* in 1890 in the preface to the new edition of his *Poèmes Saturniens*, violently attacked it when interviewed by Jules Huret in 1891, then praised it again in one of his *Epigrammes* in 1894. Having described the regular form of his own verses, he concluded:

Et jusqu'à nouvel ordre, je m'en tiendrai là. Libre à d'autres d'essayer plus. Je les vois faire et s'il faut, j'applaudirai....

> Preface to 1890 edition of 'Poèmes Saturniens', *Verlaine O.C.*, p. 900

Où sont-elles, les *nouveautés?* Est-ce que Arthur Rimbaud — et je ne l'en félicite pas, — n'a pas fait tout cela avant eux? Et même Krysinska! Moi aussi, parbleu, je me suis amusé à faire des blagues, dans le temps! Mais enfin, je n'ai pas la prétention de les imposer en Evangile. Certes, je ne regrette pas mes vers de quatorze pieds; j'ai élargi la discipline du vers, et cela est bon; mais je ne l'ai pas supprimée! Pour qu'il y ait vers, il faut qu'il y ait rythme. A présent on fait des vers à mille pattes! Ça n'est plus des vers, c'est de la prose, quelquefois même ce n'est que du charabia.... Et surtout *ça n'est pas français*, non, *ça n'est pas français!* On appelle ça des vers rythmiques! Mais nous ne sommes ni des Latins, ni des Grecs, nous autres; nous sommes des Français, sacré nom de Dieu!

HURET: *Enquête sur l'Evolution Littéraire* (Charpentier, 1891), p. 69

J'admire l'ambition du Vers Libre,
— Et moi-même que fais-je en ce moment
Que d'essayer d'émouvoir l'équilibre
D'un nombre ayant deux rythmes seulement?

Il est vrai que je reste dans ce nombre
Et dans la rime, un abus que je sais
Combien il pèse et combien il encombre,
Mais indispensable à notre art français.

Autrement muet dans la poésie,
Puisque le langage est sourd à l'accent.
Qu'y voulez-vous faire? Et la fantaisie
Ici perd ses droits: rimer est pressant.

Que l'ambition du Vers Libre hante
De jeunes cerveaux épris de hasards!
C'est l'ardeur d'une illusion touchante.
On ne peut que sourire à leurs écarts.

Gais poulains qui vont gambadant sur l'herbe
Avec une sincère gravité!
Leur cas est fou, mais leur âge est superbe.
Gentil vraiment, le Vers Libre tenté!

'Epigrammes', *Verlaine O.C.*, pp. 646–7

Like Mallarmé, who described it as 'le joyau définitif, mais à ne sortir, épée, fleur, que peu et selon quelque motif prémédité...' ('Crise de Vers',

Mallarmé O.C., p. 362), Verlaine did not normally use the alexandrine in his verse, but at the same time preferred discipline to anarchy:

L'alexandrin a ceci de merveilleux qu'il peut être très solide, à preuve Corneille, ou très fluide, avec ou sans mollesse, témoin Racine. C'est pourquoi, sentant ma faiblesse et tout l'imparfait de mon art, j'ai réservé pour les occasions harmoniques ou mélodiques ou analogues, ou pour telles ratiocinations compliquées, des rythmes inusités, impairs pour la plupart, où la fantaisie fût mieux à l'aise, n'osant employer le mètre sacro-saint qu'aux limpides spéculations, qu'aux énonciations claires, qu'à l'exposition rationnelle des objets, invectives ou paysages. . . .

. . . Et maintenant je puis, je dois peut-être, puisque c'est une responsabilité que j'assume en assumant de réimprimer mes premiers vers, m'expliquer très court, tout doucement, sur des matières toutes de métier avec de jeunes confrères qui ne seraient pas loin de me reprocher un certain illogisme, une certaine timidité dans la conquête du 'vers libre' qu'ils ont, croient-ils, poussée, eux, jusqu'à la dernière limite.

En un mot comme en cent, j'aurais le tort de garder un mètre, et dans ce mètre quelque césure encore, et, au bout de mes vers, des rimes. Mon Dieu! j'ai cru avoir assez brisé le vers, l'avoir assez affranchi, si vous préférez, en déplaçant la césure le plus possible, et quant à la rime, m'en être servi avec quelque judiciaire pourtant, en ne m'astreignant pas trop, soit à de pures assonances, soit à des formes de l'écho indiscrètement excessives.

Preface to 1890 edition of 'Poèmes Saturniens', Verlaine O.C., pp. 899–900

Valéry's interest in mathematics and dislike of indiscipline led him, too, to accept strict poetic form as an organic necessity:

La métrique est une algèbre: c'est-à-dire la science des variations d'un rythme fixe selon certaines valeurs données aux signes qui le composent. Le vers est l'équation qui est justement disposée lorsque sa solution est une égalité, c'est-à-dire une symétrie. Le rythme est une question de sous-multiples. Ce qu'il a d'admirable, c'est qu'il utilise et exagère esthètiquement l'obéissance inconsciente de notre être — *tout entier* — au temps et au nombre. Il y a des gens qui marchent, qui digèrent *faux*! La dissonance, le mode mineur ont un caractère de déchirement céleste car, en effet, le *ciel* doit nous apparaître comme libre, *dégagé* de tout rythme, incommensurable!

Letter to Gide, 15 June 1891, Gide–Valéry
Correspondance, p. 94

2. RHYME

Just as they, in general, resisted any temptation to dispense with regular metre, so the best modern French poets affirmed their belief in the importance of rhyme. For Baudelaire rhymes were 'les lanternes qui éclairent la route de l'Idée' ('Prométhée Délivrée', *Baudelaire O.C.*, p. 932) and he planned to show 'Pourquoi tout poète qui ne sait pas au juste combien chaque mot comporte de rimes, est incapable d'exprimer une idée quelconque' ('Projets de Préface pour les Fleurs du Mal, 1863–1865', *Baudelaire O.C.*, p. 1365).

For Mallarmé, rhymes transformed lines of verse into fairy rings:

Le vers, trait incantatoire! et, on ne déniera au cercle que perpétuellement ferme, ouvre la rime une similitude avec les ronds, parmi l'herbe, de la fée ou du magicien.[1] 'Magie', *Mallarmé O.C.*, p. 400

In *Art Poétique*, Verlaine launched what might seem to have been a strange attack on rhyme—strange, because the attack itself is in rhyme:

> Fuis du plus loin la Pointe assassine,
> L'Esprit cruel et le Rire impur,
> Qui font pleurer les yeux de l'Azur,
> Et tout cet ail de basse cuisine!
>
> Prends l'éloquence et tords-lui son cou!
> Tu feras bien, en train d'énergie,
> De rendre un peu la Rime assagie.
> Si l'on n'y veille, elle ira jusqu'où?
>
> O qui dira les torts de la Rime?
> Quel enfant sourd ou quel nègre fou
> Nous a forgé ce bijou d'un sou
> Qui sonne creux et faux sous la lime? *Verlaine O.C.*, p. 207

[1] Cf. Banville: 'C'est donc le mot placé à la rime, le dernier mot du vers qui doit, comme un magicien subtil, fair apparaître devant nos yeux tout ce qu'a voulu le poète. Mais ce mot sorcier, ce mot fée, ce mot magique, où le trouver et comment le trouver?

'Rien de plus facile.

'Car, si vous êtes poète, vous commencerez par voir distinctement dans la chambre noire de votre cerveau tout ce que vous voulez montrer à votre auditeur, et *en même temps* que les visions, se présenteront *spontanément* à votre esprit les mots qui, placés à la fin des vers, auront le don d'évoquer ces mêmes visions pour vos auditeurs. Le reste ne sera plus qu'un travail de goût et de co-ordination, un travail d'art qui s'apprend par l'étude des maîtres et par la fréquentation assidue de leurs œuvres.' (*Petit Traité de Poésie Française*, pp. 49–50.)

Verlaine was not, however, attacking rhyme in general: he was simply re-expressing Boileau's view that 'la rime est une esclave et ne doit qu'obéir'[1] (*Art Poétique*). The chief offenders, in his view, were those poets who like Banville, and on occasions, Hugo, wrote as though ingenious rhymes were all that mattered in poetry.[2] His own verse, in fact, rhymes throughout and in the poem immediately preceding *Art Poétique* in *Jadis et Naguère*, Verlaine declared he was 'épris des seules rimes' (*Verlaine O.C.*, p. 206). When attacked by Charles Morice, to whom *Art Poétique* had been dedicated, Verlaine hastened to disclaim any revolutionary motives:

Nous sommes d'accord au fond, car je résume ainsi le débat: rimes irréprochables, français correct, et surtout de bons vers, n'importe à quelle sauce.

Reply to review by Karl Moor (Charles Morice), *La Nouvelle Rive Gauche*,
8 December 1882, *Verlaine O.C.*, p. 969

Verlaine's most detailed views on rhyme were published in an article in *Le Décadent*, March 1888:

la rime n'est pas condamnable, mais seulement l'abus qu'on en fait. Notre langue peu accentuée ne saurait admettre le vers blanc, et ni Voltaire, vice-roi de Prusse en son temps, ni Louis Bonaparte, roi de Hollande au sien, ne me sont des autorités suffisantes pour hésiter, fût-ce un instant, à ne me point départir de ce principe absolu.

Rimez faiblement, assonez si vous voulez, mais rimez ou assonez, pas de vers français sans cela.

Quand je dis: rimez faiblement, je m'entends, et je ne veux pas que ma concession signifie: rimez mal.

Musset, hélas! rime mal. La Fontaine lui a donné le fatal exemple et leur génie ne les absout pas plus que son esprit — en prose, n'absout le d'ailleurs 'affreux Voltaire'... Voilà, sauf erreur, les deux seules exceptions

---

[1] Cf. Robert Graves: 'Rhymes properly used are the good servants whose presence at the dinner-table gives the guests a sense of opulent security; never awkward or over-clever, they hand the dishes silently and professionally. You can trust them not to interrupt the conversation or allow their personal disagreements to come to the notice of the guests; but some of them are getting very old for their work.' (*The Common Asphodel*, Hamish Hamilton, 1949, p. 5.)

[2] Cf. Banville: 'Dans la versification française, quand la Rime est ce qu'elle doit être, tout fleurit et prospère; tout décroît et s'atrophie, quand la rime faiblit. Ceci est la clef de tout, et on ne saurait avoir cet axiome trop présent à la pensée.' (*Op. cit.* p. 88.)

Cf. Laforgue: 'Hugo au fond avec son énorme cerveau ne vivait que pour cette seule volupté des rimes droles.' (Notes on Baudelaire in *Entretiens Politiques et Littéraires*, II, April 1891.)

troublantes. La plupart des bons poètes riment bien, plusieurs riment faiblement. C'est, je crois, Racine, qui a commencé à rimer faiblement, en ce sens, par exemple, qu'il se sert souvent d'adjectifs au bout de deux vers, *redoutables, épouvantables*, qu'il y emploie des mots presque congénères, *père, mère*, chose que Malherbe eût évité, qu'il n'a presque jamais la consonne d'appui. . . .

Ce que, par exemple, je proscris de tous mes vœux, c'est la rime *mauvaise*. Par rime mauvaise je veux dire, pour illustrer immédiatement mes raisons, des horreurs comme celles-ci qui ne sont pas plus 'pour' l'oreille (malgré le Voltaire déjà qualifié) que 'pour' l'œil: *falot* et *tableau*, *vert* et *pivert*, tant d'autres dont la seule pensée me fait rougir, et que pourtant vous retrouverez dans maints des plus estimables modernes. Les grands Parnassiens, Coppée, Dierx, Heredia, Mallarmé, Mendès, n'ont garde d'offrir de pareils scandales. Ce leur est déjà un mérite que les imprécations de M. Raynaud ne leur ôteront point à mes yeux. Vous ne trouverez pas non plus chez eux ces rimes en *ang* et en *ant*, en *anc* et en *and*, que ne sauve pas la consonne d'appui, même dans ces magnifiques vers de Victor Hugo:

> Un flot rouge, un sanglot de pourpre, éclaboussant
> Les convives, le trône et la table, de sang,

ni la rime artésienne ou picarde, *pomme* et *Bapaume*, ni la méridionale *Grasse* (la ville) et *grâce*, ni même la normande *aimer* et *mer*, bien que consacrée par Corneille et aussi par Racine. . . .

. . . il y a des poètes qui riment trop richement et c'est à ceux-là que j'ai pensé en écrivant quelques vers (d'ailleurs bien rimés) contre la Rime.

. . . la rime est un mal nécessaire dans une langue peu accentuée, la rime *suffisante* pour le moins. . . il me reste à parler de l'Assonance, qui est à la mode. Mais je m'aperçois qu'au lieu d'un mot c'est deux qu'il me faut maintenant.

L'Assonance est, pour parler selon la rigueur, la rencontre, à la fin de deux lignes plus ou moins rhythmés, de la même voyelle encadrée autant que possible par la même consonne d'appui et une consonne ou une syllabe muette terminale différente. Exemple: *Drole, Drome, dol, d'oc*. Nombre de chansons populaires sont instrumentées dans ce goût, avec la liberté toutefois en outre de rimer soit par à peu près, soit sans guère observer l'alternance des deux genres masculin et féminin, non plus que des singuliers ou des pluriels assortis, avec d'autres commodités encore. De la sorte, l'assonance serait, si adoptée dans la littéralité, un souci musicale tout aussi gênant que la Rime, mais combien inférieure à elle en pureté, en noblesse de son!

'Un Mot sur la Rime', *Œuvres Posthumes*, vol. II, pp. 260–5, *passim*

Claudel, like Baudelaire, considered rhyme not as mere adornment, but a lantern lighting the poet's way:

Les poésies modernes ont apporté au vers un élément nouveau, qui est la rime. La parole humaine ne retentit pas dans le vide. Elle ne demeure pas stérile. Elle est une sommation du silence, elle appelle, elle provoque quelque chose d'égal ou de comparable à elle-même. Quand le poète a proféré le vers pareil à une formule incantatoire, il répond quelque chose dans le blanc.

Le vers devient ainsi un moyen d'interroger l'inconnu, il lui fait une proposition, il lui offre une condition sonore d'existence. Le vers nouveau n'est plus seulement comme la ligne latine une énonciation solitaire et désolée. Il n'existe plus seulement, il fonctionne. Il n'est plus seulement le résultat de l'élaboration poétique, il en est l'organe vivant, le battement régulier de la pompe qui puise dans l'inconnu le sentiment et l'idée. C'est sur ce couple alterné d'une proposition et d'une réponse que reposait jusqu'à ces derniers temps toute la prosodie française.

'Réflexions et Propositions sur le vers français', *Pos.*, pp. 17–18

Mais la rime,. . . va réclamer l'amateur anxieux que j'ai demandé à notre ingénieur la permission de promener dans ses ateliers, que faites-vous de la rime? Et en effet comme ce serait dommage de sacrifier cet élément d'aventure et de fantaisie, si seulement nous arrivons à en faire un instrument non pas d'esclavage mais de liberté, et au lieu de ce qui rive les forçats un libre jeu de nymphes ou de jeunes filles se touchant et quittant le bout des doigts dans la plus aimable 'chaîne des dames'! Quand nous aurons fourni au vers en lui-même sa propre subsistance, il n'aura plus besoin d'aller chercher au dehors appui, et la rime qui vient ou qui ne vient pas ne sera plus que la libre réponse et invention un pas plus loin de la voix fraternelle et le dialogue avec lui-même du ruisseau qui poursuit sa course. Et pour employer une autre image, mais pourquoi ne parlerais-je pas en poète de la poésie? la rime est comme un phare à l'extrémité d'un promontoire qui répond à travers le blanc au feu d'un autre cap. Elle établit des repères, elle jalonne de petites lumières l'espace écrit et nous permet de reconnaître le chemin parcouru et la forme de l'île pensée. Inutile et nuisible dans le drame et dans la grande poésie lyrique où le sentiment domine tout et où le moyen doit se faire oublier, elle est tout à fait à sa place dans les domaines plus paisibles de la poésie épique ou narrative, ainsi que du tableau ou du médaillon. Du moins c'est une idée que je propose. *Ibid.* pp. 80-2

3. IN DEFENCE OF CONVENTIONS

Valéry went so far as to say that the willing acceptance of poetic conventions is an essential condition of the poet's vocation:

La véritable condition d'un véritable poète est ce qu'il y a de plus distinct de l'état de rêve. Je n'y vois que recherches volontaires, assouplissement des pensées, consentement de l'âme à des gênes exquises, et le triomphe perpétuel du sacrifice. 'Au Sujet d'Adonis', *Valéry O.*, p. 476

Est poète celui auquel la difficulté inhérente à son art donne des idées — et ne l'est pas celui auquel elle les retire. 'Rhumbs', *Tel Quel II*, p. 62

Je ne puis m'empêcher d'être intrigué par l'espèce d'obstination qu'ont mise les poètes de tous les temps, jusqu'aux jours de ma jeunesse, à se charger de chaînes volontaires. C'est un fait difficile à expliquer que cet assujettissement que l'on ne percevait presque pas, avant qu'il fût trouvé insupportable. D'où vient cette obéissance immémoriale à des commandements qui nous paraissent si futiles? Pourquoi cette erreur si prolongée de la part de si grands hommes, et qui avaient un si grand intérêt à donner le plus haut degré de liberté à leur esprit? Faut-il résoudre cette énigme par une dissonance de termes, comme il est de mode depuis l'affaiblissement de la logique, et penser qu'il existe un instinct de l'artificiel? Ces mots jurent d'être mis ensemble.... 'Au Sujet d'Adonis', *Valéry O.*, pp. 477-8

Valéry went on to note that:

les nombres obligatoires, les rimes, les formes fixes, tout cet arbitraire, une fois pour toutes adopté, et opposé à nous-mêmes, ont une sorte de beauté propre et philosophique. *Ibid.* p. 481

Il est remarquable que les conventions de la poésie régulière, les rimes, les césures fixes, les nombres égaux de syllabes ou de pieds imitent le *régime* monotone de la machine du corps vivant, et peut-être procèdent de ce mécanisme des fonctions fondamentales qui répètent l'acte de vivre, ajoutent élément de vie à élément de vie, et construisent le temps de la vie au milieu des choses, comme s'exhausse dans la mer un édifice de corail.[1]

'Littérature', *Tel Quel I*, p. 177

One important reason why Valéry himself welcomed prosodic conventions was that solving the technical problems they brought with them provided valuable insight into the workings of his own mind:

Il y a bien plus de chances pour qu'une rime procure une idée (littéraire) que pour trouver la rime à partir de l'idée. Là-dessus repose toute la poesie et particulièrement celle des années 60 à 80.   Cahier B 1910, *Tel Quel I*, p. 203

Plus il y a résistance, plus il y a conscience.

'Note et Digression', 1919, *Valéry O.*, p. 1205

Il faut faire des sonnets. On ne sait pas tout ce qu'on apprend à faire des sonnets et des poèmes à forme fixe.

Le fruit des travaux n'est pas en eux. (Mais les poètes, en general, laissent perdre le meilleur de leurs efforts.)

J'ai toujours fait mes vers en m'observant les faire, en quoi je n'ai peut-être jamais été seulement poète.

— J'ai appris bien vite à trop distinguer le réel de la pensée et le réel des effets.

Mais sans ce confus, est-on poète? 'Calepin d'un Poète', *Valéry O.*, pp. 1454–5

Ecrire des vers réguliers, c'est là se remettre sans doute à une loi étrangère, assez insensée, toujours dure, parfois atroce; elle écarte de l'existence un infini de belles possibilités; elle y appelle de très loin une multitude de pensées qui ne s'attendaient pas d'être conçues. (Quant à celles-ci, j'admettrai que la moitié d'entre elles ne valait pas de naître, et que l'autre moitié nous procure, au contraire, des surprises délicieuses et des harmonies non préétablies, tellement que la perte et le gain se compensent, et que je n'aie plus à m'en occuper.) Mais toutes les beautés innombrables qui demeureront dans l'esprit, toutes celles que l'obligation de rimer, la

---

[1] Cf. Baudelaire: 'Car il est évident que les rhétoriques et les prosodies ne sont pas des tyrannies inventées arbitrairement, mais une collection de règles réclamées par l'organisation même de l'être spirituel. Et jamais les prosodies et les rhétoriques n'ont empêché l'originalité de se produire distinctement. Le contraire, à savoir qu'elles ont aidé l'éclosion de l'originalité, serait infiniment plus vrai.' ('Salon de 1859', *Baudelaire O.C.*, p. 771.)

mesure, la règle incompréhensible de l'hiatus empêchent définitivement de se produire, semblent bien nous constituer une perte immense, dont on peut véritablement se lamenter.... 'Au Sujet d'Adonis', *Valéry O.*, pp. 478–9

The observation of poetic conventions, Valéry maintained, enabled the poet to purify his poetry of prosaic elements:

Les rimes, l'inversion, les figures développées, les symétries et les images, tout ceci, trouvailles ou conventions, sont autant de moyens de s'opposer au penchant prosaïque du lecteur (comme les 'règles' fameuses de l'art poétique ont pour effet de rappeler sans cesse au poète *l'univers complexe* de cet art). L'impossibilité de réduire à la prose son ouvrage, celle de le *dire*, ou de le *comprendre en tant que prose* sont des conditions impérieuses d'existence, hors desquelles cet ouvrage n'a *poétiquement* aucun sens.

'Questions de Poésie', *Valéry O.*, p. 1294

Far from rejecting rules as a hindrance, the poet should, in Valéry's view, welcome them as an indispensable aid for harnessing the forces of inspiration:

Quelque grande que soit la puissance du feu, elle ne devient utile et motrice que par les machines où l'art l'engage; il faut que des gênes bien placées fassent obstacle à sa dissipation totale, et qu'un retard adroitement opposé au retour invincible de l'équilibre permette de soustraire quelque chose à la chute infructueuse de l'ardeur.

'Note et Digression', *Valéry O.*, p. 1205

PART IV

THE POET AT WORK

I. THE STATE OF INSPIRATION

❖❖❖❖❖❖❖❖❖❖❖❖❖❖❖❖❖❖❖❖❖❖❖❖❖❖❖❖❖❖❖❖❖❖❖❖❖

Est deus in nobis et sunt commercia caeli:
Sedibus aetheriis spiritus ille venit.

OVID: *Ars Amatoria*, Book III

(There is a god within us, we are in touch with heaven: from celestial places comes our inspiration.) ❖❖❖

Quoi! ce qu'il y aura de plus estimable en nous, sera-ce donc ce qui dépendra le moins de nous, ce qui agira le plus en nous sans nous-mêmes, ce qui aura le plus de conformité avec l'instinct des animaux? Car cet enthousiasme et cette fureur bien expliqués se réduisent à de véritables instincts. FONTENELLE: quoted by H. Bremond: *Prière et Poésie* (Grasset, 1926), p. 26

❖❖❖

L'idée d'inspiration, si l'on se tient à cette image naïve d'un souffle étranger, ou d'une âme toute-puissante substituée tout à coup, pour un temps, à la nôtre, peut suffire à la mythologie ordinaire des choses de l'esprit. Presque tous les poètes s'en contentent. Bien plutôt, ils n'en veulent point souffrir d'autre. Mais je ne puis arriver à comprendre que l'on ne cherche pas à descendre dans soi-même le plus profondément qu'il soit possible.

Il paraît que l'on risque son talent à tenter d'en explorer les Enfers. Mais qu'importe ce talent? — Trouvera-t-on pas autre chose?

VALÉRY: *Lettre d'un poète. Morceaux Choisis, Prose et Poésie* (Gallimard, 1930), pp. 177–8

❖❖❖❖❖❖❖❖❖❖❖❖❖❖❖❖❖❖❖❖❖❖❖❖❖❖❖❖❖❖❖❖❖❖❖❖❖

I. THE EXPERIENCE OF INSPIRATION

MODERN French poets have provided a variety of accounts of their experience of inspiration. For some, to be inspired was to enjoy an intensely sharpened awareness of the world of everyday, to perceive hitherto unsuspected relationships between the things about them:

Dans certains états de l'âme presque surnaturels, la profondeur de la vie se révèle tout entière dans le spectacle, si ordinaire qu'il soit, qu'on a sous les yeux. Il en devient le symbole. BAUDELAIRE: 'Fusées', *Baudelaire O.C.*, p. 1189

Il y a des moments de l'existence où le temps et l'étendue sont plus profonds, et le sentiment de l'existence immensément augmenté. *Ibid.* p. 1189

Edgar Poe dit, je ne sais plus où, que le résultat de l'opium pour les sens est de revêtir la nature entière d'un intérêt surnaturel qui donne à chaque objet un sens plus profond, plus volontaire, plus despotique. Sans avoir recours à l'opium, qui n'a connu ces admirables heures, véritables fêtes du cerveau, où les sens plus attentifs perçoivent des sensations plus retentissantes, où le ciel d'un azur plus transparent s'enfonce comme un abîme plus infini, où les sons tintent musicalement, où les couleurs parlent, où les parfums racontent des mondes d'idées?

BAUDELAIRE: 'Eugène Delacroix', 'Curiosités Esthétiques', *Baudelaire O.C.*, p. 701

Ceux qui savent s'observer eux-mêmes et qui gardent la mémoire de leurs impressions, ceux-là qui ont su, comme Hoffmann, construire leur baromètre spirituel, ont eu parfois à noter dans l'observatoire de leur pensée, de belles saisons, d'heureuses journées, de délicieuses minutes. Il est des jours où l'homme s'éveille avec un génie jeune et vigoureux.[1] Ses paupières à peine déchargées du sommeil qui les scellait, le monde extérieur s'offre à lui avec un relief puissant, une netteté de contours, une richesse de couleurs admirables. Le monde moral ouvre ses vastes perspectives, pleines de clartés nouvelles. L'homme gratifié de cette béatitude, malheureusement rare et passagère, se sent à la fois plus artiste et plus juste, plus noble, pour tout dire en un mot.

BAUDELAIRE: 'Le Poème du Haschisch', 'Les Paradis Artificiels', *Baudelaire O.C.*, p. 429

l'état ou l'émotion poétique me semble consister dans une perception naissante, dans une tendance à percevoir un *monde* ou système complet de rapports, dans lequel les êtres, les choses, les événements et les actes, s'ils ressemblent, *chacun à chacun*, à ceux qui peuplent et composent le monde

---

[1] Cf. Hugo:
Quand on est jeune, on a des matins triomphants,
Le jour sort de la nuit comme d'une victoire. (*Booz Endormi*)

sensible, le monde immédiat duquel ils sont empruntés, sont, d'autre part, dans une relation indéfinissable, mais merveilleusement juste, avec les modes et les lois de notre sensibilité générale. Alors, ces objets et ces êtres connus changent en quelque sorte de valeur. Ils s'appellent les uns les autres, ils s'associent tout autrement que dans les conditions ordinaires. Ils se trouvent — permettez-moi cette expression — musicalisés, devenus commensurables, résonants l'un par l'autre.

VALÉRY: 'Propos sur la Poésie', *Valéry O.*, p. 1363

Comme une combinaison définie se précipite d'un mélange, ainsi quelque *figure* intéressante se divise du désordre, ou du flottant, ou du commun de notre barbotage intérieur.

C'est un son pur qui sonne au milieu des bruits. C'est un fragment parfaitement exécuté d'un édifice inexistant. C'est un soupçon de diamant qui perce une masse de 'terre bleue': instant infiniment plus précieux que tout autre, et que les circonstances qui l'engendrent! Il excite un contentement incomparable et une tentation immédiate; il fait espérer que l'on trouvera *dans son voisinage* tout un trésor dont il est le signe et la preuve; et cet espoir engage parfois son homme dans un travail qui peut être sans bornes.

Plusieurs pensent qu'un certain ciel s'ouvre dans cet instant, et qu'il tombe un rayon extraordinaire par quoi sont illuminées à la fois telles idées jusque-là libres l'une de l'autre, et comme s'ignorant entre elles; et les voici unies à merveille, et d'un coup, et qui paraissent faite de toute éternité, l'une pour l'autre; et ceci, sans préparation directe, sans travail, par cet effet heureux de lumière et de certitude[1]. . . .

VALÉRY: 'Fragments des Mémoires d'un Poème', 15 December 1937,
Valéry O., pp. 1489–90

[1] Valéry went on to comment characteristically: 'Mais le malheur veut que ce soit assez souvent une naïveté, une erreur, une niaiserie, qui nous est ainsi révélée. Il ne faut pas ne compter que les coups favorables: cette manière miraculeuse de produire ne nous assure pas du tout de la valeur de ce qui se produit. L'esprit souffle où il veut: on le voit souffler sur des sots, et il leur souffle ce qu'ils peuvent.' (*Loc. cit.* p. 1490.)

Valéry also noted that the sudden perception of a new analogy did not always result in the composition of a poem: '. . . un rapprochement brusque d'idées, une analogie me saisissait, comme un appel de cor au sein d'une forêt fait dresser l'oreille, et oriente virtuellement tous nos muscles qui se sentent coordonnés vers quelque point de l'espace et de la profondeur des feuillages. Mais, cette fois, au lieu d'un poème, c'était une analyse de cette sensation intellectuelle subite qui s'emparait de moi. Ce n'étaient point des vers qui se détachaient plus ou moins facilement de ma durée dans cette phase; mais quelque proposition qui se destinait à s'incorporer à mes habitudes de pensée, quelque formule qui devait désormais servir d'instrument à des recherches ultérieures.' ('Poésie et Pensée Abstraite', *Valéry O.*, p. 1319.)

L'inspiration poétique se distingue par les dons d'*image* et de *nombre*. Par l'*image*, le poète est comme un homme qui est monté en un lieu plus élevé et qui voit autour de lui un horizon plus vaste où s'établissent entre les choses des rapports nouveaux, rapports qui ne sont pas déterminés par la logique ou la loi de causalité, mais par une association harmonique ou complémentaire en vue d'un *sens*. Par le *nombre*, le langage est débarrassé de la circonstance et du hasard, le sens parvient à l'intelligence par l'oreille avec une plénitude délicieuse qui satisfait à la fois l'âme et le corps.

CLAUDEL: 'Introduction à un poème sur Dante', Pos., p. 162

L'inspiration se manifeste en général chez moi par le sentiment que je suis partout à la fois, aussi bien dans l'espace que dans les diverses régions du cœur et de la pensée. L'état de poésie me vient alors d'une sorte de confusion magique où les idées et les images se mettent à vivre, abandonnent leurs arêtes, soit pour faire des avances à d'autres images — dans ce domaine tout voisine, rien n'est vraiment éloigné — soit pour subir de profondes métamorphoses qui les rendent méconnaissables. Cependant pour l'esprit, mélangé de rêves, les contraires n'existent plus: l'affirmation et la négation deviennent une même chose et aussi le passé et l'avenir, le désespoir et l'espérance, la folie et la raison, la mort et la vie.

J. SUPERVIELLE: 'En Songeant à un Art Poétique', Naissances, pp. 63–4

For others, to be inspired meant being haunted by a phrase or a visual image, 'the stray suggestion, the wandering word, the vague echo, at touch of which the [novelist's] imagination winces as at the prick of some sharp point...' (Henry James, Preface to *The Spoils of Poynton*).

Des paroles inconnues chantèrent-elles sur vos lèvres, lambeaux maudits d'une phrase absurde?

Je sortis de mon appartement avec la sensation propre d'une aile glissant sur les cordes d'un instrument, traînante et légère, que remplaça une voix prononçant les mots sur un ton descendant: 'La Pénultième est morte', de façon que *La Pénultième* finit le vers et *Est morte* se détacha de la suspension fatidique plus inutilement en le vide de signification. Je fis des pas dans la rue et reconnus en le son *nul* la corde tendue de l'instrument de musique, qui était oublié et que le glorieux Souvenir certainement venait de visiter de son aile ou d'une palme et, le doigt sur l'artifice du mystère, je souris et implorai de vœux intellectuels une spéculation différente. La phrase revint, virtuelle, dégagée d'une chute antérieure de plume ou de rameau, dorénavant à travers la voix entendue, jusqu'à ce qu'enfin elle s'articula seule, vivant de sa personnalité. J'allais (ne me contentant plus d'une perception) la lisant en fin de vers, et, une fois, comme un essai, l'adaptant à mon parler; bientôt la prononçant avec un silence après 'Pénultième' dans lequel je trouvais une pénible jouissance: 'La Pénultième' puis la corde de l'instrument, si tendue en l'oubli sur le son *nul*, cassait sans doute et j'ajoutais en manière d'oraison: 'Est morte'. Je ne discontinuai pas de tenter un retour à des pensées de prédilection, alléguant, pour me calmer, que, certes, pénultième est le terme du lexique qui signifie l'avant-dernière syllabe des vocables, et son apparition, le reste mal abjuré d'un labeur de linguistique par lequel quotidiennement sanglote de s'interrompre ma noble faculté poétique: la sonorité même et l'air de mensonge assumé par la hâte de la facile affirmation étaient une cause de tourment. Harcelé, je résolus de laisser les mots de triste nature errer eux-mêmes sur ma bouche, et j'allai murmurant avec l'intonation susceptible de condoléance: 'La Pénultième est morte, elle est morte, bien morte, la désespérée Pénultième', croyant par là satisfaire l'inquiétude, et non sans le secret espoir de l'ensevelir en l'amplification de la psalmodie quand, effroi! — d'une magie aisément déductible et nerveuse — je sentis que j'avais, ma main réfléchie par un vitrage de boutique y faisant le geste d'une caresse qui descend sur quelque chose, la voix même (la première, qui indubitablement avait été l'unique).

Mais où s'installe l'irrécusable intervention du surnaturel, et le commencement de l'angoisse sous laquelle agonise mon esprit naguère seigneur c'est quand je vis, levant les yeux, dans la rue des antiquaires instinctivement suivie, que j'étais devant la boutique d'un luthier vendeur de vieux instruments pendus au mur, et, à terre, des palmiers jaunes et les ailes enfouies en l'ombre, d'oiseaux anciens. Je m'enfuis, bizarre, personne condamnée à porter probablement le deuil de l'inexplicable Pénultième.

MALLARMÉ: 'Le Démon de l'Analogie', 'Poèmes en Prose', *Mallarmé O.C.*, pp. 272–3

Un soir...avant de m'endormir, je perçus, nettement articulée au point qu'il était impossible d'y changer un mot, mais distraite cependant du bruit de toute voix, une assez bizarre phrase qui me parvenait sans porter trace des événements auxquels, de l'aveu de ma conscience, je me trouvais mêlé à cet instant-là, phrase qui me parut insistante, phrase oserai-je dire qui *cognait à la vitre.* J'en pris rapidement notion et me disposais à passer outre quand son caractère organique me retint. En vérité cette phrase m'étonnait; je ne l'ai malheureusement pas retenue jusqu'à ce jour, c'était quelque chose comme: 'Il y a un homme coupé en deux par la fenêtre' mais elle ne pouvait souffrir d'équivoque, accompagné qu'elle était de la faible représentation visuelle d'un homme marchant et tronçonné à mi-hauteur par une fenêtre perpendiculaire à l'axe de son corps. A n'en pas douter il s'agissait du simple redressement dans l'espace d'un homme qui se tient penché à la fenêtre. Mais cette fenêtre ayant suivi le déplacement de l'homme, je me rendis compte que j'avais affaire à une image d'un type assez rare et je n'eus vite d'autre idée que de l'incorporer à mon matériel de construction poétique. Je ne lui eus pas plus tôt accordé ce credit que d'ailleurs elle fit place à une succession à peine intermittente de phrases qui ne me surprirent guère moins et me laissèrent sous l'impression d'une gratuité telle que l'empire que j'avais pris jusque là sur moi-même me parut illusoire et que je ne songeai plus qu'à mettre fin à l'interminable querelle qui a lieu en moi.... ANDRÉ BRETON: 'Première Manifeste du Surréalisme', Breton, *op. cit.* p. 21

Inspiration sometimes came to Valéry in the form of a compulsive rhythm without words:[1]

Le poète s'éveille dans l'homme par un événement inattendu, un incident extérieur ou intérieur: un arbre, un visage, un 'sujet', une émotion, un mot. Et tantôt, c'est une volonté d'expression qui commence la partie, un besoin de traduire ce que l'on sent; mais tantôt, c'est au contraire, un élément de forme, une esquisse d'expression qui cherche sa cause, qui cherche un sens dans l'espace de mon âme.... Observez bien cette dualité possible d'entrée en jeu: parfois quelque chose veut s'exprimer, parfois quelque moyen d'expression veut quelque chose à servir.

'Poésie et Pensée Abstraite', *Valéry O.*, p. 1338

Sometimes, as in the case of *Le Cimetière Marin* or *La Pythie*, Valéry was able to transform the wordless rhythm into a poem, but he describes another experience, almost as remarkable as Mallarmé's *Démon de*

[1] Cf. Stephen Spender: 'Sometimes when I lie in a state of half-waking, half-sleeping, I am conscious of a stream of words which seem to pass through my mind, without them having a meaning, but they have a sound, a sound of passion, or a sound recalling poetry that I know. Again sometimes when I am writing, the music of the words I am trying to shape takes me far beyond the words, I am aware of a rhythm, a dance, a fury, which is as yet empty of words.' (*The Making of a Poem*, Hamish Hamilton, 1955, p. 60.)

l'Analogie, when he found himself quite unable to make use of the riches he felt had been offered him:

Je veux...vous raconter une histoire vraie, afin de vous faire sentir comme je l'ai sentie moi-même, et de la manière la plus curieusement nette, toute la différence qui existe entre l'état ou l'émotion poétique, même créatrice et originale, et la production d'un ouvrage. C'est une observation assez frappante que j'ai faite sur moi-même, il y a environ un an.

J'étais sorti de chez moi pour me délasser, par la marche et les regards variés qu'elle entraîne, de quelque besogne ennuyeuse. Comme je suivais la rue que j'habite, je fus tout à coup *saisi* par un rythme qui s'imposait à moi, et qui me donna bientôt l'impression d'un fonctionnement étranger. Comme si quelqu'un se servait de ma *machine à vivre*. Un autre rythme vint alors doubler le premier et se combiner avec lui; et il s'établit je ne sais quelles relations *transversales* entre ces deux lois (je m'explique comme je puis). Ceci combinait le mouvement de mes jambes marchantes et je ne sais quel chant que je murmurais, ou plutôt qui se murmurait *au moyen de moi*.[1] Cette composition devint de plus en plus compliquée, et dépassa bientôt en complexité tout ce que je pouvais raisonnablement produire selon mes facultés rythmiques ordinaires et utilisables. Alors, la sensation d'étrangeté dont j'ai parlé se fit presque pénible, presque inquiétante. Je ne suis pas musicien; j'ignore entièrement la technique musicale; et voici que j'étais la proie d'un développement à plusieurs parties, d'une complication à laquelle jamais poète ne peut songer. Je me disais donc qu'il y avait erreur sur la personne, que cette grâce se trompait de tête, puisque je ne pouvais rien faire d'un tel don — qui, dans un musicien, eût sans doute pris valeur, forme et durée, tandis que ces parties

[1] Cf. Claudel's reference to God in *Vers d'Exil* as 'Quelqu'un qui soit en moi plus moi-même que moi' (*Claudel O.P.*, p. 18).

Rimbaud: 'C'est faux de dire: Je Pense. On devrait dire: On me pense. Pardon du jeu de mots.

'*JE* est un autre. Tant pis pour le bois qui se trouve violon, et nargue aux inconscients qui ergotent sur ce qu'ils ignorent tout à fait!' (Letter to G. Izambard, 13 May 1871, *Rimbaud O.C.*, p. 268.)

Cf. William Blake: 'I hope to...be a Memento in time to come and to speak to future generations by a Sublime Allegory, which is now perfectly completed into a Grand Poem. I may praise it since I dare not pretend to be other than the Secretary: the Authors are in Eternity....' (Letter to Thomas Butts, 6 July 1803. Blake's *Complete Poetry and Prose*, Nonesuch Edition, 1927, p. 1076.)

Cf. also *The Ion*: 'The authors of those great poems which we admire...utter their melodies of verse in a state of inspiration, and, as it were, possessed by a spirit not their own....' (Shelley's translation.)

qui se mêlaient et déliaient m'offraient bien vainement une production dont la suite savante et organisée émerveillait et désespérait mon ignorance.

Au bout d'une vingtaine de minutes le prestige s'évanouit brusquement; me laissant sur le bord de la Seine, aussi perplexe que la cane de la Fable qui vit éclore un cygne, de l'œuf qu'elle avait couvé. Le cygne envolé, ma surprise se changea en réflexion. Je savais bien que la marche m'entretient souvent dans une vive émission d'idées, et qu'il se fait une certaine réciprocité entre mon allure et mes pensées, mes pensées modifiant mon allure; mon allure excitant mes pensées — ce qui, après tout, est bien remarquable, mais est relativement compréhensible. Il se fait, sans doute, une harmonisation de nos divers 'temps de réaction', et il est bien intéressant de devoir admettre qu'il y a une modification réciproque possible entre un régime d'action qui est purement musculaire et une production variée d'images, de jugements et de raisonnements.

Mais dans le cas dont je vous parle, il arriva que mon mouvement de marche se propagea à ma conscience par un système de rythmes assez savant, au lieu de provoquer en moi cette naissance d'images, de paroles intérieures et d'actes virtuels que l'on nomme *idées*. Quant aux idées, ce sont choses d'une espèce que je sais noter, provoquer, manœuvrer.... *Mais je ne puis en dire autant de mes rythmes inattendus.*

Que fallait-il en penser? J'ai imaginé que la production mentale pendant la marche devait répondre à une excitation générale qui se dépensait du côté de mon cerveau; cette excitation se satisfaisait, se soulageait comme elle pouvait, et, pourvu qu'elle dissipât de l'énergie, il lui importait peu que se fussent des idées, ou des souvenirs, ou des rythmes fredonnés distraitement. Ce jour-là, elle s'est dépensée en intuition rythmique, qui s'est développée avant que se soit éveillée, dans ma conscience, la *personne qui sait qu'elle ne sait pas la musique.* Je pense que c'est de même que la *personne qui sait qu'elle ne peut pas voler* n'est pas encore en vigueur dans celui qui rêve qu'il vole.   VALÉRY: 'Poésie et Pensée Abstraite', *Valéry O.*, pp. 1322–3

The detached manner of their self-analyses might suggest that modern poets lack their predecessors' capacity for feeling, but while inspiration lasts, they feel as poets have always done that they themselves are deathless and omnipotent, yet in the grip of a power that must be exorcized; cf. Ronsard:

> Je suis troublé de fureur,
> Le poil me fresmit d'horreur,
> D'un effroy mon ame est plaine,

Mon estomac est pantois,
Et par son canal ma vois
Ne se desgorge qu'a peine.
Une Deité m'emmeine:
Fuyez peuple, qu'on me laisse,
Voicy venir la Déesse:
Fuyez peuple, je la voy.
Heureux ceux qu'elle regarde,
Et plus heureux qui la garde
Dans l'estomac comme moy!

'Ode à la Royne, 1550', quoted in Patterson, *op. cit.* vol. I, p. 511

... quelle singulière et triste impression
Produit un manuscrit! — Tout à l'heure, à ma table,
Tout ce que j'écrivais me semblait admirable.
Maintenant, je ne sais, — je n'ose y regarder.
Au moment du travail, chaque nerf, chaque fibre
Tressaille comme un luth que l'on vient d'accorder.
On n'écrit pas un mot que tout l'être ne vibre.
(Soit dit sans vanité, c'est ce que l'on ressent.)
On ne travaille pas, — on écoute, — on attend.
C'est comme un inconnu qui vous parle à voix basse.
On est comme un enfant dans ses habits de fête,
Qui craint de se salir et de se profaner;
Et puis, — et puis, — enfin! — on a mal à la tête.
Quel étrange réveil! — comme on se sent boiteux!
Comme on voit que Vulcain vient de tomber des cieux. . . .

MUSSET: Dédicace, 'La Coupe et les Lèvres'

Even Valéry was compelled to surrender:

Je touchais à la nuit pure
Je ne savais plus mourir
Car un fleuve sans coupure
Me semblent me parcourir.

'Poésie', 'Charmes', *Valéry O.*, p. 119

Le chant intérieur s'élève, il choisit les mots qui lui conviennent. Je
me donne l'illusion de seconder l'obscur dans son effort vers la lumière
pendant qu'affleurent à la surface du papier les images qui bougeaient,

réclamant des profondeurs. Après quoi je sais un peu mieux où j'en suis de moi-même, j'ai créé de dangereuses puissances et je les ai exorcisées, j'en ai fait des alliées de ma raison la plus intérieure. . . .[1]

J. SUPERVIELLE: 'En Songeant à un Art Poétique', Naissances, p. 64

The most lyrical expression of the inspired poet's sense of possessing power and of being powerfully possessed is the opening of Claudel's ode, *La Muse qui est la grâce*:

Encore! encore la mer qui revient me rechercher comme une barque,

La mer encore qui retourne vers moi à la marée de syzygie et qui me lève et remue de mon ber comme une galère allégée,

Comme une barque qui ne tient plus qu'à sa corde, et qui danse furieusement, et qui tape, et qui saque, et qui fonce, et qui encense, et qui culbute, le nez à son piquet,

Comme le grand pur sang que l'on tient aux naseaux et qui tangue sous le poids de l'amazone qui bondit sur lui de côté et qui saisit brutalement les rênes avec un rire éclatant!

Encore la nuit qui revient me rechercher,

Comme la mer qui atteint sa plénitude en silence à cette heure qui joint à l'Océan les ports humains pleins de navires attendants et qui décolle la porte et le batardeau!

---

[1] Cf. T. S. Eliot: 'What you start from is nothing so definite as an emotion, in any ordinary sense: it is still more certainly not an idea; it is—to adapt two lines of Beddoes to a different meaning—a

bodiless childful of life in the gloom
Crying with frog voice, 'what shall I be?'

'. . . In a poem which is neither didactic nor narrative, and not animated by any other social purpose, the poet may be concerned solely with expressing in verse—using all his resources of words, with their history, their connotations, their music—this obscure impulse. He does not know what he has to say until he has said it; and in the effort to say it he is not concerned with making other people understand anything. He is not concerned, at this stage, with other people at all: only with finding the right words or, anyhow, the least wrong words. He is not concerned whether anybody else will ever listen to them or not, or whether anybody else will ever understand them if he does. He is oppressed by a burden which he must bring to birth in order to obtain relief. Or, to change the figure of speech, he is haunted by a demon, a demon against which he feels powerless, because in its first manifestation it has no face, no name, nothing; and the words, the poem he makes, are a kind of form of exorcism of this demon. In other words again, he is going to all that trouble, not in order to communicate with anyone, but to gain relief from acute discomfort; and when the words are finally arranged in the right way—or in what he comes to accept as the best arrangement he can find—he may experience a moment of exhaustion, of appeasement, of absolution, and of something very near annihilation, which is in itself indescribable. And then he can say to the poem: "Go away! Find a place for yourself in a book—and don't expect *me* to take any further interest in you."' (*The Three Voices of Poetry*, Lecture delivered to National Book League, 19 November 1953, Cambridge U.P., 1953, pp. 17–18.)

Encore le départ, encore la communication établie, encore la porte qui s'ouvre!

Ah, je suis las de ce personnage que je fais entre les hommes! Voici la nuit! Encore la fenêtre qui s'ouvre!

Et je suis comme la jeune fille à la fenêtre du beau château blanc dans le clair de lune,

Qui entend, le cœur bondissant, ce bienheureux sifflement sous les arbres et le bruit de deux chevaux qui s'agitent,

Et elle ne regrette point la maison, mais elle est comme un petit tigre qui se ramasse, et tout son cœur est soulevé par l'amour de la vie et par la grande force comique!

Hors de moi la nuit, et en moi la fusée de la force nocturne, et le vin de la Gloire, et le mal de ce cœur trop plein!

Si le vigneron n'entre pas impunément dans la cuve,

Croirez-vous que je sois puissant à fouler ma grande vendange de paroles,

Sans que les fumées m'en montent au cerveau!

Ah, ce soir est à moi! ah, cette grande nuit est à moi! tout le gouffre de la nuit comme la salle illuminée pour la jeune fille à son premier bal!

Elle ne fait que de commencer! il sera temps de dormir un autre jour!

Ah, je suis ivre! ah, je suis livré au dieu! j'entends une voix en moi et la mesure qui s'accélère, le mouvement de la joie,

L'ébranlement de la cohorte Olympique, la marche divinement tempérée!

Que m'importent tous les hommes à présent! Ce n'est pas pour eux que je suis fait, mais pour le

Transport de cette mesure sacrée!

O le cri de la trompette bouchée! ô le coup sourd sur la tonne orgiaque!

Que m'importe aucun d'eux? Ce rythme seul! Qu'ils me suivent ou non? Que m'importe qu'ils m'entendent ou pas?

Voici le dépliement de la grande Aile poétique!

Que me parlez-vous de la musique? laissez-moi seulement mettre mes sandales d'or!

Je n'ai pas besoin de tout cet attirail qu'il lui faut. Je ne demande pas que vous vous bouchiez les yeux.

Les mots que j'emploie,

Ce sont les mots de tous les jours, et ce ne sont point les mêmes!

Vous ne trouverez point de rimes dans mes vers ni aucun sortilège. Ce sont vos phrases mêmes. Pas aucune de vos phrases que je ne sache reprendre!

Ces fleurs sont vos fleurs et vous dites que vous ne les reconnaissez pas.

Et ces pieds sont vos pieds, mais voici que je marche sur la mer et que je foule les eaux de la mer en triomphe!

From 'Cinq Grandes Odes', *Claudel O.P.*, pp. 263–5

2. ANALYSES OF INSPIRATION

In spite of the depth of their introspection, and the precision of their vocabulary, the Moderns have not been able to explain the whole mechanism of inspiration: the mystery of its source and its power still awaits elucidation. Valéry suggested that Inspiration is a fiction created by the reader:

L'inspiration est, positivement parlant, une attribution gracieuse que le lecteur fait à son poète: le lecteur nous offre les mérites transcendants des puissances et des grâces qui se développent en lui. Il cherche et trouve en nous la cause merveilleuse de son émerveillement.

Mais l'effet de poésie, et la synthèse artificielle de cet état par quelque œuvre, sont choses toutes distinctes; aussi différentes que le sont une sensation et une action. Une action suivie est bien plus complexe que toute production instantanée, surtout quand elle doit s'exercer dans un domaine aussi conventionnel que celui du langage....

'Poésie et Pensée Abstraite', *Valéry O.*, p. 1321

La durée de composition d'un poème même très court pouvant absorber des années, l'action du poème sur un lecteur s'accomplira en quelques minutes. En quelques minutes, ce lecteur recevra le choc de trouvailles, de rapprochements, de lueurs d'expression, accumulés pendant des mois de recherche, d'attente, de patience et d'impatience. Il pourra attribuer à l'inspiration beaucoup plus qu'elle ne peut donner. Il imaginera le personnage qu'il faudrait pour créer sans arrêts, sans hésitations, sans retouches, cet ouvrage puissant et parfait qui le transporte dans un monde où les choses et les êtres, les passions et les pensées, les sonorités et les significations procèdent de la même énergie, s'échangent et se répondent selon des lois de résonance exceptionnelles, car ce ne peut être qu'une forme exceptionnelle d'excitation qui réalise l'exaltation simultanée de notre sensibilité, de notre intellect, de notre mémoire et de notre pouvoir d'action verbale, si rarement accordés dans le train ordinaire de notre vie. ...

Ibid. Valéry O., pp. 1337-8

J'ai élevé pierre par pierre sur une montagne, une masse que je fais tomber d'un seul bloc sur eux. J'ai mis cinq ans, dix ans à l'accumuler en détail sur la hauteur, et ils en reçoivent le choc d'un coup, dans un instant.[1]

'Autres Rhumbs', *Tel Quel II*, p. 150

There is doubtless some justification in Valéry's view that the reader is unaware of the protracted and intermittent nature of artistic composition,[2] but to claim that inspiration is wholly a creation of the reader's fancy is a *boutade*, an attempt not to explain inspiration so much as to explain it away.

It has also been observed that inspiration often seems to come as a reward after a lengthy period of fruitless wrestling with difficult technical problems:

L'inspiration, en un mot, n'est que la récompense de l'exercice quotidien. ... BAUDELAIRE: 'Les Martyrs Ridicules', *Baudelaire O.C.*, p. 1125

Une nourriture très substantielle, mais régulière, est la seule chose nécessaire aux écrivains féconds. L'inspiration est décidément la sœur du travail journalier. BAUDELAIRE: 'Du travail journalier et de l'inspiration', *Baudelaire O.C.*, p. 938

---

[1] Cf. Charles Lamb: 'The ground of the mistake is that men, finding in the raptures of the higher poetry a condition of exaltation to which they have no parallel in their own experience, besides the spurious resemblance of it in dreams and fevers, impute a state of dreaminess to the poet. But the true poet dreams being awake. He is not possessed by his subject but has dominion over it.' ('On the Sanity of True Genius', quoted by Lionel Trilling in *The Liberal Imagination*, Secker and Warburg, 1951, p. 174.)

[2] Cf. Valéry: La Pythie ne saurait dicter un poème
Mais un vers — c'est-à-dire une unité — et puis un autre.
Cette déesse du Continuum est incapable de continuer.
('Rhumbs', *Tel Quel II*, p. 63)

And Claudel: 'Je ne suis pas un homme qui pense par succession, je pense toute une œuvre à la fois, et jamais une partie ne se développe sans qu'elle sente sur elle le consentement et la gêne des autres parties. Naturellement certaines parties émergent avant les autres, mais elles tiennent toujours à l'ensemble qui proteste si je veux le violenter. Tout commence par une espèce de grommellement intérieur, sur lequel se détachent, plus ou moins exprimés, certains traits épars du poème encore submergé.' (Letter to Jacques Rivière, *Claudel-Rivière Correspondance*, p. 221.)

j'ai observé que le grand bénéfice des poèmes soutenus, très organisés et bâtis en force, construits par long labeur, était de faire produire après eux l'œuvre libre et légère, fleur sans effort,—mais qui ne fût pas née sans le dur entraîne-ment de la veille; on s'ébroue! on a ôté les bottes plombées, et l'on danse. . . . La fatigue a précédé le travail! VALÉRY: Letter to P. Souday, 1929,
Lettres à Quelques-Uns, p. 182

Je n'attends pas l'inspiration pour écrire et je fais à sa rencontre plus de la moitié du chemin. Le poète ne peut compter sur les moments très rares où il écrit comme sous une dictée. Et il me semble qu'il doit imiter en cela l'homme de science lequel n'attend pas d'être inspiré pour se mettre au travail. . . . Que de fois nous pensons n'avoir rien à dire alors qu'un poème attend en nous derrière un mince rideau de brume et il suffit de faire taire le bruit des contingences pour que ce poème se dévoile à nous.

Stendhal ne croyait qu'à l'opiniâtreté chez l'écrivain. Je pense qu'il songeait aussi à cette opiniâtreté involontaire qui est le fruit d'une longue obsession. Parfois ce qu'on nomme l'inspiration vient de ce que le poète bénéficie d'une opiniâtreté inconsciente et *ancienne* qui finit un jour par porter ses fruits. Elle nous permet de voir en nous comme par une lucarne ce qui est invisible en temps ordinaire.

J. SUPERVIELLE: 'En Songeant à un Art Poétique', *Naissances*, pp. 62–3

Thus after spending four long years laboriously repolishing *La Jeune Parque*, Valéry wrote the shorter poems of his following collection, *Charmes*, with smooth serenity; Coleridge spent many months of seem-ingly fruitless experimenting with rhythms, then wrote *Kubla Khan* at a single sitting, and Rilke, after striving for months in vain to finish his *Duiner Elegien*, gave up in despair, and then suddenly found himself able to conclude them in a triumphant burst of effortless activity. This, how-ever, does not explain inspiration; it merely describes the circumstances which sometimes encourage its visitations.

Rimbaud realized that the source of his inspiration was the unplumbed depths of his consciousness, and that the material it offered him was his own experience transformed:

Car *JE* est un autre. Si le cuivre s'éveille clairon, il n'y a rien de sa faute. Cela m'est évident: j'assiste à l'éclosion de ma pensée: je la regarde, je l'écoute: je lance un coup d'archet: la symphonie fait son remuement dans les profondeurs, ou vient d'un bond sur la scène.

Letter to P. Demeny, 15 May 1871, *Rimbaud O.C.*, p. 270

Tu en es encore à la tentation d'Antoine. L'état du zèle écourté, les tics d'orgueil puéril, l'affaissement et l'effroi. Mais tu te mettras à ce travail: toutes les possibilités harmoniques et architecturales s'émeuvront autour de ton siège. Des êtres parfaits, imprévus s'offriront à tes expériences. Dans tes environs affluera rêveusement la curiosité d'anciennes foules et de luxes oisifs. Ta mémoire et tes sens ne seront que la nourriture de ton impulsion créatrice. Quant au monde, que sera-t-il devenu? En tout cas, rien des apparences actuelles.

'Jeunesse IV', 'Les Illuminations',
Rimbaud O.C., p. 208

Other modern poets have drawn analogies between inspiration and dream:

L'univers poétique...présente de grandes analogies avec ce que nous pouvons supposer de l'univers du rêve...nos souvenirs de rêves nous enseignent, par une expérience commune et fréquente, que notre conscience peut être envahie, emplie, entièrement saturée par la production d'une *existence*, dont les objets et les êtres paraissent les mêmes que ceux qui sont dans la veille; mais leurs significations, leurs relations et leurs modes de variation et de substitution sont tout autres et nous représentent sans doute, comme des symboles ou des allégories, les fluctuations immédiates de notre sensibilité *générale*, non contrôlée par les sensibilités de nos sens *spécialisés*. C'est à peu près de même que *l'état poétique* s'installe, se développe, et enfin se désagrège en nous.

VALÉRY: 'Poésie et Pensée Abstraite', *Valéry O.*, p. 1321

Ce monde émotif que nous pouvons connaître parfois par le rêve, il n'est pas au pouvoir de notre volonté d'y pénétrer ou d'en sortir à notre gré. *Il est enfermé en nous et nous sommes enfermés en lui,* ce qui signifie que nous n'avons aucun moyen d'agir sur lui pour le modifier....Il paraît et disparaît capricieusement, mais l'homme a fait pour ceci ce qu'il a fait ou tenté de faire pour toutes les choses précieuses et périssables: il a cherché et il a trouvé les moyens de reconstituer cet état à volonté....Or, parmi ces moyens de produire un monde poétique...le plus ancien...c'est le langage.

VALÉRY: 'Poésie Pure', 'Calepin d'un Poète', *Valéry O.*, p. 1460

Le surréalisme se repose sur la croyance à la réalité supérieure de certaines formes d'associations négligées jusqu'à lui, à la toute-puissance du rêve, au jeu désintéressé de la pensée....

ANDRÉ BRETON: 'Premier Manifeste du Surréalisme', Breton, *op. cit.* p. 24

On raconte que chaque jour, au moment de s'endormir, Saint-Pol-Roux faisait naguère placer, sur la porte de son manoir de Camaret, un écriteau sur lequel on pouvait lire: LE POETE TRAVAILLE. *Ibid.* p. 16

La poésie vient chez moi d'un rêve toujours latent. Ce rêve j'aime à le diriger, sauf les jours d'inspiration où j'ai l'impression qu'il se dirige tout seul....

    Rêver, c'est oublier la matérialité de son corps, confondre en quelque sorte le monde extérieur et l'intérieur. L'omniprésence du poète cosmique n'a peut-être pas d'autre origine. Je rêve toujours un peu ce que je vois, même au moment précis et au fur et à mesure que je le vois....

    Mais si je rêve je n'en suis pas moins attiré en poésie par une grande précision, par une sorte d'exactitude hallucinée. N'est-ce pas justement ainsi que se manifeste le rêve du dormeur? Il est parfaitement défini même dans ses ambiguïtés. C'est au réveil que les contours s'effacent et que le rêve devient flou, inconsistant....[1]

J. SUPERVIELLE: 'En Songeant à un Art Poétique', *Naissances*, pp. 57–8

To provide a poetic evocation, however suggestive, or a prose description, however matter-of-fact, of the symptoms of inspiration is, again, no explanation. And to substitute for the Muse with her seven-stringed lyre, singing at a pitch only the poet can hear, the dark sea of the Id, unaccountably buffeted by storms, and casting up rubbish and riches indiscriminately on the foreshore of the poet's mind, is simply to exchange one myth for another. The mechanism of inspiration remains unexplained, is perhaps inexplicable, and it is noticeable that even Valéry, the most fastidious of modern poetic thinkers, is reduced to employing 'choses vagues' when he speaks of the very first stage of poetic composition:

[Poe] a dépensé des efforts considérables pour soumettre à sa volonté le démon fugitif des minutes heureuses, pour rappeler à son gré ces sensations exquises, ces appétitions spirituelles, ces états de santé poétique, si rares et si précieux qu'on pourrait vraiment les considérer comme des grâces extérieures à l'homme et comme des visitations.

BAUDELAIRE: *Notes Nouvelles sur Edgar Poe*, p. xviii

---

[1] Cf. Robert Graves: 'The nucleus of every poem worthy of the name is rhythmically formed in the poet's mind during a trance-like suspension of his normal habits of thought.' (*The Common Asphodel*, Hamish Hamilton, 1949, p. 1.)

Les dieux, gracieusement, nous donnent *pour rien* tel premier vers: mais c'est à nous de façonner le second, qui doit consonner avec l'autre, et ne pas être indigne de son aîné surnaturel.

VALÉRY: 'Au Sujet d'Adonis', *Valéry O.*, p. 482

J'ai remarqué que je n'ai jamais fait de vers que dans des périodes de ma vie qui sont très espacées l'une de l'autre; dans l'intervalle, le vers ne me dit rien, je ne m'en occupe presque pas, mais, tout à coup, il se produit je ne sais quelle circonstance, mettons astronomique, que je me trouve dans une phase où les mots me chantent (permettez l'expression populaire, mais elle est vraie), dans une phrase où le langage m'apparaît sous un aspect poétique....

VALÉRY: *Souvenirs Poétiques* (Guy Le Prat, 1947), p. 32

When they speak of the source of inspiration, there is no significant difference, in fact, between the terminology of Valéry, the confirmed sceptic and Claudel, the militant Catholic:[1]

Il n'y a pas de poète, en effet qui ne doive *inspirer* avant de *respirer*, qui ne reçoive d'ailleurs ce souffle mystérieux que les Anciens appelaient la Muse et qu'il n'est pas téméraire d'assimiler à l'un des *charismes* théologiques, ce que l'on désigne dans les manuels sous le nom de *gratia gratis data*. Cette inspiration n'est pas sans analogie avec l'esprit prophétique, que les Livres Saints ont bien soin de distinguer de la sainteté. C'est ainsi que nous voyons Caïphe, Balaam, et l'âne de Balaam lui-même, résonner sous le souffle qui les anime un instant.

'Introduction à un poème sur Dante', *Pos.*, pp. 161–2

3. THE NECESSITY FOR INSPIRATION

Writing in his private notebook, Baudelaire once made the curious comment:

L'inspiration vient toujours quand l'homme le *veut*, mais elle ne s'en va pas toujours quand il le veut. 'Fusées', *Baudelaire O.C.*, p. 1189

---

[1] Or, for that matter, between Valéry, the assiduous seeker after original thought, and those poets who subscribe to the traditional belief that the poet, when inspired, is in a state of divine insanity; cf. Shelley: 'The mind in creation is as a fading coal, which some invisible influence, like an inconstant wind, awakens to transitory brightness; this power arises from within, like the colour of a flower which fades and changes as it is developed, and the conscious portions of our nature are unprophetic either of its approach or its departure.' (*A Defence of Poetry.*)

Whether this be interpreted as further evidence of Baudelaire's pronounced mistrust of emotion, or as an attempt to reassure himself of the
strength of his will,[1] it was wishful thinking: for the modern poet, as for
the poet of any age, inspiration's arrival and departure could be neither
predicted nor commanded:

Mais ce qui il y a de plus singulier dans cet état exceptionnel de l'esprit et
des sens, que je puis sans exagération appeler paradisiaque, si je le compare aux lourdes ténèbres de l'existence commune et journalière, c'est qu'il
n'a été créé par aucune cause bien visible et facile à définir. Est-il le
résultat d'une bonne hygiène et d'un régime de sage? Telle est la première
explication qui s'offre à l'esprit; mais nous sommes obligés de reconnaître
que souvent cette merveille, cette espèce de prodige, se produit comme si
elle était l'effet d'une puissance supérieure et invisible, extérieure à l'homme,
après une période où celui-ci a fait abus de ses facultés physiques. Dirons-
nous qu'elle est la récompense de la prière assidue et des ardeurs spirituelles? Il est certain qu'une élévation constante du désir, une tension des
forces spirituelles vers le ciel, serait le régime le plus propre à créer cette
santé morale, si éclatante et si glorieuse; mais en vertu de quelle loi absurde se
manifeste-t-elle parfois après de coupables orgies de l'imagination, après un
abus sophistique de la raison, qui est à son usage honnête et raisonnable ce que
les tours de dislocation sont à la saine gymnastique? C'est pourquoi je préfère
considérer cette condition anormale de l'esprit comme une véritable grâce,
comme un miroir magique où l'homme est invité à se voir en beau, c'est-
à-dire tel qu'il devrait et pourrait être; une espèce d'excitation angélique,
un rappel à l'ordre sous une forme complimenteuse. De même une certaine
école spiritualiste, qui a ses représentants en Angleterre et en Amérique,
considère les phénomènes surnaturels, tels que les apparitions de fantômes,
les revenants etc., comme des manifestations de la volonté divine, attentive
à réveiller dans l'esprit de l'homme le souvenir des réalités invisibles.

[1] In Baudelaire's letters to his mother, and in his intimate journals, there are several resolu-
tions, pathetic because they were always broken, to reconstruct his life by an effort of will. The
very last entry in *Mon Cœur Mis à Nu* is a series of vows to mend his ways and a prayer for the
strength to accomplish his self-transformation (see *Baudelaire O.C.*, p. 1229). Baudelaire's
general distrust of emotion, which is itself an emotion, is similar to Valéry's, though, unlike
Valéry, he was never free of the yearning to escape from himself through the senses. In his
study of Baudelaire, a psychological case-book rather than a piece of literary criticism, J. P.
Sartre describes Baudelaire's attitude to inspiration as a symptom of his dandyism, a general
refusal to surrender like other people to the forces of nature. To this same fundamental attitude, he attributes Baudelaire's scorn for the vegetable world (see letter to Desnoyers, p. 71),
his admiration for precious stones, cosmetics and 'la froide majesté de la femme stérile.' ('Avec
ses vêtements ondoyants et nacrés', *Baudelaire O.C.*, p. 102).

D'ailleurs cet état charmant et singulier, où toutes les forces s'équili-
brent, où l'imagination, quoique merveilleusement puissante, n'entraîne
pas à sa suite le sens moral dans de périlleuses aventures, où une sensibilité
exquise n'est plus torturée par des nerfs malades, ces conseillers ordinaires
du crime ou du désespoir, cet état merveilleux, dis-je, n'a pas de symp-
tômes avant-coureurs. Il est aussi imprévu que le fantôme. C'est une
espèce de hantise, mais de hantise intermittente, dont nous devrions tirer,
si nous étions sages, la certitude d'une existence meilleure et l'espérance
d'y atteindre par l'exercice journalier de notre volonté.

BAUDELAIRE: 'Le Poème du Haschisch', *Baudelaire O.C.*, pp. 429–30

[L'état poétique] est parfaitement *irrégulier, inconstant, involontaire,
fragile*, et...nous le perdons comme nous l'obtenons, *par accident*. Il y a
des périodes de notre vie où cette émotion et ces formations si précieuses
ne se manifestent pas. Nous ne pensons même pas qu'elles soient possibles.
Le hasard nous les donne, le hasard nous les retire.[1]

VALÉRY: 'Propos sur la Poésie', *Valéry O.*, p. 1364

Rimbaud's debauchery can be viewed not simply as a frenzied attempt
to cram a lifetime's experience into a few short months, but also as a
characteristically impatient refusal to be at inspiration's beck and call; the
same is true of other poets, like Baudelaire or Cocteau, when they had
recourse to drugs:

Cette acuité de la pensée, cet enthousiasme des sens et de l'esprit, ont dû,
en tout temps, apparaître à l'homme comme le premier des biens; c'est
pourquoi, ne considérant que la volupté immédiate, il a, sans s'inquiéter
de violer les lois de sa constitution, cherché dans la science physique, dans
la pharmaceutique, dans les plus grossières liqueurs, dans les parfums les
plus subtils, sous tous les climats et dans tous les temps, les moyens de fuir,
ne fût-ce que pour quelques heures, son habitacle de fange, et, comme dit
l'auteur de *Lazare*: 'd'emporter le paradis d'un seul coup'. Hélas! les
vices de l'homme, si pleins d'horreur qu'on les suppose, contiennent la

---

[1] Cf. Pascal: 'Hasard donne les idées et hasard les ôte; point d'art pour conserver ni pour
acquérir.' 'Pensée échappée, je la voulais écrire; j'écris, au lieu, qu'elle m'est échappée.'
('Pensées', Pascal, *Œuvres*, Braunschwig ed., Hachette, 1921, vol. XIII, pp. 282–3.)
Cf. also Shelley: 'We are aware of evanescent visitations of thought and feeling, sometimes
associated with place or person, sometimes regarding our own mind, along, and always aris-
ing unforeseen and departing unbidden, but elevating and delightful beyond all expression; so
that even in the desire and the regret they leave, there cannot but be pleasure, participating as
it does in the nature of its object....' (*A Defence of Poetry*.)

preuve (quand ce ne serait que leur infinie expansion!) de son goût de l'infini; seulement, c'est un goût qui se trompe souvent de route. On pourrait prendre dans un sens métaphorique le vulgaire proverbe: *Tout chemin mène à Rome*, et l'appliquer au monde moral; tout mène à la récompense ou au châtiment, deux formes de l'éternité. L'esprit humain regorge de passions; il en a *à revendre*, pour me servir d'une autre locution triviale; mais ce malheureux esprit, dont la dépravation naturelle est aussi grande que son aptitude soudaine, quasi paradoxale, à la charité et aux vertus les plus ardues, est fécond en paradoxes qui lui permettent d'employer pour le mal le trop-plein de cette passion débordante. Il ne croit jamais se vendre en bloc. Il oublie, dans son infatuation, qu'il se joue à un plus fin et plus fort que lui, et que l'Esprit du Mal, même quand on ne lui livre qu'un cheveu, ne tarde pas à emporter la tête. Ce seigneur visible de la nature visible (je parle de l'homme) a donc voulu créer le paradis par la pharmacie, par les boissons fermentées, semblable à un maniaque qui remplacerait des meubles solides et des jardins véritables par des décors peints sur toile et montés sur châssis. C'est dans cette dépravation du sens de l'infini que gît, selon moi, la raison de tous les excès coupables, depuis l'ivresse solitaire et concentrée du littérateur, qui, obligé de chercher dans l'opium un soulagement à une douleur physique, et ayant ainsi découvert une source de jouissances morbides, en a fait peu à peu son unique hygiène et comme le soleil de sa vie spirituelle, jusqu'à l'ivrognerie la plus répugnante des faubourgs, qui, le cerveau plein de flamme et de gloire, se roule ridiculement dans les ordures de la route. . . . . BAUDELAIRE: 'Le Poème du Haschisch', *Baudelaire O.C.*, pp. 430–1

The Surrealists indicated another road along which one could go to meet inspiration:

Faites-vous apporter de quoi écrire, après vous être établi en un lieu aussi favorable que possible à la concentration de votre esprit sur lui-même. Placez-vous dans l'état le plus passif, ou réceptif, que vous pourrez. Faites abstraction de votre génie, de vos talents et de ceux de tous les autres. Dites-vous bien que la littérature est un des plus tristes chemins qui mènent à tout. Ecrivez vite sans sujet préconçu, assez vite pour ne pas retenir et ne pas être tenté de vous relire. La première phrase viendra toute seule, tant il est vrai qu'à chaque seconde il est une phrase étrangère à notre pensée consciente qui ne demande qu'à s'extérioriser. Il est assez difficile de se prononcer sur le cas de la phrase suivante; elle participe sans doute à la fois de notre activité consciente et de l'autre, si l'on admet que le fait d'avoir écrit la première entraîne un minimum de perception. Peu doit vous importer, d'ailleurs; c'est en cela que réside, pour la plus grande part, l'intérêt du jeu surréaliste. Toujours est-il que la ponctuation s'oppose sans doute à la continuité absolue de la coulée qui nous occupe, bien qu'elle paraisse aussi nécessaire que la distribution des nœuds sur une corde vibrante. Continuez autant qu'il vous plaira. Fiez-vous au caractère inépuisable du murmure. Si le silence menace de s'établir pour peu que vous ayez commis une faute: une faute, peut-on dire, d'inattention, rompez sans hésiter avec une ligne trop claire. A la suite du mot dont l'origine vous semble suspecte, posez une lettre quelconque, la lettre l par exemple, toujours la lettre l, et ramenez l'arbitraire en imposant cette lettre pour initiale au mot qui suivra. . . .

ANDRÉ BRETON: 'Composition surréaliste écrite, ou premier et dernier jet', 'Premier Manifeste du Surréalisme', Breton: *op. cit.* p. 28

Cf. Claudel:

Le poète a été mis en train. . . par une espèce d'excitation rythmique, de répétition, et de balancement verbal, de récitation mesurée, un peu à la manière des vociférateurs populaires de l'Orient. On le voit qui se frotte les mains, qui se promène de long en large, il bat la mesure, il grommelle quelque chose entre ses dents. Et peu à peu, sous cette impulsion régulière, entre les deux pôles de l'imagination et du désir, le flot des paroles et des idées commence à jaillir. . . .

'Lettre à l'abbé Bremond sur l'Inspiration Poétique', *Pos.*, pp. 95–6

Far from agreeing with William Morris's affirmation that 'All this talk of inspiration is sheer nonsense, there is no such thing. It is a mere matter of craftsmanship'[1]—those modern poets who, like Valéry and Claudel, stressed the importance of critical control, were as dependent on the visitations of inspiration as poets have ever been. They prepared for its approach like a hunter in wait for his prey, conscious that in the ensuing struggle for mastery, all their poetic resources would be engaged:

O mon âme! le poème n'est point fait de ces lettres que je plante comme des clous, mais du blanc qui reste sur le papier.

O mon âme, il ne faut concerter aucun plan! ô mon âme sauvage, il faut nous tenir libres et prêts,

Comme les immenses bandes fragiles d'hirondelles quand sans voix retentit l'appel automnal!

[1] Quoted in C. M. Bowra, *Inspiration and Poetry* (Macmillan, 1955), p. 2. Cf. Flaubert: 'Il faut se méfier de tout ce qui ressemble à l'inspiration et qui n'est que du parti pris et de l'excitation factice que l'on s'est donnée volontairement, et qui n'est pas venue d'elle-même.' (Letter to Louise Colet, 13 December 1846, *Flaubert Correspondance*, vol. I, p. 420.)

O mon âme impatiente, pareille à l'aigle sans art! comment ferions-nous pour ajuster aucun vers? à l'aigle qui ne sait pas faire son nid même?

Que mon vers ne soit rien d'esclave! mais tel que l'aigle marin qui s'est jeté sur un grand poisson,

Et l'on ne voit rien qu'un éclatant tourbillon d'ailes et l'éclaboussement de l'écume!

Mais vous ne m'abandonnerez point, ô Muses modératrices.

CLAUDEL: 'Les Muses','Cinq Grandes Odes', Claudel O.P., pp. 224–5

J'imagine ce poète un esprit plein de ressources et de ruses, faussement endormi au centre imaginaire de son œuvre encore incréée, pour mieux attendre cet instant de sa propre puissance qui est sa proie. Dans la vague profondeur de ses yeux, toutes les forces de son désir, tous les ressorts de son instinct se tendent. Là, attentive aux hasards entre lesquels elle choisit sa nourriture; là, très obscure au milieu des réseaux et des secrètes harpes qu'elle s'est faites du langage, dont les trames s'entretissent et toujours vibrent vaguement, une mystérieuse Arachné, muse chasseresse, guette....[1]

VALÉRY: 'Au Sujet d'Adonis', Valéry O., p. 484

[1] Cf. Valéry: 'Parfois je me trouve (à l'aurore) à l'état de disponibilité intellectuelle et de préparation générale. Comme un chasseur prêt à poursuivre la première proie venue. Il y a alors du sommeil et de la lucidité dissous l'un dans l'autre. Et de quoi rêver, et de quoi observer et combiner (c'est-à-dire, ne pas perdre). Mais pas encore *d'objet*....Sensation délicieuse d'être prêt.' (*Propos me Concernant*, p. 34.)

Valéry used to rise every morning at dawn, and it is therefore no accident that his most typical poems (*La Jeune Parque, Aurore*) explore the no-man's land between sleep and waking, between night and day. Mallarmé's favourite hours for composing were in the morning and afternoon, and it was one of his most bitter complaints about the teaching profession that it allowed him to write only at night: 'Je vais...accoutumer mon tempérament rebelle au travail nocturne, car les misérables qui me paient au collège ont saccagé mes belles heures.' (Letter to Cazalis, November 1865, quoted in Mondor, *Vie de Mallarmé*, p. 173.) Péguy composed many of his poems while out walking, and the characteristic rhythm of his verses certainly has affinities with the measured paces of a countryman, or the relentless tread of a soldier on an interminable route-march. Apollinaire also composed 'généralement en marchant et en chantant sur deux ou trois airs qui me sont venus naturellement et qu'un de mes amis a notés'. (Letter to Henri Martineau, 19 July 1913, quoted in M. Adéma, *op. cit.* p. 160.) Cf. Baudelaire:

> Le long du vieux faubourg, où pendent aux masures
> Les persiennes, abri des secrètes luxures,
> Quand le soleil cruel frappe à traits redoublés
> Sur la ville et les champs, sur les toits et les blés,
> Je vais m'exercer seul à ma fantasque escrime,
> Flairant dans tous les coins les hasards de la rime,
> Trébuchant sur les mots comme sur les pavés,
> Heurtant parfois des vers depuis longtemps rêvés.
>
> ('Le Soleil', 'Tableaux Parisiens', *Baudelaire O.C.*, p. 153)

O pour moi seul, à moi seul, en moi-même,
Auprès d'un cœur, aux sources du poème,
Entre le vide et l'événement pur,
J'attends l'écho de ma grandeur interne,
Amère, sombre et sonore citerne,
Sonnant dans l'âme un creux toujours futur!

VALÉRY: 'Le Cimetière Marin', Valéry O., p. 149

...Ces jours qui te semblent vides
Et perdus pour l'univers
Ont des racines avides
Qui travaillent les déserts.
La substance chevelue
Par les ténèbres élue
Ne peut s'arrêter jamais,
Jusqu'aux entrailles du monde,
De poursuivre l'eau profonde
Que demandent les sommets.

Patience, patience,
Patience dans l'azur!
Chaque atome de silence
Est la chance d'un fruit mûr!
Viendra l'heureuse surprise:
Une colombe, la brise,
L'ébranlement le plus doux,
Une femme qui s'appuie,
Feront tomber cette pluie
Où l'on se jette à genoux!

VALÉRY: 'Palme', Valéry O., p. 155

il y a un troisième sens[1] beaucoup plus subtil du mot *inspiration*, et c'est ici que l'expression *poésie pure* employée par vous reçoit toute sa justification. L'habitude est, comme on dit, une seconde nature. Cela veut dire que nous employons dans la vie ordinaire les mots non pas proprement en tant qu'ils *signifient* les objets, mais en tant qu'ils les *désignent* et en tant que pratiquement ils nous permettent de les prendre et de nous en servir. Ils

---

[1] For the other two senses Claudel attributes to Inspiration, see p. 243.

nous en donnent une espèce de réduction portative et grossière, une valeur, banale comme de la monnaie. Mais le poète ne se sert pas des mots de la même manière. Il s'en sert non pas pour l'utilité, mais pour constituer de tous ces fantômes sonores que le mot met à sa disposition, un tableau à la fois intelligible et délectable. L'habitude qui substitue à la nature réelle des choses une seconde nature, c'est-à-dire une valeur purement pratique, maniable et efficace, est devenue son ennemie, une ennemie qu'il faut dérouter et endormir, comme la flûte d'Hermès jadis fit pour le cruel Argus. C'est à quoi sert la répétition des sons, l'harmonie des syllabes, la régularité des rythmes et tout le chant prosodique. Une fois que la partie de l'âme ouvrière, quotidienne et servile, est ainsi assujettie et occupée, *Anima* s'avance librement au milieu des choses pures d'un pas infiniment léger et rapide....

Je dis infiniment léger et rapide, car toute insistance, toute curiosité profane, toute indocilité à la main divine qui nous entraîne, en compromettant la chasteté de cette image qui se dresse non pas devant nous, mais à notre côté, risquerait de rompre le charme, de réveiller notre farouche gardien et de faire revenir la seconde nature possessive et égoïste. J'entends par *chose pure*, la chose non pas en tant qu'elle sert à notre usage quotidien, mais en tant que dans la plénitude de son sens elle est de Dieu une image partielle, intelligible et délectable, et telle que le mot complet, le *mot* par excellence, qui est racine et clef, en donne à notre esprit la parfaite intelligence, mais associée toujours à cette phrase qui nous entraîne. Nous comprenons (dans le sens poétique du mot) en passant sur ce qui passe.

C'est en ce sens que la poésie rejoint la prière, parce qu'elle dégage des choses leur essence pure qui est de créatures de Dieu et de témoignage à Dieu.

Mais c'est en ce sens aussi qu'elle est infiniment inférieure à la prière parce que l'homme est fait pour Dieu seul et non pas pour les choses, et que s'il est excellent d'aller à Dieu par toutes les voies, cependant la meilleure est la plus directe.

CLAUDEL: 'Lettre à l'abbé Bremond sur l'Inspiration Poétique',
Pos., pp. 98–100

II. PHILOSOPHIES OF COMPOSITION

Hâtez-vous lentement, et, sans perdre courage,
Vingt fois sur le métier remettez votre ouvrage:
Polissez-le sans cesse et le repolissez;
Ajoutez quelquefois, et souvent effacez. BOILEAU: *L'Art Poétique*

*Créer est beau, mais corriger, changer, gâter est pauvre et plat, c'est
ennuyeux, c'est l'œuvre des maçons, et non pas des artistes.*

LAMARTINE: to his friend, Aymon de Virieu, 13 November 1818

❖ ❖ ❖

*— à propos des vers, Boileau a donné, entre autres, un précepte absurde,
lorsqu'il a dit:*

Vingt fois sur le métier remettez votre ouvrage.

*Car si un chant a jailli tout d'abord de l'esprit du poète en réunissant
toutes les conditions de la poésie, il est tout à fait inutile que le poète le
remette sur le métier, — par parenthèse, quel est ce métier? — et refasse
sur le même sujet vingt autres chants, qui ne vaudront pas le premier.
Quand l'homme a fait un poème digne de ce nom, il a créé une chose
immortelle, immuable, supérieure à lui-même, car elle est tout entière
divine, et qu'il n'a ni le devoir, ni même le droit, de remettre sur aucun
métier.* BANVILLE: *Petit Traité de Poésie Française* (Charpentier, 1922 edition), pp. 6–7

❖ ❖ ❖

*Notremérite personnel, — après lequel nous soupirons, — ne consiste pas
à subir [les hasards] tant qu'à les saisir, à les saisir tant qu'à les discuter.
. . . Et notre riposte à notre génie vaut mieux parfois que son attaque.*

VALÉRY: 'Note et digression', *Valéry O.*, pp. 1207–8

I. SURRENDER TO INSPIRATION

As old as poetry itself is the belief that poets are born, not made, that no
amount of diligent craftsmanship will avail the writer who has not first
been inspired. Consider the following quotations:

For the authors of those great poems which we admire, do not attain to
excellence through the rules of any art, but they utter their beautiful

melodies of verse in a state of inspiration, and, as it were, *possessed* by a spirit not their own....

For a Poet is indeed a thing etherially light, winged and sacred, nor can he compose any thing worth calling poetry until he becomes inspired, and, as it were, mad, or whilst any reason remains in him. For whilst a man retains any portion of the thing called reason, he is utterly incompetent to produce poetry or to vaticinate.

...those who declaim various and beautiful poetry upon any subject, as for instance upon Homer, are not enabled to do so by art or study....[Poets] do not compose according to any art which they have acquired, but from the impulse of the divinity within them..... Shelley's translation of *The Ion*

he who, without this madness from the Muses approaches the poetical gates, having persuaded himself that by art alone he may become sufficiently a poet, will find the end his own imperfection, and see the poetry of his cold prudence vanish into nothingness before the light of that which has sprung from divine insanity. PLATO: *Phaedrus*

> Je voy par là que Poëte je suis
> Plein de fureur: car faire je ne puis
> Un trait de vers, soit qu'un Prince commande,
> Soit qu'une Dame ou l'Ami m'en demande,
> Et à tous coups la verve ne prend:
> Je bée en vain, et mon esprit attend
> Tantost six mois, tantost un an, sans faire
> Vers qui me puisse ou plaire ou satisfaire.
>
> RONSARD: 'La Lyre', Patterson: *op. cit.* p. 517

> Celuy qui sans mon ardeur
> Voudra chanter quelque chose,
> Il voirra ce qu'il compose
> Veuf de grace, et de grandeur:
> Ses vers naistront inutis,
> Ainsi qu'enfant abortis
> Qui ont forcé leur naissance:
> Pour monstrer en chacun lieu
> Que les vers viennent de Dieu,
> Non de l'humaine puissance.
>
> RONSARD: *Ode à Michel de l'Hospital*

For Poesie, must not be drawne by the eares, it must bee gently led, or rather it must lead. Which was partly the cause, that made the auncient-learned affirme, it was a divine gift, and no humaine skill: sith all other knowledges lie ready for any that hath strength of witte; a Poet no industrie can make, if his own *Genius* bee not carried unto it; and there-fore is it an old Proverbe, *Oratur fit, Poeta nascitur*. . . .

SIDNEY: The Defence of Poesie

> C'est en vain qu'au Parnasse un téméraire auteur
> Pense de l'art des vers atteindre la hauteur:
> S'il ne sent point du ciel l'influence secrète
> Si son astre en naissant ne l'a formé poète,
> Dans son génie étroit il est toujours captif;
> Pour lui Phébus est sourd, et Pégase est rétif.

BOILEAU: L'Art Poétique

Poetry is not like reasoning, a power to be exerted according to the determination of the will. A man cannot say, 'I will compose poetry'. The greatest poet even cannot say it.   SHELLEY: *A Defence of Poetry*

Il faut écrire comme on respire, parce qu'il faut respirer, sans savoir pourquoi.   LAMARTINE: Letter to Saint-Mauris, 26 June 1819

If Poetry comes not as naturally as the Leaves to a tree it had better not come at all.   KEATS: Letter to John Taylor, 27 February 1818, *Keats, Letters*, ed. Forman, p. 108

On peut sans inconvénient divulguer LE SECRET de l'art des vers, et cela pour deux raisons. La première, c'est que les hommes non organisés pour l'art des vers ne croiront pas que c'est en effet le vrai secret; la seconde c'est que, le connaissant, ils ne pourront absolument rien faire, car il faut pour s'en servir avoir reçu un don surnaturel et divin.

BANVILLE: Petit Traité de Poésie Française, p. 48

The difference between genuine poetry and the poetry of Dryden, Pope and all their school, is briefly this: their poetry is conceived and composed in their wits, genuine poetry is conceived and composed in the soul.

MATTHEW ARNOLD: 'Thomas Gray', Essays in Criticism

Or la poésie est un cadeau de la nature, une grâce, pas un travail. La seule ambition de faire un poème suffit à le tuer.

HENRI MICHAUX: quoted in R. Bertelé, *Henri Michaux* (Seghers, 1946), p. 68

The Surrealists were only developing these views to their extreme limit when they rejected all interference by the conscious mind both during and after inspiration, and, echoing Rimbaud[1] and parodying Valéry,[2] they proclaimed:

Un poème doit être une débâcle de l'intellect. Il ne peut être autre chose....

Quelle fierté d'écrire, sans savoir ce que sont langue, verbe, comparaisons, changements d'idées, de ton; ni concevoir la structure de la durée de l'œuvre, ni les conditions de sa fin; pas du tout le comment! Verdir, bleuir, blanchir d'être le perroquet....[3]

Nous sommes toujours, même en prose, conduits et consentants à écrire ce que nous n'avons pas voulu et qui ne veut peut-être pas même ce que nous voulions.[4]

Perfection

c'est *paresse*[5]

André Breton and Paul Eluard: 'Notes sur la Poésie', *La Révolution Surréaliste*, No. 12, 15 December 1929

Surrealism was defined as

Automatisme psychique pur par lequel on se propose d'exprimer, soit verbalement, soit par écrit, soit de toute autre manière, le fonctionnement réel de la pensée. Dictée de la pensée, en l'absence de tout contrôle exercé par la raison, en dehors de toute préoccupation esthétique ou morale.

ANDRÉ BRETON: 'Premier Manifeste du Surréalisme', Breton: *op. cit.* p. 24

[1] 'Je finis par trouver sacré le désordre de mon esprit.' (*L'Alchimie du Verbe*.)
[2] 'Un poème doit être une fête de l'Intellect. Il ne peut être autre chose.' ('Littérature', *Tel Quel I*, p. 142.)
[3] Cf. Valéry: 'Rougir d'être la Pythie.' 'Perroquet' was a derisive term Valéry reserved for any vague, grandiose word; see *L'Idée Fixe* (Gallimard, 1934), pp. 114–19 and 146–7. He also called such words 'trombones'. See 'Cahier B, 1910', *Tel Quel I*, p. 221.
[4] Cf. Valéry: 'Nous sommes toujours, même en prose, conduits et contraints à écrire ce que nous n'avons pas voulu et qui veut ce que nous voulions.' ('Littérature', *Tel Quel I*, p. 150.)
[5] Cf. Valéry: 'Perfection, c'est le travail.'
Cf. also a report by Gide of a conversation with Francis Jammes: 'Il y a bien là ces deux vers, me disait-il en me montrant une longue pièce qu'il avait écrite dans la nuit...qui ne me semblent pas très bons.
— Eh bien, corrigez-les.
— Je n'ose pas. Je crois que je n'en ai plus le droit. Et si j'avais eu la naïveté de demander: Pourquoi?
— Parce que hier soir, m'eût-il répondu, s'ils m'ont paru bons alors que j'étais inspiré, à présent je suis par conséquent moins bon juge....' (GIDE: *Journal, 1889–1939*, Gallimard, 1948, p. 724.)

The more extreme Surrealists, not surprisingly the least successful as poets, completely disowned interest in form:

Dénonçons au plus vite un malentendu qui prétendait classer la poésie sous la rubrique des moyens d'expression. La poésie qui ne se distingue des romans que par sa forme extérieure, la poésie qui exprime soit des idées, soit des sentiments, n'intéresse plus personne. Je lui oppose la poésie *activité de l'esprit*.[1]

TRISTAN TZARA: 'Essai sur la Situation de la poésie', quoted in M. Nadeau, *Histoire du Surréalisme* (Editions du Seuil, 1945), p. 58

The best Surrealist poets, when not overstating their case in the interests of polemic, confessed that their poetry was not composed strictly in accordance with their precepts:

Nous n'avons jamais prétendu donner le moindre texte surréaliste comme un exemple *parfait* d'automatisme verbal. Même dans le mieux 'non dirigé' se percoivent, il faut bien le dire, certains frottements....Un minimum de direction subsiste, généralement dans le sens de *l'arrangement en poème*. ANDRÉ BRETON: Letter to Roland de Renéville, *Nouvelle Revue Française*, 1 May 1932

Le même désir me reste d'établir les différences entre rêves, poèmes et textes automatiques.

On ne prend pas le récit d'un rêve pour un poème. Tous deux réalité vivante, mais le premier est souvenir, tout de suite usé, transformé, une aventure, et du deuxième rien ne se perd, ni ne change. Le poème désensibilise l'univers au seul profit des facultés humaines, permet à l'homme de voir autrement, d'autres choses. Son ancienne vision est morte, ou fausse. Il découvre un nouveau monde, il devient un nouvel homme.

On a pu penser que l'écriture automatique rendait les poèmes inutiles. Non: elle augmente, développe seulement le champ de l'examen de la conscience poétique, en l'enrichissant.

ELUARD: *Donner à Voir* (Gallimard, 1939), p. 147

---

[1] It is not clear what Tzara means by *activité de l'esprit* which is not given expression, unless it be that

'Heard melodies are sweet, but those unheard
Are sweeter....'

But all words, even Surrealist words, express something, even if it is the author's resolve to express nothing.

Poets like Breton and Eluard were sometimes able to enrich their poetry with the imagery provided by their Surrealist experiments, but this poetry, so manifestly fashioned by the deliberating consciousness, is in its essentials not to be distinguished from the work of their predecessors.

2. THE CLAIMS OF CRAFTSMANSHIP

Diametrically opposed to the characteristic Romantic belief that 'l'art ne fait que des vers, le cœur seul est poète' (Chénier: *Elégies* I), is the no less typical Parnassian tenet 'l'inspiration doit être amenée et non subie' (L. Bouilhet):

Pourquoi ne point enfin forcer les portes mystiques, armé de toute ma volonté, et dominer mes sensations au lieu de les subir? N'est-il pas possible de dompter cette chimère attrayante et redoutable, d'imposer une règle à ces esprits des nuits qui se jouent de notre raison?

GÉRARD DE NERVAL: 'Aurélia', Œuvres Complètes, Gallimard
(Pléiade edition), vol. I, p. 416

Il sait qu'une œuvre d'art complète n'est jamais le produit d'une inspiration irréfléchie, et que tout vrai poète est doublé d'un ouvrier irréprochable, en ce sens du moins qu'il travaille de son mieux.

LECONTE DE LISLE: 'Auguste Barbier', 'Les Poètes Contemporains',
Derniers Poèmes, p. 277

De son absolu confiance dans le génie et l'inspiration, elle [la jeunesse littéraire nouvelle] ignore que le génie doit, comme le saltimbanque apprenti, risquer de se rompre mille fois les os en secret avant de danser devant le public; que l'inspiration, en un mot, n'est que la récompense de l'exercice quotidien.

BAUDELAIRE: 'Les Martyrs Ridicules', 'L'Art Romantique', Baudelaire O.C., p. 1125

L'orgie n'est pas la sœur de l'inspiration: nous avons cassé cette parenté adultère. L'énervation rapide et la faiblesse de quelques belles natures témoignent assez contre cet odieux préjugé.... Il y a sans doute dans l'esprit une espèce de mécanique céleste, dont il ne faut pas être honteux, mais tirer le parti le plus glorieux, comme les médecins, de la mécanique du corps. Si l'on veut vivre dans une contemplation opiniâtre de l'œuvre de demain, le travail journalier servira l'inspiration, — comme une écriture lisible sert à éclairer la pensée, et comme la pensée calme et puissante sert à écrire lisiblement; car le temps des mauvaises écritures est passé.

BAUDELAIRE: 'Du travail journalier et de l'inspiration', 'L'Art Romantique',
Baudelaire O.C., p. 938

J'ai remarqué (je le dis sans rire) que les personnes trop amoureuses d'utilité et de morale négligent volontiers la grammaire, absolument comme les personnes passionnées. C'est une chose douloureuse de voir un poète aussi bien doué supprimer les articles et les adjectifs possessifs, quand ces monosyllabes ou ces dissyllabes le gênent, et employer un mot dans un sens contraire à l'usage parce que ce mot a le nombre de syllabes qui lui convient. Je ne crois pas, en pareil cas, à l'impuissance; j'accuse plutôt l'indolence naturelle des inspirés. . . .[1]

BAUDELAIRE: 'Auguste Barbier', 'L'Art Romantique', *Baudelaire O.C.*, p. 1088

Aujourd'hui, il faut produire beaucoup; — il faut donc aller vite; — il faut donc se hâter lentement; il faut donc que tous les coups portent, et que pas une touche ne soit inutile.

Pour écrire vite, il faut avoir beaucoup pensé, — avoir trimballé un sujet avec soi, à la promenade, au bain, au restaurant, et presque chez sa maîtresse. E. Delacroix me disait un jour: 'L'art est une chose si idéale et si fugitive, que les outils ne sont jamais assez propres, ni les moyens assez expéditifs.'. . .Il en est de même de la littérature; — je ne suis donc pas partisan de la rature; elle trouble le miroir de la pensée.

Quelques-uns, et des plus distingués, et des plus consciencieux, — . . . — commencent par charger beaucoup de papier; ils appellent cela couvrir leur toile. — Cette opération confuse a pour but de ne rien perdre. Puis, à chaque fois qu'ils recopient, ils élaguent et ébranchent. Le résultat fût-il excellent, c'est abuser de son temps et de son talent. Couvrir une toile n'est pas la charger de couleurs, c'est ébaucher en frottis, c'est disposer des masses en tons légers et transparents. — La toile doit être couverte — en esprit — au moment où l'écrivain prend la plume pour écrire le titre. . . .

BAUDELAIRE: 'Des Méthodes de Composition':
'L'Art Romantiqui', *Baudelaire O.C.*, pp. 937/8.

---

[1] Cf. Lamartine: 'Je demande grâce pour les imperfections de style dont les délicats seront souvent blessés. Ce que l'on sent fortement s'écrit vite.' (*Préface des Harmonies Poétiques et Religieuses.*)

Cf. T. S. Eliot: 'The bad poet is usually unconscious where he ought to be conscious, and conscious where he ought to be unconscious.' ('Tradition and the Individual Talent', *Selected Essays*, p. 21.)

Delacroix était passionnément amoureux de la passion, et froidement déterminé à chercher les moyens d'exprimer la passion de la manière la plus visible. Dans ce double caractère, nous trouvons, disons-le en passant, les deux signes qui marquent les plus solides génies génies extrêmes qui ne sont guère faits pour plaire aux âmes timorées, faciles à satisfaire, et qui trouvent une nourriture suffisante dans les œuvres lâches, molles, imparfaites. Une passion immense, doublée d'une volonté formidable, tel était l'homme.

Or, il disait sans cesse:

'Puisque je considère l'impression transmise à l'artiste par la nature comme la chose la plus importante à traduire, n'est-il pas nécessaire que celui-ci soit armé à l'avance de tous les moyens de traduction les plus rapides?'

Il est évident qu'à ses yeux l'imagination était le don le plus précieux, la faculté la plus importante, mais que cette faculté restait impuissante et stérile, si elle n'avait pas à son service une habileté rapide, qui pût suivre la grande faculté despotique dans ses caprices impatients. Il n'avait pas besoin, certes, d'activer le feu de son imagination, toujours incandescente; mais il trouvait toujours la journée trop courte pour étudier les moyens d'expression....

BAUDELAIRE: 'L'Œuvre et la Vie de Delacroix', 'Curiosités Esthétiques', *Baudelaire O.C.*, pp. 850–1

Plus on possède d'imagination, mieux il faut posséder le métier pour accompagner celle-ci dans ses aventures et surmonter les difficultés qu'elle recherche avidement. Et mieux on possède son métier, moins il faut s'en prévaloir et le montrer, pour laisser l'imagination briller de tout son éclat.

BAUDELAIRE: 'L'Artiste Moderne', 'Curiosités Esthétiques', *Baudelaire O.C.*, p. 757

Cf. Claudel:

La poésie...est l'œuvre d'une certaine 'faculté poétique' qui a des rapports plus directs avec l'imagination et la sensibilité qu'avec la raison raisonnante. Cela ne veut pas dire que la raison, le goût et surtout l'esprit de mesure n'aient pas un rôle important dans la création, mais ils interviennent en seconde ligne dans une fonction d'appui et de contrôle. La poésie est l'effet d'un certain besoin de faire, de réaliser avec les mots l'idée qu'on a eue de quelque chose. Il faut donc que l'imagination ait eu une idée vive et forte, quoique d'abord et forcément imparfaite et confuse, de l'objet qu'elle se propose de réaliser. Il faut en plus que notre sensibilité ait été placée à l'égard de cet objet dans un état de désir, que notre activité ait été provoquée par mille touches éparses et mise en demeure pour ainsi dire de répondre à l'impression par l'expression. L'œuvre d'art est le résultat de la collaboration de l'imagination avec le désir.

Cela dit, on peut prendre le mot *d'inspiration* dans trois sens différentes.

Le premier est un sens général qui se rapprocherait assez de celui de vocation. L'aptitude à faire, à rejoindre l'imagination au désir par un ajustement de mots, est un don de la nature ' *Nascuntur poetae*'. ' *S'il n'a reçu du ciel l'influence secrète...*'. Vous citez, on citerait, à ce sujet, des textes innombrables. En ce sens on dit que le poète est un inspiré. En effet, c'est comme si du dehors tout à coup une haleine soufflait sur des dons latents pour en tirer lumière et efficacité, amorçait en quelque sorte notre capacité verbale. Le souffle ne servirait à rien s'il n'y avait pas de charbons pour le traduire et si ces charbons ne se trouvaient pas dans une disposition préalable.... 'Lettre à l'abbé Bremond sur l'Inspiration Poétique', *Pos.*, pp. 94–5

Toutes les fois que je sens quelque chose vivement, la peur d'en exagérer l'expression me force à dire cette chose le plus froidement que je peux.[1]

BAUDELAIRE: Letter to his mother, 20 December 1855, *Correspondance Générale*, vol. I, p. 352

Le hasard n'entraîne pas un vers, c'est la grande chose. Nous avons, plusieurs, atteint cela, et je crois que, les lignes si parfaitement délimitées, ce à quoi nous devons viser surtout est que, dans le poème, les mots — qui déjà sont assez eux pour ne plus recevoir d'impression du dehors — se reflètent les uns sur les autres jusqu'à paraître ne plus avoir leur couleur propre, mais n'être que les transitions d'une gamme.

MALLARMÉ: Letter to François Coppée, 5 December 1866, *Propos*, p. 85

Cf. Claudel:

On ne pense pas d'une manière continue, pas davantage qu'on ne sent d'une manière continue ou qu'on ne vit d'une manière continue. Il y a des coupures, il y a intervention du néant. La pensée bat comme la cervelle et

---

[1] Cf. Flaubert: 'La passion ne fait pas les vers, et plus vous serez personnel, plus vous serez faible.... *Moins on sent une chose, plus on est apte à l'exprimer comme elle est* (comme elle est *toujours* en elle-même dans sa généralité et dégagée de tous ses contingents éphémères), mais il faut avoir la faculté *de se la faire sentir*. Cette faculté n'est autre que le génie *voir*, avoir le modèle devant soi, qui pose.' (Letter to Louise Colet, 1852. *Correspondance*, ed. cit., vol. II, p. 82.)

le cœur. Notre appareil à penser en état de changement ne débite pas une ligne ininterrompue, il fournit par éclairs, secousses, une masse disjointe d'idées, images, souvenirs, notions, concepts, puis se détend avant que l'esprit se réalise à l'état de conscience dans un nouvel acte. Sur cette matière première l'écrivain éclairé par sa raison et son goût et guidé par un but plus ou moins distinctement aperçu travaille, mais il est impossible de donner une image exacte des allures de la pensée si l'on ne tient pas compte du blanc et de l'intermittence.

Tel est le vers essentiel et primordial, l'élément premier du langage, antérieur aux mots eux-mêmes: une idée isolée par du blanc. Avant le mot une certaine intensité, qualité et proportion de tension spirituelle.

...Cette simple vérité dissout la comparaison classique dont se servent les partisans du *hasard créateur*: il suffirait, prétendent-ils, de jeter un certain nombre de fois les mots de l'Iliade sur une table pour obtenir le poème. En réalité ce ne sont pas les mots qui créent l'Iliade, c'est l'Iliade qui crée les mots ou les choisit; pas plus que ce ne sont les couleurs ou la toile qui font un tableau de Titien, c'est le Titien lui-même. Les mots ne sont que les fragments découpés d'un ensemble qui leur est antérieur.

'Réflexions et Propositions sur le vers français', *Pos.*, pp. 9–10

Une autre guitare qu'il serait temps aussi de reléguer parmi les vieilles lunes et qui, non moins bête, et plus pernicieuse, en ce sens, qu'un peu de vanité puérile s'en mêlant, elle fait des dupes jusque chez les poètes, c'est l'Inspiration — l'Inspiration — ce tréteau! et les Inspirés — ces charlatans! VERLAINE: 'Charles Baudelaire', *Œuvres Posthumes*, vol. II, p. 13

> ...Car toujours nous t'avons fixée, ô Poésie,
> Notre astre unique et notre unique passion,
> T'ayant seule pour guide et compagne choisie,
> Mère, et nous méfiant de l'Inspiration....
>
> Ce qu'il nous faut à nous, les Suprêmes Poètes
> Qui vénérons les Dieux et qui n'y croyons pas,
> A nous dont nul rayon n'auréole les têtes,
> Dont nulle Béatrix n'a dirigé les pas,
>
> A nous qui ciselons les mots comme des coupes
> Et qui faisons des vers émus très froidement,
> A nous qu'on ne voit point les soirs aller par groupes
> Harmonieux au bord des *lacs* et nous pâmant,

Ce qu'il nous faut, à nous, c'est, aux lueurs des lampes,
La science conquise et le sommeil dompté,
C'est le front dans les mains du vieux Faust des estampes,
C'est l'Obstination et c'est la Volonté!

C'est la Volonté sainte, absolue, éternelle,
Cramponné au projet comme un noble condor
Aux flancs fumants de peur d'un buffle, et d'un coup d'aile
Emportant son trophée à travers les cieux d'or!

Ce qu'il nous faut à nous, c'est l'étude sans trêve,
C'est l'effort inouï, le combat nonpareil,
C'est la nuit, l'âpre nuit du travail, d'où se lève
Lentement, lentement! l'Œuvre, ainsi qu'un soleil!

Libre à nos Inspirés, cœurs qu'une œillade enflamme,
D'abandonner leur être aux vents comme un bouleau;
Pauvres gens! l'Art n'est pas d'éparpiller son âme:
Est-elle en marbre, ou non, la Vénus de Milo?

Nous donc, sculptons avec le ciseau des Pensées
Le bloc vierge du Beau, Paros immaculé,
Et faisons-en surgir sous nos mains empressées
Quelque pure statue au péplos étoilé,

Afin qu'un jour, frappant de rayons gris et roses
Le chef-d'œuvre serein, comme un nouveau Memnon,
l'Aube-Postérité, fille des Temps moroses,
Fasse dans l'air futur retentir notre nom!

VERLAINE: 'Epilogue: Poèmes Saturniens', *Verlaine O.C.*, pp. 78–80[1]

[1] Verlaine's care for craftsmanship might well surprise those who judge him on his appearance and attitude to poetry at the time of his interview with Huret (see p. 200). Cf. Valéry: 'Je suis esthète et symboliste mais à mon heure, mais je veux quand il me plaira de le faire, *verlainiser*, oublier la rime, le rythme, la grammaire, vagir à ma guise et laisser crier mes sens... et je suis décadent.' (Letter to P. Louÿs, 22 June 1890, *Lettres à Quelques-Uns*, p. 13.)

Valéry was, however, to realize later: 'Ce *naïf* est un primitif organisé, un primitif comme il n'y avait jamais eu de primitif, et qui procède d'un artiste fort habile et fort conscient.' ('Villon et Verlaine', *Valéry O.*, p. 442.)

Like those other outwardly untutored poets, Barnes and Burns, Verlaine was, in fact, widely read, and despite the tastelessness of most of his later poetry, he was a critic of taste. He is not given due credit by modern critics for his championing, albeit by eulogy rather than analysis, the then little appreciated Symbolist poets in his *Poètes Maudits* (1884), or for refusing to join in the general chorus of praise for Poe (see p. 17). There was much art in his artlessness, and even when he renounced his early Parnassian views with his *Art Poétique*, he remained a deliberate craftsman. Cf. Laforgue: '...Et dans Verlaine des roublardises de métier d'une innocence suprême.' (Letter to Gustave Kahn, *Lettres à un ami*, Mercure de France, 1941, p. 178.)

L'idée d'*Inspiration* contient celles-ci: *Ce qui ne coûte rien est ce qui a le plus de valeur.*

Ce qui a le plus de valeur ne doit rien coûter. Et celle-ci: *Se glorifier le plus de ce dont on est le moins responsable.* VALÉRY: 'Littérature', *Tel Quel I*

Je trouvais indigne et je le trouve encore, d'écrire par le seul enthousiasme. L'enthousiasme n'est pas un état d'âme écrivain.

VALÉRY: 'Note et Digression', *Valéry O.*, pp. 1204–5

...si je devais écrire, j'aimerais infiniment mieux écrire en toute conscience et dans une entière lucidité quelque chose de faible, que d'enfanter à la faveur d'une transe et hors de moi-même un chef-d'œuvre d'entre les plus beaux. VALÉRY: 'Lettre sur Mallarmé', *Valéry O.*, p. 640

Je ne puis pas faire une œuvre littéraire *normale*. Il faudrait pour cela s'écarter trop de ma nature qui est non littéraire.

Il y a des sacrifices que je ne puis pas, sais pas, veux pas faire — *et le premier sacrifice à la littérature viable est le* 'sacrifizio dell' intelleto'.[1]

VALÉRY: *Propos me concernant*, p. 17

...Il faut être *deux* pour inventer. — L'un forme des combinaisons, l'autre choisit, reconnaît ce qu'il désire et ce qui lui importe dans l'ensemble des produits du premier.

Ce qu'on appelle 'génie' est bien moins l'acte de celui-là — l'acte qui combine — que la promptitude du second à comprendre la valeur de ce qui vient de se produire et à saisir ce produit.[2]

VALÉRY: 'Analecta XXXIII', *Tel Quel II*, p. 234

---

[1] Cf. Claudel. 'L'intelligence n'est pas plus la vertu fondamentale pour un poète que la prudence pour un militaire (ou la probité chez un entrepreneur de travaux publics). Elle est nécessaire en seconde ligne. Elle critique ce que tu fais.' ('Réflexions et Propositions sur le vers français', *Pos.*, p. 10, note (*b*).)

And: '...la poésie ne peut exister sans l'émotion ou, si l'on veut, sans un mouvement de l'âme qui règle celui des paroles. Un poème n'est pas une froide horlogerie ajustée du dehors, ou alors il n'y a plus qu'à versifier sur les échecs ou le jeu de billard. Même l'intelligence ne fonctionne pleinement que sous l'impulsion du désir....' ('Lettre à l'abbé Bremond sur l'Inspiration Poétique', *ibid.* p. 97.)

[2] Cf. Gide: 'Il y a une *sincérité* qui consiste à tâcher de *voir vrai* et celle-là Jammes ne la connaîtra jamais.... Je sais bien qu'il est essentiellement *poétique* de ne point faire intervenir la raison trop vite et que souvent, rectifier le jugement c'est fausser la sensation; mais l'art serait de maintenir sa sensation toute fraîche et que cela n'empêchât rien.... Pour être poète, il faut croire à son génie, pour devenir artiste, il faut *le mettre en doute*. L'homme vraiment fort est celui chez qui *ceci* augmente *cela*.' (*Journal, 1889–1939*, Gallimard, 1948, p. 288.)

Toutes les choses précieuses qui se trouvent dans la terre, l'or, les diamants, les pierres qui seront taillées, s'y trouvent disséminés, semés, avarement caché dans une quantité de roche ou de sable, où le hasard les fait parfois découvrir. Ces richesses ne seraient rien sans le travail humain qui les retire de la nuit massive où elles dormaient, qui les assemble, les modifie et les organise en parures. Ces parcelles de métal engagées dans une matière informe, ces cristaux de figure bizarre doivent prendre tout leur éclat par le labeur intelligent. C'est un labeur de cette espèce qu'accomplit le véritable poète. On sent bien devant un beau poème qu'il y a peu de chances pour qu'un homme, aussi bien doué que l'on voudra, ait pu improviser sans retours, sans autre fatigue que celle d'écrire ou de dicter, un système suivi et complet d'heureuses trouvailles. Comme les traces de l'effort, les reprises, les repentirs, les quantités de temps, les mauvais jours et les dégoûts ont disparu, effacés par le suprême retour de l'esprit sur son œuvre, certains, qui ne voient que la perfection du résultat, le regarderont comme dû à une sorte de prodige qu'ils appellent INSPIRATION. Ils font donc du poète une manière de *médium* momentané. Si l'on se plaisait à développer rigoureusement la doctrine de l'inspiration pure, on en déduirait des conséquences bien étranges. On trouverait, par exemple, que ce poète qui se borne à transmettre ce qu'il reçoit, à livrer à des inconnus ce qu'il tient de l'inconnu, n'a donc nul besoin de comprendre ce qu'il écrit, dicté par une voix mystérieuse. Il pourrait écrire des poèmes dans une langue qu'il ignorerait. . . . VALÉRY: 'Poésie et Pensée Abstraite', *Valéry O.*, pp. 1334-5

Il y a certes une part de délire dans toute création poétique mais ce délire doit être décanté, séparé des résidus inopérants ou nuisibles, avec toutes les précautions que comporte cette opération délicate.

J. SUPERVIELLE: 'En Songeant à un Art Poétique', *Naissances*, p. 60

Certains poètes sont souvent victimes de leurs transes. Ils se laissent aller au seul plaisir de se délivrer et ne s'inquiètent nullement de la beauté du poème. Or pour me servir d'une autre image ils remplissent leur verre à ras bord et oublient de vous servir, vous, lecteur. *Ibid.* p. 61

Those poets who, like Baudelaire and Valéry, made the most outspoken attacks on the view that Inspiration was sacrosanct, did not go so far as to claim that 'a good poet's made as well as born' (Ben Jonson, *To*

the Memory of My Beloved, the Author, Mr W. Shakespeare), neither did they ever deny that inspiration existed. The object of their attack was the Poet, Romantic or Surrealist, who steadfastly refused to amend his 'inspired' verses, however slipshod or ungrammatical, and who, once inspiration had departed, did not attempt to write another word till he felt himself inspired again. Speaking of the inspired state, Valéry noted:

cet état ne suffit pas pour faire un poète, pas plus qu'il ne suffit de voir un trésor en rêve pour le retrouver, au réveil, étincelant au pied de son lit.

'Poésie et Pensée Abstraite', *Valéry O.*, p. 1321

Deux sortes de vers: les vers *donnés* et les vers *calculés*.

Les vers calculés sont ceux qui se présentent nécessairement sous forme de *problèmes à résoudre* — et qui ont pour conditions initiales d'abord les vers donnés, et ensuite la rime, la syntaxe, le sens déjà engagés par ces données. VALÉRY: 'Littérature', *Tel Quel I*, p. 150

M. Henri Mondor reports an interesting conversation between Valéry and Claudel on the question of 'vers donnés':

Claudel: ...Et vous, Valéry, lorsque vous parlez de 'vers donnés' par qui les croyez-vous donc offerts?

Valéry: Je ne me demande ni par qui ni par quoi. Mais, luttant de plus en plus, même éreinté, contre les médiocres dons que me font ma spontanéité et ses improvisations, et contre la vase des premiers brouillons, je ne commence à m'estimer un créateur, un fabricant, un poète, si vous voulez, qu'à partir du moment où je me reprends, me corrige, m'engueule, rature, pignoche, comme vous dites![1]

H. MONDOR: *Propos Familiers de Paul Valéry* (Grasset, 1957), pp. 214–15

---

[1] One is tempted to comment by quoting Pascal's criticism of Descartes: 'Je ne puis pardonner à Descartes; il aurait bien voulu, dans toute sa philosophie, se pouvoir passer de Dieu; mais il n'a pu s'empêcher de lui faire donner une chiquenaude, pour mettre le monde en mouvement; après cela, il n'a plus que faire de Dieu.' ('Pensées', Pascal, *Œuvres*, ed. cit. vol. XII, p. 98.)
Cf. Christopher Smart:

> Swift to the soul the piercing image fles...
> Fancy precedes, and conquers all the mind;
> Deliberating judgment slowly comes behind;
> Comes to the field with blunderbus and gun,
> Like heavy *Falstaff*, when the work is done.
> Fights when the battle's o'er with wondrous pain,
> By Shrewsbury's clock, and nobly slays the slain.
>
> (*Prologue to a Trip to Cambridge*)

Speaking of the composition of *La Jeune Parque*, Valéry described

une certaine 'méthode' particulière et privée que je m'étais faite, ou plutôt qui s'était faite de mes observations, de mes refus, des précisions, des analogies que j'avais suivies, de mes besoins réels, de mon fort et de mon faible.

Je n'en dirai que deux mots, et serais bien embarrassé de m'en expliquer davantage. Voici le premier de ces mots: *Le plus de conscience possible*. Et voici le second: *Essayer de retrouver avec volonté de conscience quelques résultats analogues aux résultats intéressants ou utilisables que nous livre (entre cent mille coups quelconques) le hasard mental.*

VALÉRY: 'Fragments des Mémoires d'un Poème', Valéry O., p. 1481

Toutes les facultés sont à l'état suprême de vigilance et d'attention, chacune prête à fournir ce qu'elle peut et ce qu'il faut, la mémoire, l'expérience, la fantaisie, la patience, le courage intrépide et parfois heroïque, le goût, qui juge aussitôt de ce qui est contraire ou non à notre intention encore obscure; l'intelligence surtout qui régarde, évalue, demande, conseille, réprime, stimule, sépare, condamne, rassemble, répartit et répand partout l'ordre, la lumière et la proportion. Ce n'est pas l'intelligence qui fait, c'est l'intelligence qui nous regarde faire. Pour comprendre l'inspiration, que l'on regarde un orateur à la tribune, porté par l'approbation ou au contraire enflammé par l'opposition d'une assemblée. Ou bien encore un homme indigné en proie à quelque grande passion. Les mots et les idées affluent de toutes parts à sa bouche, en même temps qu'une sagesse secrète et froide sous la lave lui indique instantanément ce qui porte ou non, ce qu'il faut dire, ou cacher, ou suggérer, dans quel ordre, dans quelle progression. Une fois revenu à son état naturel, il est étonné lui-même de son éloquence. Même dans un conseil d'administration, on écoute celui qui soutient son opinion avec conviction et avec force. On le félicite, on lui dit: 'Vous avez trouvé le mot juste, le fait probant, ç'a été une véritable *inspiration*.' L'orateur est celui qui sait se mettre à volonté dans un état de transport, et le poète aussi. De l'émotion sort non pas l'obscurité, mais une lucidité supérieure.

CLAUDEL: 'Lettre à l'abbé Bremond sur l'Inspiration Poétique', Pos., pp. 96–7

But essential though they considered the need for self-criticism and craftsmanship, Valéry and Claudel never went so far as to suggest that a poem worthy of the name could be composed by deliberate calculation alone. Valéry's admission that all his poetic powers had to be taxed to the utmost if 'vers calculés' were to be produced to match the quality of his 'vers donnés' was a tribute to the powers of inspiration. Claudel's parable of Animus and Anima, expressly written 'pour faire comprendre certaines poésies d'Arthur Rimbaud', also demonstrates the need for inspiration and calculation to combine before genuine poetry can be written:

Tout ne va pas bien dans le ménage d'Animus et d'Anima, l'esprit et l'âme. Le temps est loin, la lune de miel a été bientôt finie, pendant laquelle Anima avait le droit de parler tout à son aise et Animus l'écoutait avec ravissement. Après tout, n'est-ce pas Anima qui a apporté la dot et qui fait vivre le mariage? Mais Animus ne s'est pas laissé longtemps réduire à cette position subalterne et bientôt il a révélé sa véritable nature, vaniteuse, pédantesque et tyrannique. Anima est une ignorante et une sotte, elle n'a jamais été à l'école, tandis qu'Animus sait un tas de choses dans les livres, il s'est appris à parler avec un petit caillou dans la bouche, et maintenant, quand il parle, il parle si bien que tous ses amis disent qu'on ne peut parler mieux qu'il ne parle. On n'en finirait pas de l'écouter. Maintenant Anima n'a plus le droit de dire un mot, il lui ôte comme on dit les mots de la bouche, il sait mieux qu'elle ce qu'elle veut dire et au moyen de ses théories et réminiscences il roule tout ça, il arrange ça si bien que la pauvre simple n'y reconnaît plus rien. Animus n'est pas fidèle, mais cela ne l'empêche pas d'être jaloux, car dans le fond il sait que c'est Anima qui a toute la fortune, lui est un gueux et ne vit que de ce qu'elle lui donne. Aussi il ne cesse de l'exploiter et de la tourmenter pour lui tirer des sous, il la pince pour la faire crier, il combine des farces, il invente des choses pour lui faire de la peine et pour voir ce qu'elle dire, et le soir il raconte tout cela au café à ses amis. Pendant ce temps, elle reste en silence à la maison à faire la cuisine et à nettoyer tout comme elle peut après ces réunions littéraires qui empestent la vomissure et le tabac. Du reste c'est exceptionnel; dans le fond Animus est un bourgeois, il a des habitudes régulières, il aime qu'on lui serve toujours les mêmes plats. Mais il vient d'arriver quelque chose de drôle. Un jour qu'Animus rentrait à l'improviste, ou peut-être qu'il sommeillait après dîner, ou peut-être qu'il était absorbé dans son travail, il a entendu Anima qui chantait toute seule, derrière la porte fermée: une curieuse chanson, quelque chose qu'il ne connaissait pas, pas moyen de trouver les notes ou les paroles ou la clef: une étrange et merveilleuse chanson. Depuis, il a essayé surnoisement de la lui faire répéter, mais Anima fait celle qui ne comprend pas. Elle se tait dès qu'il la regarde. L'âme se tait dès que l'esprit la regarde. Alors Animus a trouvé un truc, il va s'arranger pour lui faire croire qu'il n'y est pas. Il va dehors, il cause bruyamment avec ses amis, il siffle, il touche du luth, il scie du bois, il chante des refrains idiots. Peu à peu Anima se rassure, elle regarde, elle écoute, elle respire, elle se croit seule, et sans bruit elle va ouvrir la porte à son amant divin. Mais Animus, comme on a dit, a les yeux derrière la tête. 'Réflexions et Propositions sur le vers français', *Pos.*, pp. 55–7

L'art commence où finit le hasard. C'est pourtant tout ce que lui apporte le hasard qui l'enrichit. Sans cet apport il ne resterait que des règles.[1]

 PIERRE REVERDY: *Le Livre de Mon Bord* (Mercure de France, 1948), quoted in Charpier and Seghers, *op. cit.* p. 500

Valéry has described in finer detail than any other poet, the problems he had to solve when striving to match the Muses' verses with lines of his own devising: to fashion a whole poem from an isolated 'vers donné', the poet must have mastery over every technical device and be his own severest critic:[2]

Que voulons-nous, — si ce n'est de produire l'impression puissante, et pendant quelque temps continue, qu'il existe entre la forme sensible d'un discours et sa *valeur d'échange en idées*, je ne sais quelle union mystique, quelle harmonie, grâce auxquelles nous participons d'un tout autre monde que le monde où les paroles et les actes se répondent? Comme le monde des sons purs, si reconnaissables par l'ouïe, fut extrait du monde des bruits

---

[1] Cf. Horace:
 Natura fieret laudabile carmen an arte
 Quæsitum est: ego nec studium sine divite vena
 Nec rude quid prosit video ingenium. (*Ars Poetica*)
(The question is whether a noble song is produced by nature or art. I neither believe in mere labour being of avail without a rich vein of talent, nor in natural cleverness which is not educated.)

[2] Cf. Robert Graves: 'As soon as he has...disassociated himself from the poem, the secondary phase of composition begins: that of testing and correcting on commonsense principles, so as to satisfy public scrutiny, what began as a private message to himself from himself—yet taking care that nothing of poetic value is lost or impaired. For the reader of the poem must fall into a complementary trance if he is to appreciate its full meaning. The amount of revision needed depends largely on the strength and scope of the emotional disturbance and the degree of trance. In a light trance, the critical sense is not completely suspended; but there is a trance that comes so close to sleep that what is written in it can hardly be distinguished from ordinary dream-poetry; the rhymes are inaccurate, the phrasing eccentric, the texture clumsy, the syntax rudimentary, the thought-connexions ruled by free association, the atmosphere charged with unexplained emotion.' ('Observations on Poetry', *The Common Asphodel*, Hamish Hamilton, 1949, p. 1.)

pour s'opposer à lui et constituer le système parfait de la Musique, ainsi voudrait opérer l'esprit poétique sur le langage: il espère toujours tirer de cette production de la pratique et de la statistique les rares éléments dont il puisse faire des ouvrages entièrement délicieux et distincts.

C'est demander un miracle. Nous savons bien qu'il n'y a presque point de cas où la liaison de nos idées avec les groupes de sons qui les apellent une à une se soit tout arbitraire ou de pur hasard. Mais pour avoir de temps en temps, observé, approuvé, obtenu quelques beaux effets singuliers, nous nous flattons que nous puissions quelquefois faire tout un ouvrage bien ordonné, sans faiblesse et sans taches, composé de bonheurs et d'accidents favorables. Mais cent instants divins ne construisent pas un poème, lequel est une durée de croissance et comme une figure dans le temps; et le fait poétique naturel n'est qu'une rencontre exceptionnelle dans le désordre d'images et de sons qui viennent à l'esprit.[1] Il faut donc beaucoup de patience, d'obstination et d'industrie, dans notre art, si nous voulons produire un ouvrage qui ne paraisse enfin qu'une série de ces coups rien qu'heureux, heureusement enchaînés; et si nous prétendons encore que notre poème aussi bien séduise les sens par les charmes des rythmes, des timbres, des images qu'il résiste et réponde aux questions de la réflexion, nous voici attablés au plus déraisonnable des jeux.

VALÉRY: 'Je disais quelquefois à Stéphane Mallarmé', Valéry O., pp. 647–8

Ce ne fut jamais un jeu d'oisif que de soustraire un peu de grâce, un peu de clarté, un peu de durée, à la mobilité des choses de l'esprit; et que de changer ce qui passe en ce qui subsiste. Et plus la proie que l'on convoite est-elle inquiète et fugitive, plus faut-il de présence et de volonté pour la rendre éternellement présente, dans son attitude éternellement fuyante.

VALÉRY: 'Au sujet d'Adonis', Valéry O., p. 476

Mon poème <i>Le Cimetière Marin</i> a commencé en moi par un certain rythme, qui est celui de vers français de 10 syllabes, coupé en 4 et 6. Je n'avais encore aucune idée qui dût remplir cette forme. Peu à peu

---

[1] Cf. Dryden: '. . . imagination in a poet is a faculty so wild and lawless, that like a high-ranging spaniel, it must have clogs tied to it, lest it outrun the judgment.' (*Epistle Dedicatory to the Rival Ladies*.)

And C. Day Lewis: 'Control is rendered difficult, from start to finish, by the undisciplined behaviour of the faculty—whatever it is that brings up images into the consciousness. I may compare this faculty, perhaps, with an enthusiastic but woolly-witted dog; it goes bounding off again and again into the undergrowth, and returns to lay at one's feet so seldom the game one is after, so often a bird shot long ago by another poet or some object that has nothing to do with the chase.' (*The Poetic Image*, pp. 70–1.)

des mots flottants s'y fixèrent, déterminant de proche en proche le sujet, et le travail (un très long travail) s'imposa. Un autre poème, '*La Pythie*', s'offrit d'abord par un vers de 8 syllabes dont la sonorité se composa d'elle-même. Mais ce vers supposait une phrase, dont il était partie, et cette phrase supposait, si elle avait existé, bien d'autres phrases. Un problème de ce genre admet une infinité de solutions. Mais en poésie les conditions métriques et musicales restreignent beaucoup l'indétermination. Voici ce qui arriva: mon fragment se comporta comme un fragment vivant, puisque, plongé dans le milieu (sans doute nutritif) que lui offraient le désir et l'attente de ma pensée, il proliféra et engendra tout ce qui lui manquait: quelques vers au-dessus de lui, et beaucoup de vers au-dessous....

VALÉRY: 'Poésie et Pensée Abstraite', *Valéry O.*, pp. 1338–9

Voilà le poète aux prises avec cette matière verbale, obligé de spéculer sur le son et le sens à la fois; de satisfaire non seulement à l'harmonie, à la période musicale, mais encore à des conditions intellectuelles et esthétiques variées, sans compter les règles conventionnelles....

Voyez quel effort exigerait l'entreprise du poète s'il lui fallait résoudre *consciemment* tous ces problèmes....   *Ibid.* p. 1328

Poésie.

Je cherche un mot (dit le poète), un mot qui soit:
  féminin,
  de deux syllabes,
  contenant P ou F,
  terminé par une muette,
  et synonyme de brisure, désagrégation;
  et pas savant, pas rare.
  Six conditions — au moins![1]

'Autres Rhumbs', *Tel Quel II*, pp. 153–4

[1] *Brisure* suggests that Valéry might well have made this note while composing *Les Grenades*, and that his final solution was '(*cette lumineuse*) *rupture*'.

Professor L. J. Austin has closely studied Valéry's working-methods while writing *Le Cimetière Marin*, and portrayed him testing and comparing a wide variety of rhymes and other effects. See 'Paul Valéry compose le Cimetière Marin', *Mercure de France*, 1 April and 1 May 1953, pp. 577–608 and pp. 47–72.

For an irreverent—and inaccurate—portrayal of the Mallarmé–Valéry type of poet at work, see J. Romains: 'Strigelius compose selon sa méthode', *Les Hommes de Bonne Volonté*, volume 12, chapter XIV.

Viewed in this light, completing a poem is akin to solving a crossword puzzle, but one in which demands of sound as well as sense have to be satisfied. Yeats once wrote to Lady Dorothy Wellesley:

The correction of prose, because it has no fixed laws is endless, a poem comes right with a click like a closing box.[1]

Letter of 8 September 1935, *Letters on Poetry from W. B. Yeats to Dorothy Wellesley* (O.U.P., 1940), p. 24

Valéry, in fact, maintained that the demands of sense should be subordinate to those of sound; and that content should be sacrificed to form:

S'il est un vrai poète, il sacrifiera toujours à la forme (qui, après tout, est la fin et l'acte même, avec ses nécessités organiques) cette pensée qui ne peut se fondre en poème si elle exige pour s'exprimer qu'on use de mots ou de tons étrangers au ton poétique. Une alliance intime du son et du sens, qui est la caractéristique essentielle de l'expression en poésie ne peut s'obtenir qu'aux dépens de quelque chose — qui n'est autre que la pensée.

'Cantiques Spirituels', *Valéry O.*, p. 455

This was a view Valéry shared with Baudelaire:

Il en est de la condition de moralité imposée aux œuvres d'art comme de cette autre condition non moins ridicule que quelques-uns veulent leur faire subir, à savoir d'exprimer des pensées ou des *idées* tirées d'un monde étranger à l'art, des *idées* scientifiques, des *idées* politiques, etc.... Tel est le point de départ des esprits faux, ou du moins des esprits qui, n'étant pas absolument poétiques, veulent raisonner poésie. L'idée, disent-ils, est la chose la plus importante (ils devraient dire: l'idée et la forme sont deux

[1] Valéry was never finally satisfied that he had ever found the perfect solution to all his technical problems. He more than once said that the poet ought to be permitted, like the painter, to spend his whole career producing variations on a single theme. He was tempted, he once declared, 'd'engager les poètes à produire, à la mode des musiciens, une diversité de variantes ou de solutions du même sujet. Rien ne me semblerait plus conforme à l'idée que j'aime à me faire d'un poète et de la poésie.' ('Au Sujet du Cimetière Marin', *Valéry O.*, p. 1501.)

'Je concevrais fort bien qu'un poète amoureux de son art se contentât de refaire, sa vie durant, toujours le même poème, en donnant tous les trois, quatre ou cinq ans, une variation nouvelle d'un thème une fois choisi.' (Quoted by F. Lefèvre: *Entretiens avec Paul Valéry*, Chamontin, 1926, p. 68.)

Professor L. A. Bisson, in an article in *French Studies*, has examined three of Valéry's variations on the theme of the Tree, worked out in *La Jeune Parque*, *Pour votre Hêtre Suprême* and *Au Platane*. See *Le Faire Valéryan*, op. cit. October 1956, pp. 309–31. An even more frequently recurring *motif* is that of the lonely Narcissus figure, thinking about his thoughts about his thoughts in the several *Narcisse* fragments, *La Jeune Parque*, *La Pythie* and *Le Cimetière Marin*.

êtres en un); naturellement, fatalement, ils se disent bientôt: Puisque l'idée est la chose importante par excellence, la forme, moins importante, peut être négligée sans danger. Le résultat est l'anéantissement de la poésie....   'Auguste Barbier','L'Art Romantique', *Baudelaire O.C.*, p. 1087

With Leconte de Lisle:

Nous nous sommes fait, grâce à notre extrême paresse d'esprit qui n'a d'égale que notre inaptitude spéciale à comprendre le beau, un type immuable de versification en tout genre, quelque chose de fluide et de fade, d'une harmonie flasque et banale. Dès qu'un vers bien construit, bien rhythmé, d'une riche sonorité, viril, net et solide, nous frappe l'oreille, il est jugé et condamné, en vertu de ce principe miraculeux que nul ne possède toutes les puissances de l'expression poétique qu'au préjudice des idées, et qu'il ne faut pas sacrifier le fond à la forme. Nous ignorons, il est vrai, que les idées, en étymologie exacte et en strict bon sens, ne peuvent être que des formes et que les formes sont l'unique manifestation de la pensée.   'Charles Baudelaire', *Derniers Poèmes* (Lemerre), p. 282

With Laforgue:[1]

Une poésie n'est pas un sentiment que l'on communique tel que conçu avant la plume. Avouons le petit bonheur de la rime, et les déviations occasionnées par les trouvailles, la symphonie imprévue vient escorter le *motif*; tout comme un peintre est amené là — à ce gris perle à propos de bottes, à ce géranium...tel le musicien avec ses harmonies qui ont l'air parasites.   *Mélanges Posthumes*, p. 129

And also with Claudel:

Ce qu'on appelle une faute de français est le plus souvent le mouvement instinctif du langage qui cherche un chemin de traverse pour éviter le détour, l'obstacle ou la cacophonie que les pédants opposent à sa marche. La faute grammaticale est le plus souvent le remède à une faute euphonique....Les grands écrivains n'ont jamais été faits pour subir la loi des grammariens mais pour imposer la leur, et non pas seulement leur volonté, mais leur caprice.   'Réflexions et Propositions sur le vers français', *Pos.*, pp. 83–4

---

[1] And also with Flaubert, who criticized Augier's conception of form as merely an outer garment: 'Ces gaillards-là s'en tiennent à la vieille comparaison: la forme est un manteau. Mais non! la forme est la chair même de la pensée, comme la pensée est l'âme de la vie.' (Letter to Louise Colet, 1853, *Correspondance*, vol. II, p. 187.)

Valéry's much-vaunted 'vers calculés' are seen, then, to be no more under the poet's control than the disparaged 'vers donnés'. He is not a mathematician calculating with symbols of fixed value, or a mosaicist building with lifeless marble. The poet is engaged in an endless battle with words and because they are so elusive and recalcitrant, he is as often their slave as their master:

Nous sommes toujours, même en prose, conduits et contraints à écrire ce que nous n'avons pas voulu et qui vaut ce que nous voulions.

'Littérature', *Tel Quel I*, p. 150

The wise poet is he who allows himself to be diverted from his original intention by the dictates of rhyme, or by the sight of a glittering image in a byway leading away from the road he had hoped to follow:

Profiter de l'accident heureux. L'écrivain véritable abandonne son idée au profit d'une autre qui lui apparaît en cherchant les mots de la voulue, par ces mots mêmes. Il se trouve devenu plus puissant, même plus profond par ce jeu de mots imprévu — mais dont il voit instantanément la valeur — ce qu'un lecteur en tirera: c'est son *mérite*. Et il passe pour profond et créateur — n'ayant été que critique et chasseur foudroyant.

C'est de même à la guerre, à la Bourse.

VALÉRY: 'Cahier B, 1910', *Tel Quel I*, p. 194

Poésie. Est-il impossible, moyennant le temps, l'application, la finesse, le désir, de procéder par ordre pour arriver à la poésie?

Finir par *entendre* précisément ce que l'on désirait entendre, par une habile et patiente conduite de ce même désir?

Tu veux faire tel poème, de tel effet environ, sur tel sujet: ce sont d'abord des images de divers *ordres*.

Les unes, personnages, paysages, aspects, attitudes; les autres, voix informes, notes. . . .

Les mots ne sont encore que des écriteaux.

D'autres mots ou lambeaux de phrases n'ont pas leur emploi, mais veulent être employés et flottent.

Je vois tout et je ne vois rien.

D'autres images me font voir de tout autres conditions. Elles semblent présenter les états d'un individu subissant le poème, ses éveils, ses suspens, ses attentes, ses pressentiments, qu'il faut créer, amuser, déjouer ou satisfaire.

J'ai donc plusieurs étages d'idées, les unes de résultat, les autres d'exécution: et l'idée de l'incertain par-dessus toutes; et enfin celle de ma propre attente, prompte à saisir les éléments tout réalisés, écrivables, qui se donnent ou se donneraient, même non restreints au sujet.

VALÉRY: 'Calepin d'un Poète', Valéry O., p. 1447

The poem is finished when all trace of the poet's 'working' has been effaced:

L'art suprême, ici, consiste à laisser voir par une possession impeccable de toutes les facultés, qu'on est en extase, sans avoir montré comment on s'élevait vers ces cimes....

MALLARMÉ, writing of Balzac's Séraphita to Cazalis, 25 April 1864,
Propos, p. 42

vous êtes déjà, ce qui est l'art suprême, à dissimuler les jeux allitératifs, que trop de saisissable extériorité trahirait jusqu'au procédé, pour que le miracle du vers demeure, un instant, inexplicable. Allez dans ce sens.

MALLARMÉ: Letter to Stuart Merrill, 8 May 1887,
ibid. p. 153

Eviter quelque réalité d'échafaudage demeuré autour de cette architecture spontanée et magique, n'y implique pas le manque de puissants calculs et subtils, mais on les ignore; eux-mêmes se font, mystérieux exprès.

MALLARMÉ: Reply to question on Poe, Mallarmé O.C., p. 872

A mon sens, le poète, doit être absolument sincère, mais absolument consciencieux comme écrivain, ne rien cacher de lui-même, qui soit montrable toutefois, mais déployer dans cette franchise toute la dignité exigible, le souci de cette dignité se manifestant dans, autant que possible, sinon la perfection de la forme, du moins l'effort invisible, insensible, mais effectif, vers cette haute et sévère qualité, j'allais dire: cette vertu....

VERLAINE: 'Fragments de conférences faites à Bruxelles et à Charleroi', Œuvres Posthumes,
vol. II, Messein, pp. 340–1

Achever un ouvrage consiste à faire disparaître tout ce qui montre ou suggère sa fabrication. L'artiste ne doit...s'accuser que par son style, et doit soutenir son effort jusqu'à ce que le travail ait effacé les traces du travail.

VALÉRY: Degas, Danse, Dessin (Gallimard, 1938), pp. 35–6

It is not surprising that by insisting so much on the necessity of meticulous craftsmanship poets like Baudelaire, Mallarmé[1] and Valéry should each have produced comparatively slim volumes of verse:

Je ne sais combien de fois tu m'as parlé de *ma facilité*. C'est un terme très usité, qui n'est guère applicable qu'aux esprits superficiels. Facilité à concevoir? ou facilité à exprimer? Je n'ai jamais eu ni l'un ni l'autre, et il doit sauter aux yeux que le peu que j'ai fait est le résultat d'un travail très douloureux.   BAUDELAIRE: Letter to his mother, 11 February 1865, *Correspondance Générale*, vol. v, p. 36

Je t'envoie enfin ce poème de l'Azur que tu semblais si désireux de posséder... il m'a donné infiniment de mal... il m'a donné beaucoup de mal, parce que bannissant mille gracieusetés lyriques et beaux vers qui hantaient incessamment ma cervelle, j'ai voulu rester implacablement dans mon sujet. Je te jure qu'il n'y a pas un mot qui ne m'ait coûté plusieurs heures de recherche, et que le premier mot, qui revêt la première idée, outre qu'il tend lui-même à *l'effet* général du poème, sert encore à préparer le dernier....   MALLARMÉ: Letter to Cazalis, 12 January 1864, quoted in Mondor, *Vie de Mallarmé*, p. 104

To such poets, patience was an attribute almost as necessary as critical taste or technical skill:

Nous devons donc passionnément attendre, changer d'heure et de jour comme l'on changerait d'outil, — et vouloir, vouloir.... Et même, ne pas excessivement vouloir.   VALÉRY: 'Au Sujet d'Adonis', *Valéry O.*, p. 480

[M. Teste] veillait à la répétition de certaines idées; il les arrosait de nombre. Ceci lui servait à rendre finalement machinale l'application de ses études conscientes. Il cherchait même à resumer ce travail. Il disait souvent: ' *Maturare!* '.[2]

     VALÉRY: *La Soirée avec Monsieur Teste* (Gallimard, 1946), p. 20

---

[1] Cf. 'Je trouve qu'Emmanuel [des Essarts] se fait beaucoup de tort en se laissant aller à la grande facilité: il commet trop aisément de ces sortes de pages brillantes et vides....' (Mallarmé: Letter to Cazalis, 3 June 1863, *Propos*, p. 36.)

[2] Cf. Horace: 'Nonumque prematur in annum' ('say nothing until the ninth year'); and cf. Rilke: '*Everything* is gestation and then bringing forth. To let each impression and each germ of feeling come to completion quite in itself, in the dark, in the inexpressible, the unconscious, beyond the reach of one's own understanding, and await with deep humility and patience the birth-hour of a "new clarity": that alone is living the artist's life—in understanding as in work'. ('Letters to a Young Poet', Sidgwick and Jackson, 1945, quoted in G. Whalley, *Poetic Process*, Routledge, 1953, p. 78.)

The impatient poet will declare with Molière's Marquis de Mascarille, 'Je fais toujours bien le premier vers; mais j'ai peine à faire les autres' (*Les Précieuses Ridicules*: scene 11): he will like Shelley leave behind a collection of fragments, never having found the time or the resolution to build them into a complete poem; or else, unwilling, like Péguy, to check the spate of inspiration, will allow his verses to pour forth ceaselessly, treasure and tawdry intermingled in the unquenchable flood. Valéry spent four years over the five hundred lines of *La Jeune Parque*: Péguy wrote fifteen thousand lines of *Eve* in three months:

J'écris cinquante vers tous les matins, parfois cent. *Eve.* Quel titre. Ce sera une Iliade.... Ce sera plus fort que le Paradis de Dante.

'Lettres et Entretiens': Cahiers, XVIIIe série, vol. 1

Marcel Péguy, describing his father's working methods,[1] reported that he rarely if ever corrected his manuscripts, that there were in fact only ten alterations in all the voluminous bulk of his papers, and that his texts, like Balzac's and Proust's, grew immeasurably with successive proof-readings. One is tempted, in this respect, to apply to Péguy, Ben Jonson's well-known remarks on Shakespeare:

I remember the players have often mentioned it as an honour to Shakespeare that in his writing (whatsoever he penned) he never blotted out a line. My answer hath been 'Would he had blotted a thousand'. Which they thought a malevolent speech. I had not told posterity this, but for their ignorance, who chose that circumstance to commend their friend by wherein he most faulted; and to justify mine own candour: for I loved the man, and do honour his memory, on this side idolatry, as much as any. He was (indeed) honest, and of an open and free nature; had an excellent phantasy, brave notions, and gentle expressions; wherein he flowed with that facility, that sometimes it was necessary he should be stopped....

De Shakespeare Nostrati: Discoveries

3. THE CALCULATION OF EFFECTS

Perhaps the greatest tribute paid to Poe was not the time spent by Baudelaire and Mallarmé on the translation of his poems, nor the praise they and Valéry lavished on his poetry and thought, but in the way all three became apologists for certain of his ideas. Of these, none proved

---

[1] In *Anthologie des écrivains morts à la guerre* (Malfère, Amiens, 1925), p. 525.

more tenacious or fertile than the belief that a true poet could so calculate his effects that he could control his readers' emotions as unerringly as any master musician playing his instrument. Poe expressed this in *The Philosophy of Composition* (1846), when he described how he had written *The Raven*:

I prefer commencing with the consideration of an *effect*. . . . I say to myself, in the first place, 'Of the innumerable effects or impressions of which the heart, the intellect, or (more generally) the soul is susceptible, what one shall I, on the present occasion, select?' Having chosen a novel first, and secondly, a vivid effect, I consider whether it can best be wrought by incident or tone—whether by ordinary incidents and peculiar tone, or the converse, or by peculiarity both of incident and tone—afterwards looking about me (or rather within) for such combinations of events or tone as shall best aid me in the construction of the effect.   Poe, *op. cit.* p. 268

Baudelaire's translation of *The Philosophy of Composition*, which appeared in 1859 in *La Revue Française*, and his comments in the introduction to his translation of Poe's *Tales of Mystery and Imagination* introduced the theory to his fellow-poets:

cet article me paraissait entaché d'une légère impertinence. Les partisans de l'inspiration quand même ne manqueraient pas d'y trouver un blasphème et une profanation; mais je crois que c'est pour eux que l'article a été spécialement écrit. Autant certains écrivains affectent l'abandon, visant au chef-d'œuvre les yeux fermés, pleins de confiance dans le désordre et attendant que les caractères jetés au plafond retombent en poème sur le parquet, autant Edgar Poe, — l'un des hommes les plus inspirés que je connaisse — a mis d'affectation à cacher la spontanéité, à simuler le sang-froid et la délibération. 'Je crois pouvoir me vanter — dit-il avec un orgueil amusant et que je ne trouve pas de mauvais goût, — qu'aucun point de ma composition n'a été abandonné au hasard, et que l'œuvre entière a marché pas à pas vers son but avec la précision et la logique rigoureuse d'un problème mathématique.' Il n'y a, dis-je, que les amateurs de hasard, les fatalistes de l'inspiration et les fanatiques du *vers blanc* qui puissent trouver bizarres *ces minuties*. Il n'y a pas de minuties en matière d'art. . . .   'Notes Nouvelles sur E. A. Poe', p. xxii

L'artiste. . .ayant conçu délibérément, à loisir, un effet à produire, inventera les incidents, combinera les événements les plus propres à amener l'effet voulu. Si la première phrase n'est pas écrite en vue de préparer cette

impression finale, l'œuvre est manquée dès le début. Dans la composition tout entière il ne doit pas glisser un seul mot qui ne soit une intention,
qui ne tende, directement ou indirectement, à parfaire le dessein pré-
méditée.

Ibid. p. xii

Mallarmé's enthusiastic acceptance of the theory can readily be seen
from the letter he wrote to his friend Cazalis on 12 January 1864, in which
he described how he had tried to apply Poe's principle when composing
L'Azur:

le premier mot, qui revêt la première idée, outre qu'il tend lui-même à
l'effet général du poème sert encore à préparer le dernier.[1]

L'*effet produit*, sans une dissonance, sans une fioriture, même adorable,
qui distrait, — voilà ce que je cherche. Je suis sûr, m'étant lu ces vers à
moi-même, deux cents fois peut-être, qu'il est atteint. Reste maintenant
l'autre côté à envisager, le côté esthétique. Est-ce beau? Y-a-t-il un reflet
de la Beauté? Ici, commencerait mon immodestie si je parlais, et c'est à toi
de décider, Henri; qu'il y a loin de ces théories de composition littéraire à
la façon dont notre glorieux Emmanuel prend une poignée d'étoiles dans la
voie lactée pour la semer sur le papier et les laisser se former au hasard en
constellations imprévues! Et comme son âme enthousiaste, ivre d'inspiration, reculerait d'horreur, devant ma façon de travailler! Il est le poète
lyrique dans tout son admirable épanchement.

Toutefois, plus j'irai, plus je serai fidèle à ces sévères idées que m'a
léguées mon grand maître Edgar Poe.

Le poème inouï du Corbeau a été ainsi fait. Et l'âme du lecteur jouit
absolument comme le poète a voulu qu'elle jouît.... Ainsi suis ma pensée
dans mon poème et vois si c'est là que tu as senti en me lisant. Pour débuter
d'une façon plus large, et approfondir l'ensemble, je ne parais pas dans la
première strophe. L'azur torture l'impuissant en général. Dans la seconde,
on commence à se douter, par ma fuite devant le ciel possesseur, que je
souffre de cette cruelle maladie. Je prépare dans cette strophe encore, par
une forfanterie blasphématoire. *Et quelle nuit hagarde*, l'idée étrange

---

[1] Cf. Valéry, describing his own poetic beliefs in the third person in his first letter to
Mallarmé: '. . . il doit affirmer qu'il préfère les poèmes courts, concentrés pour un éclat final, où
les rythmes sont comme les marches marmoréennes de l'autel que couronne le dernier vers!
non qu'il puisse se vanter d'avoir réalisé cet idéal! Mais c'est qu'il est profondément pénétré des
doctrines savantes du grand Edgar Allan Poe — peut-être le plus subtil artiste de ce siècle!'
(Letter to Mallarmé: October 1890, *Lettres à Quelques-Uns*, p. 28.) Cf. also letter from
Valéry to Pierre Louÿs, 2 June 1890, quoted on p. 264.

d'invoquer les brouillards. La prière au 'cher ennui' confirme mon impuissance. Dans la troisième strophe, je suis forcené comme l'homme qui voit réussir son vœu acharné.

La quatrième commence par une exclamation grotesque de l'écolier délivré: 'le ciel est mort!' Et tout de suite, muni de cette admirable certitude, j'implore la Matière. Voilà bien la joie de l'Impuissant. Las du mal qui me ronge je veux goûter au bonheur commun de la foule, et attendre la mort obscure.... Je dis 'je veux'. Mais l'ennemi est un spectre, le ciel mort *revient*, et je l'entends qui chante dans les cloches bleues. Il passe indolent et vainqueur, sans se salir à cette brume et me transperce simplement. A quoi, je m'écrie, plein d'orgueil et ne voyant pas là un juste châtiment à ma lâcheté, que j'ai une *immense agonie*. Je veux fuir encore, mais je sens mon tort et avoue que *je suis hanté*. Il fallait toute cette poignante révélation pour motiver le cri sincère et bizarre de la fin, 'l'azur'.... Tu le vois pour ceux qui, comme Emmanuel et comme toi, cherchant dans un poème autre chose que la musique des vers, il y a là un vrai drame. Et çà a été une terrible difficulté de combiner dans une juste harmonie, l'élément dramatique hostile à l'idée de poésie pure et subjective, avec la sérénité et le calme de lignes nécessaires à la Beauté.

Mais tu vas me dire que voilà beaucoup d'embarras pour des vers qui en sont bien peu dignes. Je le sais. Cela, toutefois, m'a amusé de t'indiquer comment je juge et conçois un poème. Abstrais de ces lignes toute allusion à moi, et tout ce qui a rapport à mes vers, et lis ces pages froidement, comme l'ébauche fort mal écrite et informe, d'un article d'art.

Quoted in Mondor, Vie de Mallarmé, pp. 104–6

For the rest of his career, Mallarmé was to keep true to his promise: 'Plus j'irai, plus je serai fidèle à ces sévères idées que m'a léguées mon grand maître Edgar Poe.' Poe's essay *The Philosophy of Composition* strengthened his resolve to eliminate *le hasard* from the act of composition, and led him, ultimately, to calculate the semantic, syntactic and euphonic value of each word he sought to incorporate into a poem.

In 1889 Valéry affirmed his admiration for Poe's literary doctrines in a letter he wrote to Karl Boès, editor of the review *Le Courrier Libre*.

Je chéris en poésie comme en prose, les théories si profondes et si perfidement savantes d'Edgar Poe....

Lettres à Quelques-Uns, p. 9

On 10 November 1889 he submitted for publication in the same review his first prose article, *Sur la Technique Littéraire*, which was, for the most part, an appreciation of *The Philosophy of Composition*, coupled with Valéry's expressed ambition of putting Poe's theories into practice in his own poetry-making:

La littérature est l'art qui consiste à se jouer de l'âme des autres... l'écrivain devra posséder diverses notes dans le clavier de l'expression, afin de produire de multiples effets — comme le musicien a le choix entre un certain nombre de timbres et de vitesses rythmiques. Et ceci nous amène naturellement à une conception toute nouvelle et moderne du poète. Ce n'est plus le délirant échevelé, celui qui écrit tout un poème dans une nuit de fièvre, c'est un froid savant, presqu'un algébriste au service d'un rêveur raffiné.[1]   VALÉRY: 'Sur la Technique Littéraire', *Valéry O.*, p. 1786

Valéry wrote to his friend Pierre Louÿs on 2 June 1890:

Voulez-vous connaître mon idéal littéraire? — et je dois dire qu'aucun poète de ceux que je connais n'a encore satisfait mes désirs.

Je rêve une poésie courte — un sonnet — écrite par un songeur raffiné, un sagace algébriste, un calculateur infaillible de l'effet à produire. Jamais plus, mon idéal artiste ne s'abandonnera aux hasards de l'inspiration — jamais il n'écrira tout un poème dans une nuit de fièvre.... (Je n'aime pas Musset!) Tout ce qu'il aura imaginé, senti, songé, passera au crible, sera pesé, épuré, mis à la Forme et condensé le plus possible pour gagner en force ce qu'on sacrifie en longueur. Ce sonnet sera un tout complet, soigneusement composé en vue d'un coup de foudre final et décisif. L'adjectif sera toujours le plus évocateur, la sonorité des vers sagement calculée, la pensée souvent enveloppée dans un symbole, voile à peine déchiré par le quatorzième vers....

[1] Cf. a description of the craftsman's manner of composing poetry, which had earlier appeared in the review *Art* and which Mallarmé had greatly admired: 'Le poète idéal n'est point ce vaste épileptique que l'on nous dépeint échevelé, les yeux hagards, émettant indifféremment et d'un seul jet sous *l'inspiration* de je ne sais quelle Muse bavarde, des vers faciles et incohérents, mais un penseur sérieux qui conçoit fortement et qui entoure ses conceptions d'images hardies et lentement ciselées.' (H. Mondor, *Vie de Mallarmé*, p. 191, note 2.)

When Valéry submitted his article to Boès, *Le Courrier Libre* had ceased publication. *Sur la Technique Littéraire* did not appear till 1946, when, having been discovered by Henri Mondor, it was published in *Dossiers I*, J. B. Janin. H. Mondor has recently published what is clearly the first draft of the article, written in the notebook into which the adolescent Valéry used to transcribe passages from his favourite poets: see H. Mondor, *Précocité de Valéry* (Gallimard, 1957), p. 108.

Tous les moyens seront bons pour produire le maximum d'effet. Bien des procédés oubliés depuis des siècles pourront y être renouvelés (allitérations, répétitions, etc.). D'autres seront empruntés à la musique....

Ainsi le poème selon moi n'a d'autre but que de préparer un dénouement. Je ne puis mieux le comparer qu'aux degrés d'un autel magnifique, aux quatorze marches de porphyre que couronne le tabernacle. L'ornement, l'orfèvrerie, les cierges, les encens, tout s'élance, tout est disposé pour attirer l'attention sur l'ostensoir, je veux dire le dernier.

Quoted in Le Vase Brisé, p. 14

Valéry's early prose-poem, *L'Amateur de Poèmes*, was written from the standpoint of a reader aware, and happy to welcome the fact, that he was merely an instrument on which the poet was coldly playing:

Un poème est une durée, pendant laquelle, lecteur, je respire une loi qui fut préparée; je donne mon souffle et les machines de ma voix; ou seulement leur pouvoir, qui se concilie avec le silence....

'Album de Vers Anciens', Valéry O., p. 95

And in *Poésie et Pensée Abstraite*, he reaffirmed the lesson he had learned from Poe, by describing a poem simply as 'une sorte de machine à produire l'état poétique au moyen des mots...' (*Valéry O.*, p. 1337):

Un poète — ne soyez pas choqué de mon propos — n'a pas pour fonction de ressentir l'état poétique: ceci est une affaire privée. Il a pour fonction de le créer chez les autres. On reconnaît le poète — ou du moins, chacun reconnaît le sien — à ce simple fait qu'il change le lecteur 'en inspiré'.[1]

Ibid. p. 1321.

Poe subsequently confessed that the account of how he came to write *The Raven* was completely fanciful: the doctrine of calculated effects only came into his head when the poem was finished, but the revelation of this

---

[1] Cf. Eluard: 'Le poète est celui qui inspire, plutôt que celui qui est inspiré.' ('L'Evidence Poétique': *Donner à Voir*, Gallimard, 1939, p. 81.)

Cf. also Ronsard: 'Tu seras industrieux à esmouvoir les passions et affections de l'âme, car c'est la meilleure partie de ton mestier, par des carmes qui t'esmouveront le premier, soit à rire ou à pleurer, afin que les lecteurs en facent autant apres toy.' ('Troisième Préface to the Franciade, 1587', Patterson *op. cit.* p. 497.)

One of Valéry's marginal notes on his essay *Note et Digression* could also serve as a comment on this precept of Ronsard's: 'On dit: Pour me tirer des pleurs, il faut que vous pleuriez. Vous me ferez pleurer, peut-être rire par le produit littéraire de vos larmes.' (*Valéry O.*, p. 1205.)

in no way shook the French poets' faith in him. The conception of poetry-making as an infallible act of language remained as an ideal for all to aspire to:

Ses facultés d'architecte et de musicien, les mêmes en l'homme de génie, Poe, dans un pays qui n'avait pas à proprement parler de scène, les rabattit, si je puis parler ainsi, sur la poésie lyrique, fille avérée de la seule inspiration. Tout l'extraordinaire est dans cette application, nouvelle, de procédés vieux comme l'Art. Y-a-t-il, à ce spécial point de vue, mystification? Non. Ce qui est pensé, l'est: et une idée prodigieuse s'échappe des pages qui, écrites après coup (et sans fondement anecdotique, voilà tout) n'en demeurent pas moins congéniales à Poe, sincères. A savoir que tout hasard doit être banni de l'œuvre moderne et n'y peut être que feint: et que l'éternel coup d'aile n'exclut pas un regard lucide scrutant l'espace dévoré par son vol.

From Mallarmé's notes to accompany his translations of Poe's poems,
Mallarmé O.C., p. 230

Such was Poe's prestige that in 1924, when *The Philosophy of Composition* had long been widely recognized as simply one more tale of Mystery and Imagination, Valéry could still write:

Jamais le problème de la littérature n'avait été, jusqu'à Edgar Poe, examiné dans ses prémisses, réduit à un problème de psychologie, abordé au moyen d'une analyse où la logique et la mécanique des effets étaient délibérément employées. Pour la première fois, les rapports de l'œuvre et du lecteur étaient élucidés et donnés comme les fondements positifs de l'art.

'Situation de Baudelaire', *Valéry O.*, p. 606

Not surprisingly, Poe was attacked by the Surrealists for exhibiting those qualities of intellect for which Valéry praised him:

le maître des policiers scientifiques (de Sherlock Holmes, en effet, à Paul Valéry...). N'est ce pas une honte de présenter sous un jour intellectuellement séduisant un type de policier, *toujours de policier*, de doter le monde d'une *méthode* policière? Crachons, en passant, sur Edgar Poe.

'Deuxième Manifeste du Surréalisme', André Breton, *op. cit.* p. 54

III. THE IDEAL OF INFALLIBILITY

Tout homme qu'une idée si subtile et imprévue qu'on la suppose, prend en
défaut, n'est pas un écrivain. L'inexprimable n'existe pas.

Words attributed to Gautier by Baudelaire in 'L'Art Romantique',
Baudelaire O.C., pp. 1027–8

✧ ✧ ✧

What is beauty saith my suffering then?
If all the pens that ever poets held,
Had fed the feeling of their master's thoughts,
And every sweetness that inspired their hearts,
Their minds, and muses on admired themes:
If all the heavenly essences they still
From their immortal flowers of Poesy,
Wherein as in a mirror we perceive
The highest reaches of a human wit.
If these had made one poem's period
And all combin'd in beauty's worthiness,
Yet should there hover in their restless heads,
One thought, one grace, one wonder at the least,
Which into words no virtue can digest.

MARLOWE: *Tamburlaine the Great*

Poe should not be given all the credit for suggesting that the poet should calculate the effect of his words on his readers' emotions.[1] To Gautier also must be accredited a certain measure of influence, not so much in encouraging the myth that the reader's feelings could be played upon with unerring accuracy, as in portraying the ideal poet as an even more gifted being: a craftsman with a vast vocabulary and mastery over every technical device, able to capture every mood and emotion.

Baudelaire and Mallarmé paid homage to Gautier no less enthusiastic than that lavished on Poe: *Les Fleurs du Mal* was dedicated by Baudelaire 'Au Poète Impeccable, au parfait magicien ès lettres françaises à mon très-cher et très vénéré, Maître et Ami, Théophile Gautier...'; Gautier is the

---

[1] Cf. Du Bellay: 'Celuy sera véritablement le poëte que je cherche en nostre langue, qui me fera indigner, apayser, ejouyr, douloir, aymer, hayr, admirer, etonner, bref, qui tiendra la bride de mes affections, me tournant çà et là à son plaisir.' ('La Deffence et Illustration de la Langue Française, 1549', quoted in Patterson, *op. cit.* p. 445

subject of one of the most enthusiastic essays in Baudelaire's *Art Roman-tique*, and also of *Toast Funèbre*, one of Mallarmé's finest poems.[1] Mallarmé also praised Gautier, together with Baudelaire and Banville, in an un-characteristically lyrical triptych *Symphonie Littéraire*, written in 1864.

No poet ever replaced Mallarmé in Valéry's mature esteem, but in adolescence, he admired Gautier sufficiently for a friend to write to him:

Mon cher Paul tu vis d'une vie par trop factice. . . . Ne te crois pas obligé d'emboîter le pas à Théophile Gautier et à Baudelaire. Le moins que tu pourrais y perdre c'est ton *originalité.* . . . Pour moi je souffrirais beaucoup de voir se perdre le talent dont je te crois fermement doué dans une imita-tion esclave. Si tu imites (et tous nous commençons par là) que cette imitation ne soit jamais un *but* mais un *moyen.* Je m'explique: en tout art, il y a la part du métier, la part du savoir-faire. Cela s'apprend à l'école des autres. Gautier pourra t'apprendre à trouver le mot propre; du moins il t'en fera sentir l'importance et même la nécessité. Cette merveille qu'on appelle *Emaux et Camées* t'inspirera le goût du mot image. Tu peux gagner beaucoup à cette étude. Je voudrais croire qu'elle ne représente aucun danger. . . .

Letter from Gustave Fourment, September 1889, Paul Valéry–Gustave Fourment
Correspondance, 1887–1933 (Gallimard, 1957), pp. 72–3

One reason why Gautier was as highly praised as Poe was because of his devotion to the cult of Beauty,[2] but even more important, in his admirers' view, was his consummate technical skill:

Pour parler dignement de l'outil qui sert si bien cette passion du Beau, je veux dire de son style, il me faudrait jouir de ressources pareilles, de cette

---

[1] In Valéry's view, the lines that Hugo wrote on Gautier's death were 'sans doute les plus beaux vers qu'il ait faits, et peut-être qu'on ait jamais faits' ('Victor Hugo, Créateur par la forme, 1935'. *Valéry O.*, p. 589).

[2] Cf. Baudelaire: '. . . Par son amour du Beau, amour immense, fécond, sans cesse rajeuni . . . Théophile Gautier est un écrivain d'un mérite à la fois *nouveau* et unique. De celui-ci, on peut dire qu'il est, jusqu'à présent, sans *doublure*.' ('Théophile Gautier', 'L'Art Romantique', *Baudelaire O.C.*, p. 102.)

And Mallarmé: 'Tout mon être spirituel, — le trésor profond des correspondances, l'accord intime des couleurs, le souvenir du rythme antérieur, et la science mystérieuse du Verbe, — est requis, et tout entier s'émeut, sous l'action de la rare poésie que j'invoque, avec un ensemble d'une si merveilleuse justesse que de ses jeux combinés résulte la seule lucidité.

'. . . au bord de mes yeux calmes s'amasse une larme dont les diamants primitifs n'atteignent pas la noblesse; — est-ce un pleur d'exquise volupté? Ou, peut-être, tout ce qu'il y avait de divin et d'extra-terrestre en moi a-t-il été appelé comme un parfum par cette lecture trop sublime? De quelle source qu'elle naisse, je laisse cette larme, transparente comme mon rêve lucide, raconter qu'à la faveur de cette poésie, née d'elle-même et qui exista dans le répertoire

connaissance de la langue qui n'est jamais en défaut, de ce magnifique dictionnaire dont les feuillets, remués par un souffle divin, s'ouvrent tout juste pour laisser jaillir le mot propre, le mot unique, enfin de ce sentiment de l'ordre qui met chaque trait et chaque touche à sa place naturelle et n'omet aucune nuance.

...Il y a dans le style de Théophile Gautier une justesse qui ravit, qui étonne, et qui fait songer à ces miracles produits dans le jeu par une profonde science mathématique.[1] Je me rappelle que, très jeune, quand je goûtai pour la première fois aux œuvres de notre poète, la sensation de la touche posée juste, du coup porté droit, me faisait tressaillir, et que l'admiration engendrait en moi une sorte de convulsion nerveuse. Peu à peu je m'accoutumai à la perfection, et je m'abandonnai au mouvement de ce beau style onduleux et brillanté, comme un homme monté sur un cheval sûr qui lui permet la rêverie, ou sur un navire assez solide pour défier les temps non prévus par la boussole, et qui peut contempler à loisir les magnifiques décors sans erreur que construit la nature dans ses heures de génie. C'est grâce à ces facultés innées, si précieusement cultivées, que Gautier a pu souvent (nous l'avons tous vu) s'asseoir à une table banale, dans un bureau de journal, et improviser, critique ou roman, quelque chose qui avait le caractère d'un fini irréprochable, et, qui le lendemain provoquait chez les lecteurs autant de plaisir qu'avaient créé d'étonnement chez les compositeurs de l'imprimerie la rapidité de l'éxecution et la beauté de l'écriture. Cette prestesse à résoudre tout problème de style et de composition ne fait-elle pas rêver à la sévère maxime qu'il avait une fois laissé tomber devant moi dans la conversation, et dont il s'est fait sans doute un constant devoir: 'Tout homme qu'une idée si subtile et imprévue qu'on la suppose, prend en défaut, n'est pas un écrivain. L'inexprimable n'existe pas.'[2] BAUDELAIRE: 'Théophile Gautier', *Baudelaire O.C.*, pp. 1026–8 *passim*

éternel de l'Idéal de tout temps, avant sa moderne émersion du cerveau de l'impeccable artiste, une âme dédaigneuse du banal coup d'aile d'un enthousiasme humain peut atteindre *la plus haute cime de sérénité* où nous ravisse la beauté....' ('Symphonie Littéraire', *Mallarmé O.C.*, p. 262.) Gautier's poetry moved the youthful Mallarmé to tears: when Gautier himself died in 1871, Mallarmé declared in *Toast Funèbre*: 'J'ai méprisé l'horreur lucide d'une larme'.

[1] Cf. Valéry's praise of Poe's mathematical skill, pp. 12 and 263.

[2] Cf. Baudelaire: '[Poe] a soumis l'inspiration à la méthode, à l'analyse la plus sévère. Le choix des moyens! Il y revient sans cesse, il insiste avec une éloquence savante sur l'appropriation du moyen à l'effet, sur l'usage de la rime, sur le perfectionnement du refrain, sur l'adaptation du rythme au sentiment. Il affirmait que celui qui ne sait pas saisir l'intangible n'est pas poète; que celui-là seul est poète, qui est le maître de sa mémoire, le souverain des mots, le registre de ses propres sentiments toujours prêt à se laisser feuilleter.' ('Notes Nouvelles sur Edgar Poe', p. xviii.)

In the notes he made for the preface he intended to write to the second and third editions of *Les Fleurs du Mal*, Baudelaire prepared to adopt his characteristically mocking attitude towards the public, and planned to lay claim to the infallibility he believed was possessed by his two masters, Gautier and Poe:

Comment, appuyé sur mes principes et disposant de la science que je me charge de lui enseigner en vingt leçons, tout homme devient capable de composer une tragédie qui ne sera pas plus sifflée qu'une autre, ou d'aligner un poème de la longueur nécessaire pour être aussi ennuyeux que tout poème épique connu.

Tâche difficile que de s'élever vers cette insensibilité divine! Car moi-même, malgré les plus louables efforts, je n'ai pu résister au désir de plaire à mes contemporains, comme l'attestent en quelques endroits, apposées comme un fard, certaines basses flatteries adressées à la démocratie, et même quelques ordures destinées à me faire pardonner la tristesse de mon sujet. Mais MM. les journalistes s'étant montrés ingrats envers les caresses de ce genre, j'en ai supprimé la trace, autant qu'il m'a été possible, dans cette nouvelle édition.

Je me propose, pour vérifier de nouveau l'excellence de ma méthode, de l'appliquer prochainement à la célébration des puissances de la dévotion et des ivresses de la gloire militaire, bien que je ne les aie jamais connues.

Baudelaire O.C., pp. 1365–6

But it is in *Le Spleen de Paris* that the most authentic expression of his feelings is to be found, when, no longer deceiving himself or others, he spoke for all artists, ancient and modern, seeking to mirror his inner vision in language:

Que les fins de journées d'automnes sont pénétrantes!

Ah! pénétrantes jusqu'à la douleur! car il est de certaines sensations délicieuses dont le vague n'exclut pas l'intensité; et il n'est pas de pointe plus acérée que celle de l'Infini.

Grand délice que celui de noyer son regard dans l'immensité du ciel et de la mer! Solitude, silence, incomparable chasteté de l'azur! une petite voile frissonnante à l'horizon, et qui par sa petitesse et son isolement imite mon irrémédiable existence, mélodie monotone de la houle, toutes ces choses pensent par moi, ou je pense par elles (car dans la grandeur de la rêverie, le *moi* se perd vite!); elles pensent, dis-je, mais musicalement et pittoresquement, sans arguties, sans syllogismes, sans déductions.

Toutefois, ces pensées, qu'elles sortent de moi ou s'élancent des choses, deviennent bientôt trop intenses. L'énergie dans la volupté crée un malaise et une souffrance positive. Mes nerfs trop tendus ne donnent plus que des vibrations criardes et douloureuses.

Et maintenant la profondeur du ciel me consterne, sa limpidité m'exaspère. L'insensibilité de la mer, l'immuabilité du spectacle me révoltent. ...Ah! faut-il éternellement souffrir, ou fuir éternellement le beau? Nature, enchanteresse sans pitié, rivale toujours victorieuse, laisse-moi! Cesse de tenter mes désirs et mon orgueil! L'étude du beau est un duel où l'artiste crie de frayeur avant d'être vaincu.

'Le Confiteor de l'Artiste', 'Le Spleen de Paris', *Baudelaire O.C.*, p. 276

Gautier's provocative 'L'inexprimable n'existe pas', which so impressed itself on Baudelaire's memory, might well, like many of Baudelaire's remarks in conversation, have been a *boutade,* for Gautier wrote earlier, and perhaps more sincerely, to express envy of the painter's gifts and the poet's deficiencies:

> Artistes souverains, en copistes fidèles,
> Vous avez reproduit vos superbes modèles!
> Pourquoi, découragé par vos divins tableaux,
> Ai-je, enfant paresseux, jeté là mes pinceaux,
> Et pris pour vous fixer le crayon du poète,
> Beaux rêves, obsesseurs de mon âme inquiète,
> Doux fantômes bercés dans les bras du désir,
> Formes que la parole en vain cherche à saisir?
> Pourquoi, lassé trop tôt dans une heure de doute,
> Peinture bien-aimée, ai-je quitté ta route?
> Que peuvent tous nos vers pour rendre la beauté,
> Que peuvent de vains mots sans dessin arrêté,
> Et l'épithète creuse et la rime incolore?
> Ah! combien je regrette et comme je déplore
> De ne plus être peintre, en te voyant ainsi
> A *Mosé*, dans ta loge, ô Julia Grisi!

La Diva, 1838; Gautier, *Poésies Complètes*, vol. II, pp. 96–7

Grandeur des poètes de saisir fortement avec leurs mots ce qu'ils n'ont fait qu'entrevoir faiblement dans leur esprit.

VALÉRY: 'Choses Tues', *Tel Quel I*, p. 28

Saisir, saisir le soir, la pomme et la statue. . . .
Saisir le pied, le cou de la femme couchée
Et puis ouvrir les mains.   SUPERVIELLE: *Saisir*, 1928

une œuvre n'est jamais achevée que par quelque accident, comme la fatigue, le contentement, l'obligation de livrer ou la mort; car une œuvre, du côté de celui ou de ce qui la fait, n'est qu'un état d'une suite de transformations intérieures. Que de fois voudrait-on commencer ce que l'on vient de regarder comme fini!. . . Que de fois ai-je regardé ce que j'allais donner aux yeux des autres, comme la préparation nécessaire de l'ouvrage désiré, que je commençais alors seulement de *voir* dans sa maturité possible, et comme le fruit très probable et très désirable d'une attente nouvelle et d'un acte tout dessiné dans mes puissances. L'œuvre réellement faite me paraissait alors le corps mortel auquel doit succéder le corps transfiguré et glorieux.[1]   VALÉRY: 'Souvenir', 'Mélange', *Valéry O.*, p. 305

The attitude of the arch-anti-Romantic Valéry is on this subject not markedly different from that of Lamartine, the most idealistic Romantic of all:

Quand je m'asseyais au bord des bois de sapins, sur quelque promontoire des lacs de la Suisse, ou quand j'avais passé des journées entières à errer sur les grèves sonores des mers d'Italie, et que je m'adossais à quelque débris de môle ou de temple pour regarder la mer ou pour écouter l'inépuisable balbutiement des vagues à mes pieds, des mondes de poésie roulaient dans mon cœur et dans mes yeux; je composais pour moi seul, sans les écrire, des poèmes aussi vastes que la nature, aussi resplendissants que le ciel, aussi pathétiques que les gémissements des brises de mer dans les têtes de pins-lièges et dans les feuilles des lentisques, qui coupent le vent comme autant de petits glaives, pour le faire pleurer et sangloter dans des millions de petites voix. La nuit me surprenait souvent ainsi, sans pouvoir m'arracher au charme des fictions dont mon imagination s'enchantait elle-même. Oh! quels poèmes si j'avais pu et si j'avais su les chanter aux autres

[1] Cf. Sully Prudhomme:
Quand je vous livre mon poème
Mon cœur ne le reconnaît plus,
Le meilleur demeure en moi-même
Mes vrais vers ne seront jamais lus.

Cf. Shelley: 'The most glorious poetry that has ever been communicated to the world is probably a feeble shadow of the original conception of the poet.' (*A Defence of Poetry*.)

Cf. Rimbaud: '. . .la chanson est si peu souvent l'œuvre, c'est-à-dire la pensée chantée et comprise du chanteur' (letter to P. Demeny, 15 May 1871).

alors comme je me les chantais intérieurement! Mais ce qu'il y a de plus divin dans le cœur de l'homme n'en sort jamais, faute de langue pour être articulé ici-bas. L'âme est infinie, et les langues ne sont qu'un petit nombre de signes façonnés par l'usage pour les besoins de communication du vulgaire des hommes. Ce sont des instruments à vingt-quatre cordes pour rendre les myriades de notes que la passion, la pensée, la rêverie, l'amour, la prière, la nature et Dieu font entendre dans l'âme humaine. Comment contenir l'infini dans ce bourdonnement d'un insecte au bord de sa ruche, que la ruche voisine ne comprend même pas? Je renonçais à chanter, non faute de mélodies intérieures, mais faute de voix et de notes pour les révéler.

'Première Préface des Méditations, 1849': Lamartine, Méditations Poétiques (ed. Lanson), Hachette, 1922, vol. II, pp. 361–2

SELECT BIBLIOGRAPHY

This bibliography is in no sense complete. It is a list of those works which, to a greater or lesser extent, helped me in the compilation of this anthology. It can also be taken to serve as a guide to what, in my view, are the most up-to-date studies of their various subjects.

GENERAL

Barrère, J. B., *Le Regard d'Orphée* (Cambridge University Press, 1956).

Bowra, C. M., *The Creative Experiment* (Macmillan, 1949).

—— *The Heritage of Symbolism* (Macmillan, 1943).

—— *Inspiration and Poetry* (Macmillan, 1955).

Bremond, H., *La Poésie Pure* (Grasset, 1926).

Brereton, G., *An Introduction to the French Poets* (Methuen, 1956).

Charpier, J. and Seghers, P., *L'Art Poétique* (Seghers, 1957).

Chiari, J., *Symbolisme from Poe to Mallarmé* (Rockliff, 1957).

Chisholm, A. R., *Towards Hérodiade* (Oxford University Press).

Collingwood, R. G., *The Principles of Art* (Oxford University Press, 1938).

Eliot, T. S., *Selected Essays* (Faber and Faber, 1951).

—— *The Use of Poetry and the Use of Criticism* (Faber, 1933).

Fiser, E., *Le Symbole Littéraire* (Corti, 1941).

Huret, J., *Enquête sur l'Evolution Littéraire* (Charpentier, 1891).

Johansen, S., *Le Symbolisme* (Einar Munksgaard, Copenhagen, 1945).

Jones, P. Mansell, *The Background of Modern French Poetry* (Cambridge University Press, 1951).

Lehmann, A. G., *The Symbolist Aesthetic in France 1885–1895* (Blackwell, Oxford, 1950).

Martino, P., *Parnasse et Symbolisme: 1850–1900* (Colin, 1925).

Michaud, G., *La Doctrine Symboliste* (Documents), (Nizet, 1947).

—— *Message Poétique du Symbolisme*, 3 volumes (Nizet, 1947).

Nadeau, M., *Histoire du Surréalisme* (Editions du Seuil, 1945).

—— *Documents Surréalistes* (Editions du Seuil, 1948).

Poe, E. A., *Works*, in 4 volumes, edited by John H. Ingram (A. and C. Black, 1910).

Press, J., *The Fire and the Fountain* (Oxford University Press, 1955).

Raymond, M., *De Baudelaire au Surréalisme* (Corti, 1940).

Richard, J.-P., *Poésie et Profondeur* (Editions du Seuil, 1955).

Waltz, R., *La Création Poétique* (Flammarion, 1953).

Wilson, E., *Axel's Castle* (Scribners' Sons, 1950).

ANTHOLOGIES

Boase, A. M., *The Poetry of France* (Methuen, 1952).

Hackett, C. A., *An Anthology of Modern French Poetry* (Blackwell, Oxford, 1950).

Jones, P. Mansell, *An Anthology of Modern French Verse* (Manchester University Press, 1954).

—— *The Oxford Book of French Verse* (revised edition), (Oxford University Press, 1957).

Parmée, D., *Twelve French Poets, 1820–1900* (Longmans, 1957).

CHARLES BAUDELAIRE (1821–67)

Les Fleurs du Mal (1857).

Second edition, augmented by thirty-five new poems including completely new section, *Tableaux Parisiens*, but with condemned poems omitted, 1861.

Third edition compiled by Baudelaire's literary executors, Charles Asselineau and Théodore de Banville, 1868.

Le Spleen de Paris, published posthumously, 1869.

The best modern editions are:

J. Crépet, *Œuvres Complètes* (Conard), 19 volumes published between 1922 and 1953.

Y. G. le Dantec, *Œuvres Complètes* (Gallimard, Bibliothèque de la Pléiade, 1951).

Les Fleurs du Mal, edited by J. Crépet and G. Blin (Corti, 1942), or by E. Starkie (Blackwell, 1942).

Baudelaire's pronouncements on poetry are scattered throughout his critical essays and reviews. The most important of these, together with the date of their first publication, are as follows:

'Auguste Barbier', *La Revue Fantaisiste* (15 July 1861).

'Conseils aux Jeunes Littérateurs', *L'Esprit Public* (15 April 1846).

'Notes Nouvelles sur E. A. Poe', Baudelaire's preface to his translation of Poe's *Nouvelles Histoires Extraordinaires* (March 1857).

'L'Œuvre et la Vie d'Eugène Delacroix', *L'Opinion Nationale* (2 and 14 September, and 22 November 1863).

'Le Peintre de la Vie Moderne', *Figaro* (26 and 28 November, and 3 December 1863).

'Richard Wagner et Tannhäuser à Paris', *La Revue Européenne* (April 1861).

'Salon de 1846', brochure first issued, 13 May 1846.

'Salon de 1859', *Revue Française* (10 and 20 June, 10 and 20 July 1859).

'Théodore de Banville', *La Revue Fantaisiste* (1 August 1861).

'Théophile Gautier', *L'Artiste* (13 March 1859).

'Victor Hugo', *La Revue Fantaisiste* (15 June 1861).

A useful selection from these essays will be found in *Selected Critical Essays of Baudelaire*, edited by D. Parmée (Cambridge University Press, 1949).

Further remarks on poetry will be found in *Mon Cœur Mis à Nu* and *Fusées* which together make up Baudelaire's *Journaux Intimes*, of which the best edition is that by Crépet and Blin, published by Corti in 1949.

Baudelaire's letters might also be consulted with profit:

Correspondance Générale (Conard), published in 6 volumes between 1947 and 1953.

Consult also:

Austin, L. J., *L'Univers Poétique de Baudelaire* (Mercure de France, 1956).

Blin, G., *Baudelaire* (Gallimard, 1939).

Chérix, R.-B., *Commentaire des Fleurs du Mal* (Pierre Cailler, Geneva, 1949).

Eliot, T. S., *Baudelaire* (in *Selected Essays*, Faber, 1932, and *Selected Prose*, Penguin Books, 1953).

Ferran, A., *L'Esthétique de Baudelaire* (Hachette, 1933).

Fondane, B., *Baudelaire et l'Expérience du Gouffre* (Seghers, 1947).

Gilman, M., *Baudelaire the Critic* (Columbia University Press, 1943).

Jones, P. Mansell, *Baudelaire* (Bowes and Bowes, 1952).

Murry, J. Middleton, *Baudelaire* (in *Countries of the Mind*, Oxford University Press, 1931).

Peyre, H., *Connaissance de Baudelaire* (Corti, 1951).

Pommier, J., *La Mystique de Baudelaire* (Les Belles Lettres, 1932).

Prévost, J., *Baudelaire. Essai sur l'Inspiration et la Création Poétiques* (Mercure de France, 1953).

18-2

Ruff, M. A., *Baudelaire, l'Homme et l'Œuvre* (Hatier-Boivin, 1957).

Sartre, J. P., *Baudelaire* (Gallimard, 1947), English translation by M. Turnell (Horizon, 1949).

Starkie, E., *Baudelaire* (Faber, 1957).

Valéry, P., *Situation de Baudelaire* (in *Valéry O.*, pp. 598–613).

Vivier, R., *L'Originalité de Baudelaire* (Académie Royale, Brussels, 1926).

See also:

'Pour le Centenaire des "Fleurs du Mal"', special number of *Revue des Sciences Humaines* (January–March 1957).

STÉPHANE MALLARMÉ (1842–98)

L'Après-Midi d'un Faune (1876).

Les Poésies de Stéphane Mallarmé (1887).

Album de Vers et de Prose (1887).

Pages (1891).

Divagations (1897).

Un Coup de Dés jamais n'abolira le Hasard (1897).

Full editions of Mallarmé's work were published much later:

Œuvres Complètes (Gallimard, Bibliothèque de la Pléiade, 1945).

The chief source of Mallarmé's views on poetry is the collection of extracts from his letters, *Propos sur la Poésie*, edited by H. Mondor (Editions du Rocher, Monaco, new and enlarged edition, 1953).

The most important of his critical essays, with date of their first appearance, are:

Crise de Vers, an essay built up from fragments of different articles which appeared in various reviews in 1886, 1892 and 1896.

'Hérésies Artistiques: l'Art pour Tous', *L'Artiste* (15 September 1862).

La Musique et les Lettres (1894).

See also the famous interview with Jules Huret, published both in the Pléiade edition of Mallarmé's works and in Huret's *Enquête sur l'Evolution Littéraire*.

Consult:

Aish, Deborah A. K., *La Métaphore dans l'Œuvre de Stéphane Mallarmé* (Droz, 1938).

Beausire, P., *Essai sur la Poésie et la Poétique de Mallarmé* (Mermod, Lausanne, 1949).

Chassé, C., *Les Clefs de Mallarmé* (Aubier, 1954).

Davies, G., *Les 'Tombeaux' de Mallarmé, Essai d'Exégèse Raisonnée* (Corti, 1950).

Mauron, C., *Mallarmé l'Obscur* (editions Denoël, 1941).

—— *Introduction à la Psychanalyse de Mallarmé* (La Baconnière, Neuchâtel, 1950).

Mondor, H., *Vie de Mallarmé* (Gallimard, 1941).

—— *Mallarmé Lycéen* (Gallimard, 1954).

—— *Mallarmé plus Intime* (Gallimard, 1944).

—— *Histoire d'un Faune* (Gallimard, 1948).

Noulet, E., *L'Œuvre Poétique de Mallarmé* (Droz, 1940).

—— *Dix Poèmes. Exégèses* (Droz, Geneva, 1948).

Scherer, J., *L'Expression Littéraire dans l'Œuvre de Mallarmé* (Droz, 1947).

Thibaudet, A., *La Poésie de Stéphane Mallarmé* (N.R.F., 1926).

Valéry, P., *Écrits divers sur Stéphane Mallarmé* (Gallimard, 1950). (Now incorporated in *Valéry, O.*)

The following outstanding articles are at present available only in journals:

Austin, L. J., 'Le Principal Pilier: Mallarmé, Hugo et Wagner', *Revue d'Histoire Littéraire de la France* (1951), pp. 154–80.

—— 'Mallarmé et le Rêve du "Livre"', *Mercure de France* (1 January 1953).

—— 'M. Huysmans et la Prose pour des Esseintes', *Revue d'Histoire Littéraire de la France* (1954), pp. 145–83.

—— 'Du Nouveau sur la Prose pour des Esseintes', *Mercure de France* (1956).

Chisholm, A. R., 'Notes on "Ses purs Ongles"', *French Studies* (July 1952), pp. 230–4.

—— 'Three Difficult Sonnets of Mallarmé', *French Studies* (July 1955), pp. 212–17.

Davies, G., 'Stéphane Mallarmé. Fifty Years of Research', *French Studies* (January 1947).

—— 'The Demon of Analogy', *French Studies* (July 1955), pp. 197–211, and (October 1955), pp. 326–47.

Gill, A., 'From "Quand l'Ombre Menaça" to "Au Seul Souci de Voyager"', *Modern Language Review*, L (1955), 414–32.

PAUL VERLAINE (1844–96)

Poetry:

Poèmes Saturniens (1867); *Les Fêtes Galantes* (1869); *La Bonne Chanson* (1870); *Romances sans Paroles* (1874); *Sagesse* (1881); *Jadis et Naguère* (1884); *Amour* (1888); *Parallèlement* (1889); *Femmes* (1890); *Dédicaces* (1890); *Bonheur* (1891); *Chansons pour Elle* (1891); *Liturgies Intimes* (1892); *Elégies* (1893); *Odes en son Honneur* (1893); *Dans les Limbes* (1894); *Epigrammes* (1894). Posthumously, *Chair* (1896); *Invectives* (1896).

Prose:

Les Poètes Maudits (1884); *Mes Prisons* (1893); *Confessions* (1895).

Œuvres Poétiques Complètes, edited by Y.-G. le Dantec (Gallimard, Bibliothèque de la Pléiade, 1942).

Consult also Dr V. P. Underwood's critical editions of:

Fêtes Galantes, *La Bonne Chanson*, and *Romances sans Paroles* (Manchester University Press, 1942–7).

The chief sources of Verlaine's views on poetry are his *Correspondance*, published in 3 volumes (Messein, 1922, 1923, 1929); and various lectures published in *Œuvres Posthumes*, vol. II (Messein, 1927). See also the preface to the 1890 edition of *Poèmes Saturniens*.

Consult:

Adam, A., *Le Vrai Verlaine* (Droz, 1936).

Cuénot, C., *Verlaine, l'Homme et l'Œuvre* (Hatier-Boivin, 1953).

Martino, P., *Verlaine* (Boivin, 1924).

Mondor, H., *L'Amitié de Verlaine et de Mallarmé* (N.R.F., 1940).

Porché, F., *Verlaine tel qu'il fut* (Flammarion, 1933).

See also:

Richard, J. P., 'Fadeur de Verlaine', in *Poésie et Profondeur*, pp. 163–85.

ARTHUR RIMBAUD (1854–91)

Une Saison en Enfer (Brussels, 1873): *Les Illuminations* (with preface by Verlaine), 1886.

Œuvres Complètes, edited by Roland de Renéville and J. Mouquet (Gallimard, Bibliothèque de la Pléiade, 1946).

See also the *édition critique* published by Mercure de France in 3 volumes, each with introduction and notes by H. de Bouillane de Lacoste:

Une Saison en Enfer (1943).

Poésies (1947).

Illuminations (1949).

Rimbaud's views on poetry will be found in the two so-called *Voyant* letters, and in the *Alchimie du Verbe* section of *Une Saison en Enfer*.

Consult:

Étiemble, R. and Gauclère, Y., *Rimbaud* (Gallimard, 1950).

Étiemble, R., *Le Mythe de Rimbaud*, in 3 volumes, each published by Gallimard:

Vol. I: *Genèse du Mythe* (1954).

Vol. II: *Structure du Mythe* (1952).

Vol. III: *Succès du Mythe* (not yet published).

Hackett, C. A., *Rimbaud l'Enfant* (Corti, 1948).

—— *Rimbaud* (Bowes and Bowes, 1957).

Mondor, H., *Rimbaud ou le Génie Impatient* (Gallimard, 1955).

Starkie, E., *Arthur Rimbaud* (Hamish Hamilton, 1947).

See also the following review articles:

Barrère, J.-B., 'Rimbaud, l'Apprenti Sorcier', *Revue d'Histoire Littéraire de la France* (January–March, 1956), pp. 50–64.

Chadwick, C., 'The Date of Rimbaud's "Illuminations"', *French Studies* (1955), pp. 312–25.

Chadwick, C., 'Rimbaud le Poète', *Revue d'Histoire Littéraire de la France* (April–June 1957), pp. 204–11.

Étiemble, R., 'Le Sonnet des Voyelles', *Revue de Littérature Comparée* (April–June 1939), pp. 235–61.

Richard, J. P., 'Rimbaud ou la Poésie de Devenir', *Poésie et Profondeur*, pp. 187–250.

JULES LAFORGUE (1860–87)

Les Complaintes (1885); *L'Imitation de Notre-Dame la Lune* (1886); *Le Concile Féerique* (1886).

Derniers Vers (1890); *Le Sanglot de la Terre* (1903).

Œuvres Complètes, to be published by Mercure de France in 8 volumes prepared by M. Jean-Aubry. Laforgue's poetry is contained in vols. I and II (1922); vol. III, *Moralités Légendaires* (1924); vols. IV and V (1925) are made up of Laforgue's correspondence, 1881–7; vol. VI, *En Allemagne* (1930).

See also:

Lettres à un Ami, 1880–6 (Mercure de France, 1941).

Laforgue's views on poetry will be found scattered in his correspondence and in *Mélanges Posthumes* (Mercure de France, 1903). In this work, the article 'Notes inédites sur Baudelaire' is incomplete and should, if possible, be consulted in its original form as it appeared in *Entretiens Politiques et Littéraires*, vol. II, no. 13 (April 1891), pp. 98–120.

Consult:

Durry, M. J., *Jules Laforgue* (Seghers, Poètes d'Aujourd'hui, 1952).

Guichard, L., *Jules Laforgue et ses Poésies* (Presses Universitaires Françaises, 1950).

Ramsey, W., *Jules Laforgue and the Ironic Inheritance* (Oxford, 1953).

Ruchon, F., *Jules Laforgue: Sa Vie, Son Œuvre* (Geneva, 1924).

Consult also:

Bolgar, R. R., 'The Present State of Laforgue Studies', *French Studies* (July 1950).

Turnell, M., 'The Poetry of Jules Laforgue', *Scrutiny* (September 1936).

GUILLAUME APOLLINAIRE (1880–1918)

Le Bestiaire ou Cortège d'Orphée (1911); *Alcools* (1913); *Case d'Armons* (1915); *Vitam Impendere Amori* (1917); *Calligrammes* (1918).

Œuvres Poétiques Complètes, edited by M. Adéma and M. Décaudin (Gallimard, Bibliothèque de la Pléiade, 1956).

Apollinaire's views on poetry will be found in:

'L'Esprit Nouveau et les Poètes', *Mercure de France*, CXXX (1 December 1918), 385–96.

Textes Inédits, edited by J. Moulin (Droz, Geneva, 1952).

See also two important collections of Apollinaire's letters:

Lettres à sa Marraine, 1915–1918 (Gallimard, 1951).

Tendre comme le Souvenir (Gallimard, 1952).

Consult:

Adéma, M., *Guillaume Apollinaire le mal-aimé* (Plon, 1952), English translation by Denise Folliot (Heinemann, 1954).

Billy, A., *Guillaume Apollinaire* (Seghers, Poètes d'Aujourd'hui, 1947).

Fabureau, H., *Guillaume Apollinaire, son Œuvre* (Editions de la Nouvelle Revue Critique, 1932).

Pia, P., *Apollinaire par Lui-même* (Editions du Seuil, 1954).

Rouveyre, A., *Apollinaire* (Gallimard, 1945).

See also:

Revue des Sciences Humaines number devoted to Apollinaire (October–December 1956).

PAUL CLAUDEL (1868–1955)

Vers d'Exil (1895); *Connaissance de l'Est* [prose poems], (1900); *Les Muses* (1905); *Cinq Grandes Odes suivies d'un Processionnal pour saluer le Siècle Nouveau* (1910); *La Cantate à Trois Voix* (1914); *Corona Benignitatis Anni Dei* (1915); *La Messe là-bas* (1917); *Ode Jubilaire pour le Six Centième Anniversaire de la Mort de Dante* (1921); *Poèmes de Guerre 1914–1916* (1922); *Feuilles de Saints* (1925); *Cent Phrases pour Eventails* (1927); *Poèmes et Paroles durant la Guerre de Trente Ans* (1945); *Le Livre de Job* (1946); *Visages Radieux* (1947).

Œuvre Poétique (Gallimard, Bibliothèque de la Pléiade, 1957).

The chief sources of Claudel's views on poetry are:

Positions et Propositions (2 volumes of critical essays, Gallimard, 1928–34).

Mémoires Improvisés (broadcast interviews with Jean Amrouche, Gallimard, 1954).

Consult:

Barjon, L., *Paul Claudel* (Editions Universitaires, 1953).

Chonez, C., *Introduction à Paul Claudel* (Albin Michel, 1947).

Fowlie, W., *Claudel* (Bowes and Bowes, 1957).

Friche, E., *Études Claudéliennes* (Portes de France, 1943).

Madaule, J., *Le Génie de Paul Claudel* (Desclée de Brouwer, 1933).

See also:

Rivière, J., 'Paul Claudel' in *Etudes* (Gallimard, 1936), pp. 63–126.

SELECT BIBLIOGRAPHY

CHARLES PÉGUY (1873–1914)

Jeanne d'Arc (1897); *Le Mystère de la Charité de Jeanne d'Arc* (1910); *Le Porche du Mystère de la Deuxième Vertu* (1911); *Le Mystère des Saints Innocents* (1912); *Sonnets* (1912); *La Tapisserie de Sainte Geneviève et de Jeanne d'Arc* (1912); *La Tapisserie de Notre-Dame* (1913); *Eve* (1914).

Œuvres Poétiques Complètes (Gallimard, Bibliothèque de la Pléiade, 1941).

Péguy's views on poetry are to be found in his comments on *Eve* as reported by his friend Joseph Lotte. These were originally published by Lotte under the pseudonym J. Durel in the *Bulletin des Professeurs Catholiques de l'Université* (20 January 1914), and were subsequently re-published, with other *inédits*, as an appendix to Albert Béguin's *Eve de Péguy* (Cahiers de l'Amitié Charles Péguy, 1948).

Consult also:

Béguin, A., *La Prière de Péguy* (La Baconnière, Neuchâtel, 1942).

Chabanon, A., *La Poétique de Charles Péguy* (Laffont, 1947).

Guyon, B., *L'Art de Péguy* (Cahiers de l'Amitié Charles Péguy, 1948).

Onimus, J., *L'Image dans l'Eve de Péguy: Essai sur la Symbolique et l'Art de Péguy* (Cahiers de l'Amitié Charles Péguy, 1952).

PAUL VALÉRY (1871–1945)

Premiers Poèmes (1891); *La Jeune Parque* (1917); *Odes* (1920); *Le Cimetière Marin* (1920); *Album de Vers Anciens* (1891–93, 1920); *Le Serpent* (1921); *Charmes* (1922).

The first volume of Valéry's works, published in 1957 in the Bibliothèque de la Pléiade, contains all Valéry's poetry and, as well as other prose-writings, the bulk of his writings on poetry, including all those which had previously appeared in the 5 volumes of *Variété* and the invaluable *Ecrits Divers sur Stéphane Mallarmé* (Gallimard, 1950). The more important of these writings on poetry are listed below in alphabetical order, together with the place and date of their first appearance.

'Au Sujet d'Adonis', *La Revue de Paris* (1 February 1921).

'Au Sujet du Cimetière Marin', *La Nouvelle Revue Française* (1 March 1933).

Avant-Propos à la Connaissance de la Déesse (by Lucien Fabre), (1920).

'Calepin d'un Poète', *Poësie, Essai sur la Poëtique et le Poëte* (Collection Bertrand Guégan, 1928).

'Cantiques Spirituels', *La Revue des Deux Mondes* (15 May 1941).

Commentaires de Charmes, edition of *Charmes, Commentés par Alain* (Gallimard, 1929).

'Le Coup de Dés', *Les Marges* (15 February 1920).

'Dernière Visite à Mallarmé', *Le Gaulois* (17 October 1923).

(De) *L'Enseignement de la Poétique au Collège de France* (Société Générale de l'Imprimerie, 1937).

Existence du Symbolisme (A.-A. M. Stols, Maestricht, 1939).

'Fragments des Mémoires d'un Poème', *La Revue de Paris* (15 December 1937).

'Introduction à la Méthode de Léonard de Vinci', *La Nouvelle Revue* (August 1895).

'Je disais quelquefois à Stéphane Mallarmé', preface to *Poésies de Stéphane Mallarmé* (La Société des Cent-Une, Paris, 1931).

'Lettre sur Mallarmé', *La Revue de Paris* (1 April 1927).

'Mallarmé', *Le Point* (February–April 1944).

Nécessité de la Poésie, lecture to l'Université des Annales, 19 November 1937, *Conférencia* (1 February 1938).

'Note et Digression', *Introduction à la Méthode de Léonard de Vinci* (Editions de la Nouvelle Revue Française, 1919).

'Passage de Verlaine', *Le Gaulois* (27 January 1921).

Poésie et Pensée Abstraite, Zaharoff lecture for 1939 (Clarendon Press, Oxford, 1939).

Première Leçon du Cours de Poétique, opening lecture in Valéry's Course of Poetics at Collège de France, 10 December 1937.

Propos sur la Poésie, lecture to l'Université des Annales, 2 December 1927, *Conférencia* (5 November 1928).

'Questions de Poésie', *La Nouvelle Revue Française* (1 January 1935).

Situation de Baudelaire, lecture to la Société de Conférence, Monaco, 19 February 1924.

Souvenirs Littéraires, lecture to l'Université des Annales, 18 November 1927, *Conférencia* (29 March 1928).

'Stéphane Mallarmé', *Le Gaulois* (17 October 1923).

Stéphane Mallarmé, lecture to l'Université des Annales, 17 January 1933, *Conférencia* (15 April 1933).

Sur la Technique Littéraire, written in 1889, but only discovered in 1946 by M. Henri Mondor and published in *Dossiers I* (J. B. Janin, 1946).

'Victor Hugo, Créateur par la Forme', *Radio-Paris* (1935).

Villon et Verlaine, lecture to l'Université des Annales, 12 January 1937, *Conférencia* (15 April 1937).

Other writings by Valéry on poetry are to be found in:

Pièces sur l'Art (Gallimard, 1936).

Tel Quel I (N.R.F., 1941), which contains *Choses Tues*, *Moralités*, *Ebauches de Pensées*, *Littérature*, *Cahier B 1910*.

Tel Quel II (N.R.F., 1943), which contains, *Rhumbs*, *Note*, *Autres Rhumbs*, *Analecta*, *Suite*.

'Propos me concernant', in *Présence de Valéry* by Berne-Joffroy (Plon, 1944).

Lettres à Quelques-uns (Gallimard, 1952).

Correspondance d'André Gide et de Paul Valéry, 1890–1942, edited by R. Mallet (Gallimard, 1955).

Correspondance de Paul Valéry et Gustave Fourment, 1887–1930, edited by O. Nadal (Gallimard, 1957).

Propos Familiers de Paul Valéry, collected by H. Mondor (Gallimard, 1957).

Alain, *Charmes* (annotated edition, Gallimard, 1929).

—— *La Jeune Parque* (annotated edition, N.R.F., 1936).

Chisholm, A. R., *An Approach to 'La Jeune Parque'* (Oxford Univ. Press, 1938).

Cohen, G., *Essai d'Explication du 'Cimetière Marin'* (with commentary on 'La Jeune Parque', Gallimard, 1946).

Fabureau, H., *Paul Valéry* (Editions de la Nouvelle Critique, 1937).

Henry, A., *Langage et Poésie chez Paul Valéry* (Mercure de France, 1952).

Hytier, J., *La Poétique de Valéry* (Armand Colin, 1953).

Lefèvre, F., *Entretiens avec Paul Valéry* (Chamontin, 1926).

Mondor, H., *Précocité de Valéry* (Gallimard, 1957).

Noulet, E., *Paul Valéry* (Grasset, 1938).

Pommier, J., *Paul Valéry et la Création Littéraire* (Edition de l'Encyclopédie Française, 1946).

Scarfe, F., *Paul Valéry* (Heinemann, 1954).

Sörensen, H., *La Poésie de Paul Valéry*. Etude stylistique sur *La Jeune Parque* (Copenhagen, 1944).

Thibaudet, A., *Paul Valéry* (Grasset, 1923).

Walzer, P. O., *La Poésie de Valéry* (P. Cailler, Geneva, 1953).

See also:

Austin, L. J., 'Paul Valéry compose "Le Cimetière Marin"', *Mercure de France* (April 1953 and May 1953), pp. 577–608, 47–72.

Romains, J., *Strigelius applique sa Méthode, Les Hommes de Bonne Volonté* (Flammarion), vol. XII, ch. 14. (A caricature of Valéry at work.)

Paul Valéry Vivant, Cahiers du Sud (Marseille, 1946), an important collection of essays on Valéry.

JULES SUPERVIELLE (1884–1960)

Brumes du Passé (1900); *Comme des Voiliers* (1910); *Poèmes* (1919); *Débarcadères* (1922); *Gravitations* (1925); *Cloron-Sainte-Marie* (1927); *Saisir* (1928); *Le Forçat Innocent* (1930); *Les Amis Inconnus* (1934); *La Table du Monde* (1938); *Les Poèmes de la France Malheureuse* (1941); *1939–1945 Poèmes* (1945); *A la Nuit* (1947); *18 Poèmes* (1947); *Choix de Poèmes* (1947); *Oublieuse Mémoire* (1949); *Naissances, Poèmes, suivis de En Songeant à Un Art Poétique* (1951).

The last-named is the main source so far available of Supervielle's views on poetry.

Consult:

Supervielle, *Contes et Poèmes*, selected by Professor J. Orr (Edinburgh University Press, 1950).

Roy, C., *Jules Supervielle* (Seghers, Poètes d'Aujourd'hui, 1949).

PAUL ELUARD (1895–1952)

Le Devoir et l'Inquiétude (1917); *Les Animaux et leurs Hommes, les Hommes et leurs Animaux* (1920); *Les Nécessités de la Vie et les Conséquences des Rêves* (1921); *Répétitions* (1922); *Les Malheurs des Immortels* (in collaboration with Max Ernst, 1922); *Mourir de ne pas Mourir* (1924); *Capitale de la Douleur* (1926); *Les Dessous d'une vie*

ou la Pyramide Humaine (1926); *L'Amour la Poésie* (1929); *L'Immaculée Conception* (in collaboration with André Breton, 1930); *Ralentir Travaux* (in collaboration with André Breton and René Char, 1930); *La Vie Immédiate* (1932); *La Rose Publique* (1934); *Facile* (1935); *Les Yeux Fertiles* (1936); *Les Mains Libres* (1937); *Cours Naturel* (1938); *Donner à Voir* (1939); *Chanson Complète* (1939); *Le Livre Ouvert I* (1940); *Le Livre Ouvert II* (1942); *Poésie et Vérité 1942* (1942); *Poésie Involontaire et Poésie Intentionelle* (1943); *Le Lit La Table* (1944); *Dignes de Vivre* (1944); *Au Rendezvous Allemand* (1944); *Médieuses* (1944); *Doubles d'Ombre* (1945); *Lingères Légères* (1945); *Choix de Poèmes* (1946); *Poésie Ininterrompue* (1946); *Le Livre Ouvert* (1947); *A l'Intérieur de la Vue* (1948); *Voir* (1948); *Poèmes Politiques* (1948); *Une Leçon de Morale* (1949); *Les Sentiers et les Routes de la Poésie* (1954).
The last-named is the chief source of Eluard's views on poetry.

Consult:

Parrot, L., *Paul Eluard* (Seghers, Poètes d'Aujourd'hui, 1948).

The following important books have appeared since this work was set up:

Bernard, S., *Le Poème en Prose de Baudelaire jusqu'à nos jours* (Nizet, 1959).

—— *Mallarmé et la Musique* (Nizet, 1959).

Davies, G., *Mallarmé et le Drame Solaire* (Corti, 1959).

—— *Les Noces d'Hérodiade* (Gallimard, 1959).

Mallarmé, S., *Correspondance, 1862–1871*, edited by Henri Mondor and J.-P. Richard (Gallimard, 1959).

Valéry, P., *Cahiers, 1894–1945*. Centre National de la Recherche Scientifique. (Publication began in 1959 of the first of the 32 volumes that will make up the complete, extremely valuable, collection.)

INDEX

Adam, A., 107

Aeschylus, 112 n.

Apollinaire: imagery, 177; innovations, 115 n., 150, 156, 162, 177, 190; manner of composing, 232; modernism, 46, 49, 50, 116 n., 156 n., 157 n.; on Baudelaire, 13 n.; on greatness of poetry, 49, 115; punctuation, 188; respect for tradition, 197; sensibility, 57 n., 63

A la Santé, 116 n.; *Alcools*, 37 n., 150; *Calligrammes*, 190, 191; *Chanson du Mal Aimé, la*, 37, 156; *Dame, la*, 162; *Esprit Nouveau et les Poètes, l'*, 116, 131; *Fiançailles, les*, 116 n.; *Jolie Rousse, la*, 115, 116, *Lul de Faltenin*, 163; *Retour, le*, 162; *Vendémiaire*, 115 n.

Aragon, L., 178

Aristotle, 163

Arnold, M., 237

Aubanel, T., 83, 84

Austin, L. J., 82 n., 86 n., 128 n., 184 n., 253 n.

Bacon, F., 40

Balzac, 29 n., 65 n., 67, 192, 259

Banville, 8, 26, 97, 107, 143 n., 146, 182 n., 202, 203 n., 235, 237

Barbey d'Aurevilly, 103 n., 151 n.

Barnes, 245 n.

Barrère, J. B., 103 n., 151 n.

Baudelaire: Apollinaire on, 13 n.; attitude to public, 29, 30, 34, 37, 43; Claudel on, 11, 44, 109, 110; 'correspondances', 64–8, 164–6; devotion to poetry, 41, 42, 43, 77, 269, 270; Gautier on, 6 n., 67; Laforgue on, 6 n., 31, 32, 52; memory, 69, 70; Nature, 70, 71; on childhood, 52, 53, 54; on Constantin Guys, 53, 54; on criticism, 3, 4, 13; on Gautier, 68, 266, 267 n., 268; on Hugo, 64, 65, 132, 133; on imagination, 59–63; on inspiration, 212, 223, 226, 227, 228, 229, 230, 232 n., 240, 241, 243, 254, 255; on music, 180, 181; on Poe, 9, 12, 31, 226, 260, 261; on poetic sensibility, 53, 54, 56, 57, 58; on poet's nature, 14, 26, 27; on poet's role, 63–73, 91, 115, 143, 146; on prosody, 198, 207 n.; on pure poetry, 34, 141, 142; on Wagner, 184; religion, 38, 73–7; Rimbaud on, 8; self-awareness, 41, 228 n.; use of imagery, 166–8; Valéry on, 6 n., 126; Verlaine on, 6 n., 52; world-weariness, 39, 40, 48, 55, 72

A Celle qui est trop gaie, 38; *Albatros, l'*, 29; *Anywhere out of the world*, 40; *Au Lecteur*, 32, 75; *Bénédiction*, 29, 76; *Chambre Double, la*, 40; *Chevelure, la*, 70; *Correspondances*, 66, 68, 100, 104, 129; *Du Vin et du Haschisch*, 57; *Enivrez-Vous*, 40; *Etranger, l'*, 40; *Fleurs du Mal, les*, 15, 16, 31, 38, 40, 74, 75, 79, 80, 160; *Guignon, le*, 163; *Imprévu, l'*, 75, 76; *Invitation au Voyage, l'*, 40; *Je te donne ces vers*, 23 n.; *Poème du Haschisch*, 68; *Recueillement*, 40; *Spleen de Paris, le*, 38, 46 n., 191 n.; *Voyage, le*, 40, 79, 100

Beethoven, 80, 109 n.

Belmontet, L., 7

Benda, J., 186 n.

Béranger, 79

Berlioz, 183

Bertrand, A., 191 n.

Birrell, A., 97 n.

Bisson, L. A., 254 n.

Blake, W., 26 n., 56 n., 129 n., 163, 217 n.

Blin, G., 66 n., 191 n.

Boileau, 36, 37, 235, 237

Borel, P., 6 n., 101

Bossuet, 192

Bouilhet, L., 240

Bouillane de Lacoste, H., 106, 107

Bowra, C. M., 231 n.

Bremond, H., 149 n.

Breton, A.: on childhood, 54; on inspiration, 215, 216, 225, 226, 238, 239; on language, 150, 154, 189; on nature of poetry, 50; on Poe, 265; on Surrealist imagery, 177–9; parody of Valéry, 124 n.

Burns, 245 n.

Carlyle, T., 183 n.

Carré, J. M., xi

Cazalis, H., 80